# 東南アジアの 文化遺産と ミュージアム

德澤啓一・山形眞理子 編

雄山閣

# 刊行にあたって

　東南アジアの国々では、紛争や災害、経済発展に伴う開発に伴って、有形・無形の文化遺産が消失の危機に瀕しており、これらに対する保護の取り組みが重要になってきています。

　SDGsの「住み続けられるまちづくりを」という目標には、「世界の文化遺産及び自然遺産の保護・保全の努力を強化する」という具体的なターゲットが含まれています。こうした目標は、人間にとっての文化遺産の大切さを示すものですが、これを達成するためには、持続的な人間の関与が不可欠になってきています。

　文化遺産の健全性は、日常的なモニタリング、維持管理、修繕修復等の履行が担保されなければなりません。そのため、域内保全を担うオンサイト・ミュージアムとそこに働く専門人材がきわめて重要な役割を果たしてきました。現地に建設されたミュージアムは、文化遺産の保護と密接にかかわる資料の収集、保管、調査研究等の活動拠点となり、文化遺産の多様な価値を高めるとともに、その存在を維持・保全する装置として機能してきました。また、地域住民に対する文化遺産リテラシーの涵養、あるいは、地域の住民や学校等に対する教育的役割も果たしてきました。

　一方、文化遺産に対する価値意識は、各地域で多様であるとともに、近年、さまざまな開発の進展によって、その意識も大きく変容しています。とりわけ、世界遺産に代表されるとおり、文化遺産は、観光資源としての経済的な装置と見做されるようになってきました。

　とりわけ文化観光・遺産観光は、文化遺産やミュージアムに接近する機会であり、観光セクターからすると、現地に建設されたオンサイト・

ミュージアムは、情報発信拠点としてのプロモーションセンター、また、観光客等との交流拠点としてのビジターセンターとして、文化遺産の魅力と価値を訴求する役割が期待されています。

　一方、紛争、災害、開発等によって、価値の毀損が危惧されている文化遺産もあります。また、環境、制度、人材、財政等のさまざまな理由によって、本来の役割が果たせなくなり、運用に限界をきたしたミュージアムも少なくないようです。現地の文化遺産やミュージアムが孕むさまざまな問題を取り上げながら、今後、取り組むべき課題を明らかにする必要があります。

　本書では、ベトナム、ラオス、カンボジア、タイ、フィリピン、インドネシアにおいて、文化遺産学、博物館学、考古学、文化人類学等の研究者が、留学やフィールドワーク等の経験の中で接近した文化遺産と現地のミュージアムを取り上げています。それぞれの国や地域における文化遺産やミュージアムの成り立ち、これらに対する国家や地域住民のまなざし、そして、ミュージアムや専門人材による保護の取り組み、特色ある活動、観光をはじめとする経済的な開発とのかかわり等、東南アジアにおける文化遺産とミュージアムとの多様な関係を取り上げているところに本書の特色があります。

　なお、ミュージアム等の用語、地名や遺跡名等の固有名詞に関しては、各執筆者の表記を尊重し、本書を通じての統一をしていません。


2023 年 3 月


徳澤　啓一

山形眞理子

東南アジアの文化遺産とミュージアム◉目　次◉

5

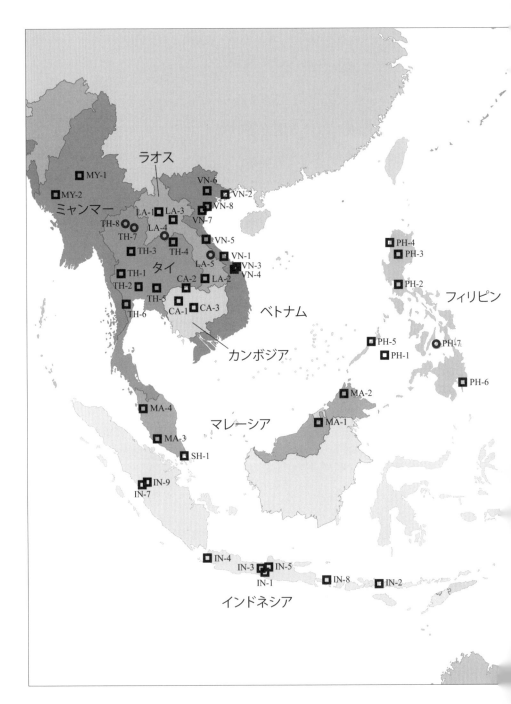

## 東南アジアにおける
## 文化遺産及び自然遺産の分布

**太字**は本書で取り上げる遺産
□：世界の文化遺産及び自然遺産の保護に関する条約で登録された遺産
○：本書で取り上げる遺産

［ベトナム］VN-1：フエの建造物群、VN-2：ハロン湾、**VN-3：古都ホイアン**、**VN-4：ミーソン聖域**、VN-5：フォンニャ＝ケバン国立公園、VN-6：ハノイのタンロン皇城の中心区域、VN-7：ホー王朝（胡王朝）の城塞、VN-8：チャンアン景観複合、［ラオス］**LA-1：ルアン・パバンの町**、**LA-2：チャンパサック県の文化的景観にあるワット・プーと関連古代遺産群**、**LA-3：シエンクワーン県ジャール平原の巨大石壺遺跡群**、**LA-4：ラオパコー遺跡**、**LA-5：セボン鉱山**、［カンボジア］**CA-1：アンコールの遺跡群**、CA-2：プレアヴィヒア寺院、CA-3：サンボー・プレイ・クックの寺院地区：古代イシャナプラの考古遺跡、［タイ］TH-1：トゥンヤイ-フワイ・カーケン野生生物保護区、TH-2：古都アユタヤ、TH-3：スコータイの歴史上の町と関連の歴史上の町、**TH-4：バン・チアンの古代遺跡**、TH-5：ドンパヤーイェン－カオヤイ森林地帯、TH-6：ケーンクラチャン森林保護区、**TH-7：プレー**、**TH-8：ランパーン**、［マレーシア］MA-1：グヌン・ムル国立公園、MA-2：キナバル自然公園、MA-3：マラッカ海峡の歴史的都市群：ムラカとジョージタウン、MA-4：レンゴン渓谷の考古遺産、［シンガポール］SH-1：シンガポール植物園（ボタニックガーデン）、［ミャンマー］MY-1：ピュー族の古代都市群、MY-2：バガン、［フィリピン］PH-1：トゥバタハ岩礁自然公園、PH-2：フィリピンのバロック様式教会群、PH-3：フィリピン・コルディリェーラの棚田群、PH-4：ビガン歴史都市、PH-5：プエルト・プリンセサ地下川国立公園、PH-6：ハミギタン山岳地域野生動物保護区、**PH-7：チョコレートヒルズ**、［インドネシア］IN-1：プランバナン寺院群、IN-2：コモド国立公園、**IN-3：ボロブドゥール寺院遺跡群**、IN-4：ウジュン・クロン国立公園、IN-5：サンギラン初期人類遺跡、IN-6：ロレンツ国立公園、IN-7：スマトラの熱帯雨林遺産、IN-8：バリ州の文化的景観：トリ・ヒタ・カラナ哲学を表現したスバック・システム、IN-9：サワルントのオンビリン炭鉱遺跡

■IN-6

# 東南アジアの世界遺産とミュージアム
## ―ユネスコのミュージアム支援事業を中心に―

林　菜央

## 1　ユネスコとミュージアム[1]（1960 年勧告から 2015 年勧告へ）

　ユネスコはその創設期から数多くの国際条約や勧告などの法的文書を採択しているが、その中ではじめてミュージアムをテーマとして扱ったのは 1960 年の「博物館をあらゆる人に開放する最も有効な方法に関する勧告」[2] である。世界ではこのころ、ユネスコが絵画のカタログ出版による芸術作品鑑賞機会の増大を目指したり、エジプトのアスワンハイダム建設で水没が危惧されたヌビア遺跡救済キャンペーンにより「万人が守るべき遺産」の意識も高まり始めていた。この勧告は、産業社会における余暇の増大と、新しいライフスタイルを反映したもので、市民の文化的意識を高める学びの場としてのミュージアムの役割が強く主張されていた。これを採択したユネスコ加盟国は、自国内のミュージアムが幅広い社会層に資することを求められた。

　2015 年に、上記の 1960 年から 55 年ぶりに、ミュージアムをテーマとした新たな国際提言が採択された。

　私は「博物館及びその収集品並びにこれらの多様性及び社会における役割の保護及び促進に関する勧告」[3] と名付けられたこの勧告を、ユネスコ事務局内で起草から採択まで主任担当官として担当する機会に恵まれた（林 2019）。

　2011 年のユネスコ総会で、このような新しいミュージアムに関する勧告を採択すべきであるという複数の加盟国からなる決議案が出され（決議 46）、以後 4 年にわたり、複数の国際会議、調査文書、政府間会議による草案についての討論を経て、勧告は 2015 年 11 月のユネスコ総会で採択された。

　2015 年勧告は、ミュージアムが、ユネスコ憲章に定められた目的と機能、特に世界市民の相互理解に貢献することを改めて認め、文化・自然・無形遺産

の保護や文化財の不法取引等に関するユネスコの他の法的文書の執行にあたって果たす役割が大きいことも強調された。一方、ミュージアムと、収蔵品の保護活用に際し、山積している課題に対処することの必然性も主張している。

条約と異なり、勧告には法的拘束力はない反面、法体系が整備されていなかったり、人的・物的な条件を満たしていない国でも、柔軟に指針を定めることができることが評価された。先進国と開発途上国における格差は、勧告採択の道のりの中で数知れず指摘された問題であり、どの国にとっても有意義かつ実施可能な勧告を作成するにあたって課題は多かった。

このように 2011 年から 2015 年は、文化に関する国際的議論の場であるユネスコで、久しぶりにミュージアムに関する関心が高まっていた時期でもあり、私は 2014 年の夏からはユネスコ唯一のミュージアム業務担当者兼統括官となったこともあり、2016 年末までの 3 年弱は、ユネスコでの生活の中でも最も忙しい時期でもあった。

ミュージアム勧告採択に至る数年の間、関わっていた開発途上国での多くのミュージアム支援プロジェクトは、今の世界におけるミュージアムの在り方や、その可能性についての私自身の考えにも多くの示唆を与えてくれた。

そういったプロジェクトの 1 つが、この本のテーマでもある、東南アジアの文化遺産と博物館に深く関わる、「メコン三国の世界遺産とミュージアム」プロジェクト（2011 ～ 2015）[4]と、その続編ともいえる「マレーシアとフィリピンの世界遺産とミュージアム」（2018 ～ 2020）であった。

以下、世界遺産とミュージアムをテーマとしたこのプロジェクトのコンセプトと、その活動内容、成果について、読者の皆様にご紹介したいと思う。

このプロジェクトや、シリアとエジプトの国立博物館のコレクションを通して文明間のつながりを語る「文化間の対話のためのミュージアムプログラム」[5]などに続き、2018 年に世界遺産センターに移ってからも、マレーシアとフィリピンの世界遺産を、ミュージアムを媒体にしてつなぐプロジェクトを実施した。

2002 年にユネスコに着任してから、私は世界遺産の価値とはその物質的な美しさや達成のみでなく、国境を超えた人類の歴史の中で繰り返された接触、それによる技術の進歩や、文化の交流を証言する存在であることではないかと思ってきた。私自身が、古代ローマの東方属州（レバノン、シリア、エジプト、北アフリカ）における、ローマ帝国の領土拡大に伴って起こった様々な宗教の

習合の例、芸術の発達などを研究の主題にしていたので、アンコール遺跡をはじめとする東南アジアの文明を、自然にそのような視点で見ていたこともあり、歴史上フランスとの関係が深いという共通点のあるメコン三国で、世界遺産を通じた文化間の対話に役立つようなプロジェクトを、ミュージアムを媒体に展開してみたいと考えた。

## 2　グローバリゼーション時代の世界遺産とミュージアム

2022年時点で世界遺産に登録されている1,154件の文化・自然遺産は、人類にとって「顕著な普遍的価値」（Outstanding Universal Value）を持つとされ、過去の証言者としてのみならず、我々の現在と未来にとっての貴重なインスピレーションの源泉であると定義されている。

世界遺産はまた、世界における観光産業の発展にも重要な一翼を担っている [6] と同時に、遺産の保全や活用に際して十分な対策が講じられていない国では、観光による様々な影響が懸念される例も多々ある。

このような問題に直面する各国の世界遺産管理当局にとって、自国民のみならず、訪れる旅行者全般に対し、遺産保護と文化の多様性を尊重することの重要性を理解してもらい、責任ある行動をしてもらうことも、大きな課題である。世界市民に、世界遺産に対して「自分ごとである」という意識をどうやってもってもらうことができるのか？

世界遺産は多くの場合、遺跡であったり、広大な自然公園だったりする。訪れる人は、何をどのくらい世界遺産に関して知っているのだろうか？

この遺産がどうして人類全般にとって価値あるものと認められているのか、古い、美しい、すごい、というだけでなく、この遺産はどんな人たちによって作られ、今日どんな人たちの生活に影響を与えているのか？と考えることはあるだろうか？

そういった、世界遺産に関する「より個人的でありながら、世界に再びつながるための物語」を語ることの重要性が、我々がメコン世界遺産・ミュージアムプロジェクトで追求したテーマであったとも言える。

公式な数字はないものの、世界遺産に登録されている地域に存在するミュージアムや、保存センター、情報センター、ビジターセンターなどを含めると、その数は8,000館以上と言われ、これらの施設が、上記の「より個人に語りか

ける物語」を伝える場所として、ふさわしいと考えた。

　前述の世界的なミュージアムの動向と関連して言えば、1975 年から現在に
かけ、世界におけるミュージアムの数は 22,000 館から 104,000 館まで増加した
と言われている[7]。公的な援助はますます少なくなる一方で、マーケティング
により個々の施設が来館者・利用者を増やすための措置が重視されている。文
化・創造産業のハブとしてのミュージアムの地域経済における役割も強調され
る傾向にある。先進国のみならず、近年湾岸諸国に見られるような旗艦ミュー
ジアムと世界遺産を組み合わせるような大規模開発や、「創造的都市」のコン
セプトが大規模な近代建築ミュージアムの存在に依存しているようなケースも
多い[8]。

　世界遺産に付随するミュージアムは、アテネのアクロポリスや、ブラジルの
コンゴーニャスなどの例を除き、国立博物館や上記のような旗艦ミュージアム
に比較すると、たいてい規模は小さく、訪問者の数も限られている。とはい
え、世界遺産と地域社会、観光客をつなぐ、という試みの上では潜在的な戦略
的役割は大きいと言えるだろう。

　我々のプロジェクトに参加してくれたミュージアム 9 館のほとんどが、カン
ボジアの国立博物館や、ベトナムのダナン市チャム彫刻博物館など国立と同じ
規模を持った例外を除けば、施設としての明瞭なビジョンや、新しい事業を展
開するための財源や人的資源を十分に享受しているとは言い難かった。これら
のミュージアムは、地域の生活に不可欠のインフラというわけでもなく、多く
の場合その展示は発掘物を見せることに限られて、明確なストーリー構成もな
く、地元の人々も、観光客も進んで訪れるような場所とは言えない。

　そのため、我々のプロジェクトにとって、参加するミュージアムがそれぞれ
の地域社会とのより良い関係性を模索することが、活性化のためにまず不可欠
であると判断した。これは、世界遺産と博物館を通じたコミュニティ開発の促
進に向けた最近のシフトを反映した分析の結果でもあった（Hayashi-Denis, Nao
(ed.) 2010、Rössler 2012）[9・10]。

## 3　パイロットプロジェクト「カンボジア、ラオス、ベトナム
の世界遺産ミュージアム」のはじまり
　ユネスコ日本信託基金の助成により、2011 年に開始されたこのユネスコ・

パイロットプロジェクトの目的は、したがって世界遺産関連のミュージアムを媒体に、世界遺産の価値の物語としての紹介と、地元住民および外部からの訪問者との結びつきを高めるようなプロジェクトモデルを構築することであった。このプロジェクトの構成メンバーとして、メコン地域から3カ国（カンボジア、ラオス、ベトナム）と6つの世界遺産に関連する9つのミュージアム（表1）を選んだ。その理由として、この9つのミュージアムが、カンボジア国立博物館、ダナンのチャム彫刻博物館など、そもそもフランス時代の考古学的研究の成果として設立されたという共通の歴史背景も考慮された。

　先に述べた通り、これらの6つの世界遺産が歴史的に交流関係を持っているらしいことも、選ばれるにあたって大切な理由となった。アンコールおよびプレア・ヴィヒア（カンボジア）とワット・プー（ラオス）は、いずれもクメール王朝によって建設されたという明瞭な歴史的共通性がある。ハノイのタンロン城塞、ホー城塞は、11世紀から14世紀にかけてベトナム中部のチャンパ王国に侵攻し、その終焉をもたらしたといえる大越（現在のベトナム北部に位置した諸王朝）の政治的拠点だった。ベトナム中部のミーソン遺跡は、クメール人や大越と競合したチャンパ王朝の宗教的中心地として、クメール王朝の遺跡と同じく、ヒンドゥー教の影響が色濃くうかがえる。しかし、クメール王朝史の中では、大越と同じく仏教を信仰したジャヤヴァルマン7世のような王もおり、クメール人、チャム人（チャンパ王国の構成民族）、ベトナム人は、ときには争い、同盟し、また貿易や信仰を通じて様々な交流を行っていた。現代の3カ国の関係も、東南アジア諸国連合（ASEAN）と二国間関係により、地域の安定と発展にとって非常に重要な要素である。

　この3カ国において、「遺産観光」が非常に重要な産業であることも、世界遺産に関する問題意識を共有するためのもう1つの大切な理由であった（UNESCO 2008、Hitchcock et al., 2009・2010）。2011年のベトナムへの国際線到着者数は6,014,032人で、2010年から19.1%増加。ラオスでは、2010年に25.1%、2011年に8.34%の増加を記録。2011年11月、カンボジアでは2010年の同時期と比較して最大15%の増加が見られた。これらの訪問者の大部分は、他のアジア諸国からの旅行者であったことも追記したい[11・12]。

### 表1　プロジェクト参加ミュージアムと、コレクションの内訳

カンボジア

| 施設名 | 関連する世界遺産 | 創設年 | オープンした年 | 収蔵品 [14] |
|---|---|---|---|---|
| Angkor National Museum（アンコール国立ミュージアム）（私立） | アンコール | 2004 | 2007 | すべて考古学遺物 |
| Preah Norodom Sihanouk-Angkor（ノロドムシアヌーク・アンコールミュージアム） | アンコール | 2006/07 | 2008 | すべて考古学遺物、721点、123箱 |
| National Museum of Cambodia（カンボジア国立ミュージアム） | アンコール | 1917 | 1920 | オンラインカタログに16,493点記録 |
| Preah Vihear Eco Museum（プリアヴィヘアエコミュージアム） | プリアヴィヘア | 2009 | 2014 | 考古学遺物および民俗資料 |

ラオス

| 施設名 | 関連する世界遺産 | 創設年 | オープンした年 | 収蔵品 |
|---|---|---|---|---|
| Vat Phu site Museum（ワットプー・サイトミュージアム） | ワットプー | 2002 | 2003 | 考古学遺物 1,426点 40% of total |

ベトナム

| 施設名 | 関連する世界遺産 | 創設年 | オープンした年 | 収蔵品 |
|---|---|---|---|---|
| Da Nang Museum of Cham Sculpture（ダナン・チャム彫刻ミュージアム） | ミーソン | 1915 | 1919 | 約2,000点の考古学遺物 |
| My Son Site Museum（ミーソンサイトミュージアム） | ミーソン | 2004 | 2005 | 1,009点の考古学遺物 |
| Thang Long Citadel Site Museum（昇竜城塞ミュージアム） | 昇竜城塞 | 2008 | 2010 | 10,000,000点の収蔵品の内97%が考古学遺物 |
| ホー城塞サイト ミュージアム | ホー城塞 | 2009 | 2012 | 考古学的発掘調査による61,280点の遺物と5,000のその他の収蔵品 |

## 4　プロジェクトのプロセス

持続可能な開発援助とは、どのようなアプローチによって可能になるのか。

文化事業であってもそれについて考えることは、現在では当然のこととなっている。

観光のプレッシャーに晒される一方で十分な財政・人的資源を持たないこれらの世界遺産ミュージアムを軸に、持続的開発に貢献するプロジェクトモデル

を作り上げるために、参加するミュージアムに、大きな裁量権を与えることが大切だと考えたので、プロジェクトドキュメントには概要しか書かず、プロジェクトが立ち上がってから、参加型プロセスを活用することで、結果や「何をするか」と同じくらいまたはそれ以上の部分を「どんなふうにやるか」に焦点を当ててプロジェクトを進めた。参加するミュージアムにとって最も利益の多い活動を決めるため、参加型プロセスを立ち上げ、実行することにかなりの時間を費やした。

まず、2011 年 7 月 23 日にシェムリアップ（カンボジア）で、プロジェクト立ち上げ会議を行ったのを始め、プロジェクト実施の過程で、いくつかの調査とニーズ評価の結果を議論し、プロジェクトがどのような課題に対応するべきかを検討した[13]。

参加したミュージアムのほとんどが、知名度が低く、潜在的な利用者をよりよく理解するために、統計分析が必要だった。また、コレクションに関する新しい解釈に基づく展示をデザインしたり、地元、国内、海外の利用者全てにアピールできるディスプレイや展示の流れを多様化したりすることも必要だった。

地域社会との結びつきを高めることは、先に述べた通り大きな課題だった。学校による課外授業以外でミュージアムを訪れる地元住民はあまりいない。さらに、ほとんどのミュージアムは、地元よりも海外からの訪問者のほうが多いのに、海外利用者のためのプログラムはほとんどなかった[15]。世界遺産のミュージアムを通じて地域社会が社会経済的な機会を高める機会が与えられているとも言いがたかった。通常展示以外のイベントは少なく、参加した 9 つのミュージアムの中で、ショップで販売する商品の開発に地域コミュニティを巻き込んだ工芸品プログラムなどを積極的に行っていたのはラオスのワット・プーのみだった[16]。市民社会との協力の強化も、参加型アプローチを促進する上で重視すべきポイントと見なされた。

立ち上げ会議で話し合われた問題提起、その後のメールによる意見交換を経て、最初のワークショップで扱うテーマが決まり、2011 年 11 月にベトナム・ハノイのタンロン城塞遺跡で 3 週間の集中コースが実施された。この最初のコースは私が参加ミュージアムの意見を聞きながらカリキュラムを考え、複数の専門家をファシリテーターとして招いて、学際的な理論講義と実践演習を組み合わせた次の 5 つのモジュールを立てた。

①ミュージアムミッションの考え直し

②遺跡と出土品の解釈の強化

③遺跡、ミュージアム、地域社会をつなぐ

④ミュージアム教育プログラム

⑤コレクション管理

ハノイでの第1回ワークショップのハイライトは、参加者が文化の交流に関する5つのテーマを選んで、所蔵品や、遺跡に付随するアイテムを説明するいくつかのテキストを作成し、タンロン城塞の一室でテスト展示を行ったことだった。そのテーマは、「神話における動物たち」、「シヴァバドレシュワラの道」、「貿易と交流」、「祖先と王権」、「都市の宇宙論」だった。参加者のほとんどが、所蔵品について自分でテキストを書いたことがなく、だいぶ苦労したが、結果として、共同展示を目指して、コレクションの新解釈による展示構想と、関連する教育プログラムは実現できると自信を持つことができた。

他の地域で行われた研究やプロジェクトも、各遺跡の「顕著な普遍的価値」を、一般の人々が理解しやすい形で説明するためのインスピレーションを与えてくれた[17]。

2012年5月にカンボジアのシェムリアップで開催された第2回目のワークショップでは、2011年の第1回ワークショップ以降にそれぞれのミュージアムが「宿題」として作り上げたコレクション解釈のテキストと研究成果をまとめることを目的とした。このときは、より実務的な実習を行って、展示の制作管理、研究コンテンツの開発、展示テキストの執筆の仕方、派生する教育プログラムの立ち上げ、利用者への広報などを扱った。

## 5　共同展示の実現

2回のワークショップを経て、9つのミュージアムは、利用者をメコン川と紅河を行き来する架空の旅に招待する、というコンセプトで共同展示の作成に取り掛かった。まず、共通展示部分では「自然と神話」「貿易と交流」という2つの横断的なテーマで、6つの世界遺産サイトから出土した考古学遺物や、景観などをベースに、扶南王国とチェンラ王国、クメールのアンコール王朝、チャンパ王朝と大越王朝の間で起こった歴史的交流について語っている。同時に、歴史の推移とともに社会変革を引き起こした外の世界との交流、特にイン

ド、中国、地中海、東アジア地域との交流についても、具体的な出土品を例に紹介している。

「自然と神話」のテーマでは、それぞれのコレクションから、既存のヒンドゥー教と仏教の到来以前のアニミズムと自然崇拝に、新しい宗教が重複して取り入れられた過程での景観や宗教建築の推移を語るために、世界遺産建築の装飾や出土品から、適切な要素を選んだ。動物形態の神々、水、森、木に関連する神話上の人物、植物や花のモチーフを組み合わせた装飾要素などである。「貿易と交流」では、陶器、儀式用の用具、貨幣、碑文などの多くの遺物を歴史的な相互の影響を示す多くの興味深い例として取り上げた。世界遺産のある地域間で起こった宗教伝播や、過去の人々が社会的、宗教的、経済的生活に外からの影響をどのように取り入れていったかを物語ることができた。各ミュージアムは、この共同展示部分に加えて地元の人たちとのつながりを深めるため、遺跡や考古学遺物だけでなく、地元の信仰や、伝統技術などの無形文化の側面も入れた、各ミュージアム独自の展示部分も作った。

この合同研究、執筆作業が、プロジェクトメンバーひとりひとりが、自分のミュージアム、他のミュージアムのコレクションと遺跡を「再発見」し、相互につながっている歴史という視点を通して、類似性と特異性を分析する機会となった。これはそれぞれの世界遺産の「顕著な普遍的価値」の意味についての再考と、共通の物語の構築に役立った。シリアとエジプトで行われた別のユネスコプロジェクト[18]同様に、外部の影響に照らして世界遺産関連のコレクションを解釈するアプローチは、知的に刺激的な体験を提供し、コレクションを地域的・グローバルな文脈で再解釈しようという試みに貢献した[19]。そのことが、このプロジェクトの最も大きな収穫だったと私は思っている。

立ち上げから展示の完成まで2年、40人近くのチームメンバーと作業を進めたこのプロジェクトを通じて私は、こういった協働が、参加した国の世界遺産に関わる人々自身が、自国及び地域に関する歴史的知識を深め、遺産や歴史の解釈をより豊かにすることに役立つと確信することができた。共通テーマ、地域的な視点を持つことで、展示コンテンツに関連する教育プログラムの範囲も広がった。展示テキストは、原本となった英語のテキストから現地の言語に翻訳され、参加した9つのミュージアムは2012年12月から2014年にかけて、それぞれ展示会を開催した。

表2 参加ミュージアムの独自展示と、教育プログラムのテーマ

| | 施設名 | 独自展示のテーマ | 教育プログラムテーマ |
|---|---|---|---|
| カンボジア | プレア・ノロドム・シアヌーク・アンコール博物館 | 「アンコールのバンテアイ・クデイ出土の274体の仏像」の歴史的背景と発見 | ムドラ／仏教のジェスチャー |
| | アンコール国立ミュージアム | ジャヤヴァルマン7世の人生と信仰 | ジャヤヴァルマン7世の表象と不思議 |
| | カンボジア国立博物館 | クバッチ：クメールの装飾品 | 生活の中のクメール装飾 |
| | プレアヴィヘアエコグローバルミュージアム | 聖なるプレア・ヴィヘア寺院 | プレアヴィヘア寺院 |
| ラオス | ワットプーサイトミュージアム | ワットプーと神聖なリンガパルヴァタ | サイトの保存と保護の歴史と原則 |
| ベトナム | タンロン城塞遺跡ミュージアム | 昇竜城塞の龍たち | 私・僕は考古学者！（子供考古学プログラム） |
| | ホー城塞サイトミュージアム | ホー城塞の普遍的価値 | ホー城塞はどのように建てられたの？ |
| | ミーソン遺跡ミュージアム | ミーソン：神々、王、伝説の土地 | これらは本物の動物ですか？<br>アプサラのように踊れますか？ |
| | ダナン・チャム彫刻ミュージアム | チャンパにおけるポー・ナガル崇拝 | あなたの聖なる動物は何ですか？ |

## 6 プロジェクトのダイナミクス

　9つの展示と教育プログラムは、訪れた人、メディア、遺産の専門家から肯定的な評価を多くもらうことができた。コアプロジェクトチームは、4回の会合（立ち上げ会議、2回のワークショップ、プロジェクト終了会議）に参加したミュージアムスタッフ30名、講師を務めた専門家11名、本部及び地域事務所のユネスコ職員約25名が参加し、プロジェクトの様々な活動と展示の実施に直接貢献した。

　展覧会のための共同研究の結果、約400のアイテム（出土遺物と遺跡の装飾などの現場要素）が扱われ、膨大な量の展示テキストとカタログ[20]の土台となった。展示コンテンツの開発と関連活動は、コアプロジェクトチームメンバー間の緊密な協力だけでなく、プロジェクトのコンセプトと哲学を強く支持してくれた専門家やグループの自発的かつ無償での参加からも恩恵を受けた。

展示会の内覧式にはのべ1,000人以上の訪問者が動員され、展示期間中さらに多くの訪問者が訪れた。約1,400名の生徒がプロジェクトの教育プログラムを利用し、参加者から高い評価を得た。プロジェクトの当初から、ユネスコのウェブサイトで、イベント、会議の結果、展示内容と教育プログラムの概要が紹介された（UNESCO 2011b）。

　英語／クメール語、英語／ベトナム語で展示カタログも出版され、電子出版物の形で閲覧することができる[21]。

　プロジェクトには大きなチャレンジもあった。コレクションの紹介と、ミュージアムスタッフのキュレータースキルを向上させるには、既存の知識を批判的にレビューする必要があり、そういった過去の研究成果の大部分は参加者にとっての外国語、主に英語とフランス語で書かれていたため、言語の壁を超えて、歴史的背景に関する正確な知識に裏打ちされ、正式な教育と学術専門家との協力によって、膨大な量の情報を分析および要約する能力が必要だった。

　歴史について、ビジョンを共有することも1つの挑戦だった。歴史的背景と現在の地政学的状況は、参加者が常に中立的な科学的態度を取ることを難しくしている場合もあったため、時には困難であり、議論となることもあった。それでも、地域のミュージアムスタッフの間で共同研究と交流を促進し、彼ら彼女ら自身の文化遺産の解釈のための能力を向上させることは、政治的な要素からくる先入観や偏見を少なくするという点で非常に貴重なステップだったと思う。

## 7　世界遺産とミュージアムのこれから：
### 世界遺産、ミュージアム、地元住民をつなぐミュージアム構想

　2013年6月にベトナムのホイアンで開催されたプロジェクトの最終評価会議では、将来の地域社会や外部からの訪問者にとってのミュージアムの意義をさらに高めるために、世界遺産周辺のコミュニティと緊密に連携した「Nomadミュージアム」について議論が行われた。チームメンバーは、次のフェーズでは、世界遺産に関わる無形文化の要素を大きく取り上げることを決定した。外部からの訪問者には見えにくいが、地元の人々にとって大きな意味を持つ世界遺産の別の側面である。過去の遺物ではなく、世界遺産とその周辺に住む人々の信仰、民俗伝承、宗教的儀式などを取り上げられることは、ミュージアムの地元コミュニティにとって大きな意義があると考えたからである。

　地域社会と外部の訪問者双方に意義を持つこのような「アウトリーチプログラム」の開発には、世界遺産の周辺住民の強いコミットメントが必要である。このようなつながりを作り上げることができれば、地元の利害関係者が遺産に関する活動に参加し、創造性を育み、文化的遺産を保護するための取り組みに主体的に関わってくれることになるだろうと考えた。当事者意識を作り上げると同時に、文化財の商品化や、文化的価値の恣意的な創作を避けるためにも、地域社会の関与は慎重に検討されるべきという意見もある。

　ミーソン遺跡に関連する2つの博物館は、ダナン地域のクアンナムの村に保存されているチャム人の神々の図像を説明するプロジェクトを共同で実施することにした。このプロジェクトは、宗教的習合現象の多層的性質と、チャム王国の消滅にもかかわらず、中国／ベトナムの宗教的慣習への融合の結果として実践され続けている様々な生きた儀式と信仰を紹介している。

　カンボジア国立博物館、タンロン城址遺跡博物館、ホー城塞遺跡博物館は、「Photovoice」のコンセプトを使った写真展示を実施した。このプロジェクトでは、世界遺産と歴史的にゆかりのある地元のコミュニティメンバーが、自ら撮影した、世界遺産周辺での日々の暮らしについて、画像やテキストを自ら作成し、世界遺産と、その周辺の人々がどのようにつながっているのかを展示して見せる。これは遺跡管理機構、ミュージアムのスタッフたち、地元の人々の間により強いつながりを築き、サイト周辺に住むコミュニティについて外部の訪問者に知ってもらうためにも大いに役立った。

　ラオスのワットプー遺跡紹介センターも、ワットプー・チャンパサック地域の様々な無形文化の伝統を紹介することを目的とした研究プロジェクトを行った。

　こうして、世界遺産ミュージアム再生プロジェクトは、世界遺産関連ミュージアム9館の協働により、そのコレクションを結集し、地域史の斬新かつ学際的な解釈を構築する実験的な取り組みとなった。

　世界遺産は、多くの場合国家の視点から認識され、国家の輝かしいシンボルとして宣伝されることが多いが、「顕著な普遍的価値」と、コレクションや無形遺産などに光を当てることによって、多様な顧客にアピールすることができる。

　このプロジェクトは、ミュージアムを世界遺産とその様々な関係者の間の媒体として設定することにより、世界遺産に関するディスクールの新たなモデルを提案した。また、このような歴史的関連性に注目することで、過去の地域紛

争や政治的対立が残した深い傷跡を忘れることなく、平和の大切さ、地域協力への新たな窓を開く可能性も示している。この地域の政治的、社会的、文化的機関はまだ回復の過程にあり、克服すべき多くの問題があるのだから。

　5年にわたった我々の共同プロジェクト開発は、地域レベルでミュージアム、世界遺産、ミュージアムスタッフの強いネットワークを構築することで、地域協力の持続可能なモデルの一例を作り、将来、同様のプロジェクトの実施を通じて持続的効果を促進することを目的として一旦完結した。

　2018年から2年間、フィリピン（ヴィガン）とマレーシア（ジョージタウンとメラカ）で、このプロジェクトの姉妹編、続編ともいえるプロジェクトを行った。ジョージタウンは、メラカとともに、マラッカ海峡の植民地時代の歴史的町並みの顕著な例であり、東西を結ぶ貿易都市であった過去から派生する歴史的、文化的影響が今も残る魅力的な街である。英国とヨーロッパから中東、インド亜大陸、マレー諸島から中国へと広がった貿易活動からもたらされた様々な文化、宗教の共存による多文化圏と伝統のもたらす豊かさは、アジアでも屈指のユニークな場所で、マレー諸島、インド、中国の文化的要素がヨーロッパの文化的要素と混交する過程で、オランダ、ポルトガル時代に建てられた建築物はもちろん、食文化や祭礼などの生活習慣にも、ほかには見られない特徴が表れている。このプロジェクトは、前の考古学遺跡主体の取り組みとは種類の違う「歴史的都市」に焦点を当てて、また全く違う構想を展開するプロジェクトとなった。

　2023年からは、新たに日本の民間企業であるフェリシモ社の支援で、ラオスとアフリカで新プロジェクトを立ち上げる。これについても、またいずれ紹介する機会があることを心から願うものである。

註
1)　日本語でいう博物館と美術館は、ユネスコ文書の中ではミュージアムと表記されているため本文中では博物館ではなくミュージアムと記載する。
2)　https://www.unesco.org/en/legal-affairs/recommendation-concerning-most-effective-means-rendering-museums-accessible-everyone
3)　https://unesdoc.unesco.org/ark:/48223/pf0000246331;
　　https://www.unesco.org/en/museums/2015-recommendation
4)　http://www.unesco.org/new/en/culture/themes/museums/world-heritage-site-museums/ and HAYASHI 2017

5) http://www.unesco.org/new/en/culture/themes/museums/virtual-museum-for-intercultural-dialogue/

6) 1980年の2億7,700万人に対し、2012年には10億3,500万人の旅行者が記録され、年間成長率は4。この数字は2050年には16億に達すると予想されていた。新興国と発展途上国における国際観光客の割合は、1990年の32%から2009年には47%に増加。アジア太平洋地域は、2030年までに市場シェアの30%を占めると予想されている（世界観光機関による）。

7) Museums | UNESCO（https://www.unesco.org/en/museums）

8) 最新の例には、I.M. ペイが設計したドーハ（カタール）のイスラム美術館など。

9) 例としては、英国のハドリアヌスの長城に関連する博物館、奈良の平城宮（日本）、アテネのアクロポリス（ギリシャ）などがある。

10) オーストラリアの Burra Charter (ICOMOS、1999)は、保全、修復、管理へのコミュニティの参加の必要性を強調している。Rössler 2012 も参照のこと。

11) これらのデータは、関係省庁のウェブサイトやニュースソースから出典。カンボジアについては、観光省よりの情報による。

12) 各国の観光当局によると、ベトナムは2010年に中国、韓国、日本が最も高い訪問者数であり、続いて米国、台湾、オーストラリア。同年、カンボジアの外国人訪問者の61.46%がアジアからの訪問者であり、ラオスはアジアから1,820,000人、ヨーロッパから130,179人の訪問者を受け入れた。

13) 多くの美術館には正式なミッションステートメントがない、また多くは長期計画を採用していなかった。1つの博物館だけが正式なミッションステートメントと長期計画を持っていた。正式な倫理規定がある博物館は1つだけで、7つの博物館のうち2つは個人的な方針を書いており、7つの博物館のうち4つは主要な管理職員とスタッフの職務記述書のみだった。

14) データは、ホー城塞とカンボジア国立博物館が2014年の調査に基づいている以外、すべて2011年時点のデータである。

15) 9つのミュージアムのうち、6つは地元の訪問者と学校向けの教育プログラムを実施しており、4つは教育プログラムを開発するための専門家を訓練しており、2つだけが海外からの訪問者向けにもプログラムを実施していた。

16) ワットプー遺跡博物館（ラオス）だけが、ワットプー世界遺産の周辺地域で生産されたオーガニック製品を商品化することにより、地元の人々と協力してミュージアムの売店で売る商品を開発していた。世界遺産と直接の関係はないが、ベトナムの CraftLink が実施していた、少数民族の女性が手工芸品を商業化するのを支援するイニシアチブも貴重なアプローチとして学ばれた。

17) The Office of the National Culture Commission of Thailand 1996、Nguyên Thê Anh and Ishizawa (eds.) 1999、Lawton 2007、Tran Ky Phuong et al. 2013、Miksic and Goh (eds.) 2013

18) https://webarchive.unesco.org/web/20170511075401/http://www.unesco.org/

culture/museum‐for‐dialogue/museums‐for‐intercultural‐dialog/en/
19) サンジェイ・スブラマニャム「異邦人の３つの方法：近世世界における苦難と出会い」（2011 年）などの歴史家の作品にも触発された。
20) https://unesdoc.unesco.org/ark:/48223/pf0000233686
21) https://unesdoc.unesco.org/ark:/48223/pf0000227225?posInSet=1&queryId=4874f51c‐8e02‐430d‐b4be‐ae07b08030a3: https://unesdoc.unesco.org/ark:/48223/pf0000233686?posInSet=2&queryId=4874f51c‐8e02‐430d‐b4be‐ae07b08030a3

## 引用・参考文献

**【日本語】**
林　菜央　2019「ユネスコにおける遺産とミュージアム」「2015 年ユネスコ博物館勧告採択の経緯」「2015 年ユネスコ博物館勧告の成果と展望」『ユネスコと博物館』雄山閣

**【英語】**
Galla, Amareswar（ed.）. 2012. *World Heritage: Benefits beyond Borders*. Paris and Cambridge, UNESCO and Cambridge University Press.

Hayashi‐Denis, Nao（ed.）. 2010. *Community‐based Approach to Museum Development in Asia and the Pacific for Culture and Development*. Paris, UNESCO Publishing. http://unesdoc.unesco.org/images/0018/001899/189902e.pdf [Accessed July 2014].

Hayashi N. 2017. "Exploring Common Heritage – Cambodia, Laos and Vietnam: Museums linking World Heritage Sites' in Museums and Visitor Centres, *World Heritage Review* N° 83

Hayashi N. and Bouchenaki M., "Sites and Museums: A pact for Heritage and diversity' in UNESCO. 2017. Museums and Visitor Centres, *World Heritage Review* N° 83

Hitchcock, Michael, King, Victor T. and Parnwell, Michael（eds.）. 2009. *Tourism in Southeast Asia: Challenges and New Direction*. Copenhagen, Nordic Institute of Asian Studies（NIAS）.

Hitchcock, Michael, King, Victor T. and Parnwell, Michael（eds.）. 2010. *Heritage Tourism in Southeast Asia*. Honolulu, University of Hawaii Press.

Lawton, John. 2007. Exploring Heritage Routes: The Spice Route, Desert Trade Routes, Santiago de Compostela, Ohapaq Nan. *World Heritage Review*, N° 45: pp.6‐50.

Miksic, John N. and Goh, Geok Yian（eds.）. 2013. *Ancient Harbours in Southeast Asia: The Archaeology of Early Harbours and Evidence of Inter‐regional Trade*, Bangkok, SEAMEO‐SPAFA.

Nguyen, Van Huy（ed.）. 2010. *Vietnam Museum of Ethnology: The Making of a National Museum for Communities*. Common Ground Publishing, Champaign, IL and Australia.

Nguyên, Thê Anh, Ishizawa, Yoshiaki（eds.）. 1999. *Commerce et navigation en Asie du*

*Sud‑Est, XIVe‑XIXe siècle*. Paris, L'Harmattan.

Rössler, Mechtild. 2012. Partners in Site Management. A Shift in Focus: Heritage and Community Involvement. World Heritage Papers 31: Community Development through World Heritage: pp.27‑31.

Rossler, M and Hayashi N. 2016, 'UNESCO's actions and international standards concerning musuems' in 'Muscums, Ethics and Cultural Heritage' (Routelidge)

The Office of the National Culture Commission of Thailand. 1996. *Ancient Trades and Cultural Contacts in Southeast Asia*. Bangkok, Thailand.

Tran Ky Phuong, Thonglith Luongkhoth et al. 2013. *NASRIM‑SeA Project: Network for the Archaeological Study of Regional Interaction in Mainland Southeast Asia: Crossing Boundaries – Leaning the Past to Build the Future – Archaeological Collaboration between Cambodia, Lao and Vietnam, The Regional Centre for Social Science and Sustainable Development,* Chiang Mai University, Thailand.

Tran Thi Thu Thuy. 2007. *Transmitting Skills and Strengthening Traditions: Experience of the Vietnam Museum of Ethnology*. UNESCO‑ACCU Expert Meeting on Transmission and Safeguarding of Intangible Culture Heritage through Formal and Non‑formal Education ‑ Chiba, Japan.
http://www.accu.or.jp/ich/en/pdf/c2007Expert_MsThuy_2.pdf [Accessed July 2014].

UNESCO. 2008. *The effects of Tourism on Culture and the Environment in Asia and the Pacific: Alleviating Poverty and Protecting Cultural and Natural Heritage through Community‑Based Ecotourism in Luang Namtha (Laos)* , Bangkok.
http://unesdoc.unesco.org/images/0018/001826/182645e.pdf [Accessed July 2014].

UNESCO. 2011a. *Museums for Intercultural Dialogue*.
http://www.unesco.org/new/en/culture/themes/museums/virtual‑museum‑for‑intercultural‑dialogue/ [Accessed July 2014].

UNESCO. 2011b. *Revitalisation World Heritage Site Museums in Cambodia, Laos and Viet Nam.*
http://www.unesco.org/new/en/culture/themes/museums/world‑heritage‑site‑museums/ [Accessed July 2014].

UNESCO. 2013. *Creative Economy Report Special Edition: Widening Local Development Pathways*.

UNESCO. 2014. World Heritage and Sustainable Tourism, *World Heritage Review*, N° 71.

Watson, Sheila (ed.) . 2007. *Museums and Their Communities*. New York, Routledge.

# フランス極東学院の
# インドシナ研究と博物館

俵 寛司

## はじめに

　フランス極東学院（École française d'Extrême-Orient: 略称 EFEO）とは、19 世紀末に仏領インドシナ総督ポール・ドゥメール（Paul Dumer）により設立されたフランス東洋学に関する研究機関である。1898 年にサイゴンにインドシナ考古学調査団（Mission archéologique d'Indochina）が創設され、この調査団の団長を務めたルイ・フィノ（Louis Finot）を初代院長として 1900 年にフランス極東学院と改称され、1902 年までにハノイに完全移転している。その最初の目的は、インドシナ半島を考古学的、言語学的に研究し、その歴史に対する理解を深めること、そして近隣のアジア地域社会、文化の理解と研究に貢献することであった。フランス極東学院の活動は、研究のみにとどまらず、博物館・図書館、文化財の保存・修復といった各種事業にまで及ぶ。フランス極東学院は、1956 年までベトナムで、その後 1960 年代後半までカンボジアで存在感を示しその後もアジア各地の活動は継続し、1990 年代以降にはインドシナ三国に復帰しセンターを開設している。

　近年、フランス極東学院のインドシナ研究と博物館に関する重要な出版物が数多く出されている。中でもフランスのピエール・シンガルベロー（Pierre Singaravélou）の著作（1999）はフランス極東学院の歴史的評価に関する重要な文献の一つであり、インドシナの博物館に関してはジョナサン・パケット（Jonathan Paquette）による優れた著作（2022）がある。筆者自身もかつてフランス極東学院の考古学について論じたことがある（2014）。本稿ではそれらを参考にしながら、紙幅の都合上、19 世紀後半から 20 世紀前半の動きを中心に概要を述べたい。

表1　インドシナ考古学・博物館関連年表

| 14～16世紀 | イタリアを中心とする「ルネサンス（文芸復興）」 |
|---|---|
| 1635 年 | フランス宮廷（リシュリュー）アカデミー・フランセーズ（L'Académie française）創立 |
| 1662 年 | イギリス王室、王立協会（The Royal Society）創立 |
| 1666 年 | フランス宮廷（コルベール）により科学アカデミー創立 |
| 1752 年 | オランダ王立科学協会（Koninklijke Hollandsche Maatschappij der Wetenschappen）設立 |
| 1756 年 | 七年戦争（～ 1763 年）　フランス、ヨーロッパにおける優位性の喪失 |
| 1778 年 | オランダ東インド会社バタビア学芸協会（Koninklijk Bataviaasch Genootschap van Kunsten en Wetenschappen）をジャワに設立 |
| 1789 年 | フランス革命　宮廷アカデミー廃止 |
| 1798 年 | フランス、エジプト遠征（～ 1801 年）　カイロ研究所（L'Institut du Caire）設立 |
| 1802 年 | 阮福映、ザロン帝を称し阮朝を建国 |
| 1822 年 | フランス、アジア協会（La Société asiatique）パリに設立 |
| 1823 年 | イギリス、王立アジア協会（The Royal Asiatic Society of Great Britain and Ireland）ロンドンに創立 |
| 1846 年 | アテネ・フランス学院（L'Ecole française d'Athènes）創立 |
| 1855 年 | 第 1 回パリ万国博覧会開催　パレ・インダストリ（産業宮 Palais d'Industrie）整備 |
| 1862 年 | 阮朝ベトナム、南部コーチシナ東部 3 省およびプロコンドール島をフランスに割譲（第 1 次サイゴン条約） |
| 1863 年 | カンボジア、フランスの保護国化 |
| 1866 年 | フランス海軍大尉ガルニエ、ド・ラグレ、ドラポルドらメコン川を遡航、アンコールを調査探検（～ 1968 年ド・ラグレ雲南で病死） |
| 1867 年 | パリ万国博覧会 |
| 1873 年 | ルイ・ドラポルドの調査（コンピエーニュ宮殿（Château de Compiègne）にクメール・コレクション） |
| 1878 年 | パリ万国博覧会、ドラポルドのアンコール資料展示 |
| 1879 年 | パビー調査団、メコン流域の人文地理調査を開始（～ 1895 年） |
| 1881 年 | 初代コーチナ総督シャルル＝マリー・ル・ミエール・ド・ヴィレール（Charles-Marie Le Myre de Vilers）によるサイゴン・インドシナ博物館（Musée Indo-Chinois de Saïgon）の設立 |
| 1882 年 | アンリ・リビエール、トンキンでの発掘・遺物収集 |
| 1883 年 | 第一次フエ条約（アルマン条約）　ベトナムのフランス保護国化　サイゴン商業博物館（Musée commercial de Saïgon）組織（1884 年法令により正式設立） |
| 1884 年 | 第二次フエ条約　清仏戦争（～ 1885 年） |
| 1885 年 | 天津条約（ベトナムにおけるフランスの覇権を清朝が認める）行政官のルミール（Charles Lemire）によりチャンパ美術品の記録化が始まる |
| 1887 年 | 仏領インドシナ連邦（l'Union de l'Indochina française）成立　ベトナムはトンキン（保護領）・アンナン（保護国）・コーチシナ（フランス直轄領）に分割統治 |
| 1889 年 | パリ万国博覧会、インドシナ・パビリオンの設置 |
| 1891 年 | ルミール（Charles Lemire）によるチャンパ美術品の収集（～ 1892 年） |
| 1893 年 | フランス・シャム条約　シャムはラオスに対するフランスの保護権を承認 |
| 1897 年 | ポール・ドゥメール、サイゴンにおいて仏領インドシナ総督に就任（～ 1902 年） |
| 1898 年 | サイゴンにインドシナ考古学調査団（La Mission archéologique d'Indochina）設立　団長：ルイ・フィノ（のちフランス極東学院院長） |
| 1899 年 | 仏領インドシナ連邦ラオスを編入 |
| 1900 年 | フランス極東学院（l'Ecole Française d'Extrême-Orient）創立（初代院長：ルイ・フィノ　1903 年までにハノイに移転）パリ万国博覧会、インドシナ・パビリオン設置 |
| 1901 年 | インドシナ総督ドゥメールにより「インドシナの歴史的芸術的古跡・古物に関する法律」が公布 |
| 1902 年 | ハノイ、仏領インドシナの首都となる　ハノイ博覧会の開催（～ 1903 年）、ハノイ・グランパレ（Grand Palais）建設　サイゴンの博物館コレクションの一部ここに移転（フランス極東学院博物館（Musée de l'EFEO）と呼称される） |
| 1903 年 | 台風によりハノイ・グランパレに大きな被害 |
| 1904 年 | ハノイ・グランパレにハノイ農業商業博物館（Musée agricole et commercial de Hanoi）設立 |
| 1906 年 | マルセイユで国内植民博覧会、インドシナ・パビリオン設置、バイヨン寺院の再現 |

| 1909 年 | プノンペンにクメール博物館計画 |
|---|---|
| 1914 年 | 第 1 次世界大戦勃発（〜 1918 年） |
| 1915 年 | トゥーラン博物館発足 |
| 1917 年 | グロリエ、プノンペンにカンボジア美術学校（Ecole des Arts Cambodgiens）開設 |
| 1919 年 | トゥーラン博物館、M. Deleval and M. Auclair の設計により完成（現在のチャム彫刻博物館）　プノンペンにカンボジア博物館（Musée du Cambodge）発足 |
| 1920 年 | カンボジア博物館、アルベール・サロー博物館（Musée Albert Sarraut）に改名（現在の国立カンボジア博物館） |
| 1922 年 | マルセイユ国内植民地博覧会、インドシナ・パビリオン設置、アンコール・ワットを再建 |
| 1923 年 | フエ・カイディン博物館（Musée Khai-Dinh Hué）設立　ハノイ農業商業博物館、モーリス・ロン農業商業博物館（Musée agricole et commercial de Mauice Long）と改名（あるいは単にモーリス・ロン博物館（Musée Mauice Long）） |
| 1925 年 | パリ万国博覧会　ラオス・ビエンチャンでの博物館建設 |
| 1926 年 | オールソー、フランス極東学院院長に就任（〜 1929 年、1928 〜 1929 年フィノが代理）ハノイ・ルイフィノ博物館発足 |
| 1929 年 | サイゴンにブランシャール・ドゥ・ラ・ブロス博物館（Musée Blanchard de la Brosse）設立　ジョルジュ・セデス、フランス極東学院院長に就任（〜 1947 年） |
| 1930 年 | 旧ハノイ・グランパレにハノイ人類学博物館の設置 |
| 1931 年 | パリ植民地博覧会（L'Exposition coloniale internationale de Paris）開催 |
| 1932 年 | ルイ・フィノ博物館（Musée Louis Finot）完成　第 1 回極東先史学者会議（1er congrès de préhistoire d'Extrême-Orient）ハノイで開催 |
| 1935 年 | 第 2 回極東先史学者会議（マニラ） |
| 1936 年 | トゥーラン博物館、アンリ・パルマンティエ美術館（Musée Henri Parmentier）に改称（現在のチャム彫刻博物館） |
| 1937 年 | パリ万国博覧会、人類学博物館（Musée de l'Homme）設立／ハノイ人類学博物館・インドシナ人類学研究所（L'Institut Indochinois pour l'Etude de l'Homme）設立 |
| 1938 年 | タインホア博物館設立第 3 回極東先史学者会議（シンガポール） |
| 1939 年 | ナチス・ドイツ、ポーランドに侵攻（第 2 次世界大戦開始） |
| 1940 年 | フランス、ビシーに親ドイツのペタン政権成立　フランス極東学院の活動ほぼ停止状態、日本軍ベトナム北部に武力進駐（1941 年南部コーチシナ進駐） |
| 1941 年 | 日本軍ハワイ真珠湾攻撃　太平洋戦争開始（〜 1945 年） |
| 1944 年 | 日本軍仏印処理（インドシナの日本単独支配） |
| 1945 年 | 日本降伏（第 2 次世界大戦終結）　ベトナム民主共和国独立宣言 |
| 1946 年 | 抗仏戦争（第 1 次インドシナ戦争）勃発 |
| 1954 年 | ジュネーブ和平協定締結（南北ベトナムに分断）　フランス極東学院の実務、サイゴンへ |
| 1956 年 | フランス極東学院、パリのコレージュ・ドゥ・フランスの施設におかれる |
| 1957 年 | ハノイ・フランス極東学院の関連施設が北ベトナム政府に移譲 |
| 1958 年 | ベトナム民主共和国（北ベトナム）、文化財保護法を制定　ハノイ・ルイフィノ博物館がベトナム歴史博物館として開設 |
| 1960 年 | フランス極東学院、諸施設・権利などをサイゴン政府に移譲 |
| 1961 年 | フランス極東学院、サイゴン最後の施設がなくなる |
| 1963 年 | アンリ・パルマンティエ博物館、ダナン博物館に改称（グエン・スアン・ドン館長） |
| 1965 年 | 北爆開始（狭義のベトナム戦争／第 2 次インドシナ戦争の開始） |
| 1968 年 | フランス極東学院、パリ・アジア研究所建物内に開設（現在の本部）ハノイにベトナム考古学院設立（初代院長ファム・フイ・トン） |
| 1975 年 | フランス極東学院、カンボジアから撤収、チェンマイにセンター開設サイゴン陥落（ベトナム戦争終結） |
| 1979 年 | ベトナム、カンボジア侵攻　中越戦争（第 3 次インドシナ戦争〜 1989 年） |
| 1986 年 | 共産党第 6 回大会でドイモイ政策が決定 |
| 1990 年 | フランス極東学院、カンボジアに復帰、プノンペンにセンターを開設 |
| 1993 年 | フランス極東学院、ベトナム復帰、ハノイにセンターを開設 |

## 1 フランス・アカデミー

　フランス・アカデミーの起源は、14～16世紀のイタリアを中心とする文芸復興（ルネサンス）に求められる。これは、絶対主義下のフランス（文化）では宮廷の庇護下において文芸アカデミーの成長を促すこととなった。1635年にフランス宮廷のリシュリューによりアカデミー・フランセーズ（Académie française）が、1666年にはコルベールによって科学アカデミーが創立されている。同じ頃、1662年にはイギリスで王立協会（Royal Society）が創立され、インドネシアの領有に成功していたオランダは、1752年に王立科学協会（Koninklijke Hollandsche Maatschappij der Wetenschappen）を設立、1778年ジャワにバタビア学芸協会（Koninklijk Bataviaasch Genootschap van Kunsten en Wetenschappen）を設立している。18世紀の絶対主義時代、ヨーロッパ諸国家の東方進出によって宮廷アカデミーの活動領域が拡大し、東洋学（オリエンタリズム）が分野化される基礎が築かれた。近代アカデミーは市民革命を経た国民国家フランスにおいてはじめて出現する。特に1798年のナポレオンのエジプト遠征は、近代アカデミーに東洋学を取りこむ契機となり、この時設立されたカイロ研究所（Institut du Caire）は、その後の植民地アカデミーのあり方に影響を与えている。フランスは1822年にアジア協会（Société asiatique）をパリに創設し、1846年にアテネ・フランス学院（Ecole française d'Athènes）を設立するなど、海外に次々とアカデミー組織を広げていく。以上のような近代アカデミーを背景として仏領インドシナにおける東洋学の一大拠点としてフランス極東学院が成立したのである。

## 2 仏領インドシナと初期のインドシナ研究

　インドシナ半島に近代のフランス植民地化が及ぶにはいくつかの段階があった。ベトナム阮朝（グエン朝1802～1945年）に対してフランスは、1858年ベトナム中部海岸のトゥーラン港（現ダナン）を奪取し、ベトナム南部の嘉定（ザーディン／サイゴン、現ホーチミン市）を占拠、1862年6月に辺和（ビエンホア）・嘉定・定祥（ディントゥオン）のコーチシナ東部3省とプロコンドール島（現コンダオ島）がフランスに割譲された。サイゴンに設置されたコーチシナ総督府は、フランスのインドシナ植民地化の歴史の中で最も古く、約100年に及ぶ。その後もフランスの領土的野心は続き、1874年3月にコーチシナ全省すなわちメコンデルタ一帯がフランスの直轄植民地となる。1884年6月にベト

ナム全土はフランス帝国の支配下となり、トンキン（Tonkin 保護領）、アンナ
ン（Annam 保護国）、コーチシナ（Cochinchina フランス直轄領）の３地域に分割
統治された。1887 年には、カンボジア（1863 年保護国化）と併せて、インドシ
ナ連邦（Union indochinoise）が成立し、1899 年に保護国となったラオスを編入
し完成した。

　19 世紀後半、仏領インドシナ時代初期のベトナムにおいて、多少なりとも
学術的な関心の荷い手となったのは、植民化に前後して訪れたフランス人の宣
教師、商人、海軍士官、外交官たちであった。仏領インドシナ初期の人文科
学的調査に関して、以下の三つの調査がよく知られてる。すなわち、ドゥダ
ール・ド・ラグレ（Ernest Doudart de Lagrée）の調査（1866〜1868）、ルイ・ドラ
ポルト（Louis Delaporte）の調査（1873）、そしてオーギュスト・パビー（August
Pavie）の調査（1879 〜 1895）である。

　はじめに、1866 年に始まったドゥダール・ド・ラグレによるメコン調査は、
コーチシナの植民地政府がスポンサーとなり行われた。1873 年ハノイ城攻略
で名をはせたフランシス・ガルニエ（Francis Garnier）も参加した２年にもわた
るこの調査の途中、ド・ラグレは 1868 年に雲南で病死した（その後をガルニエ

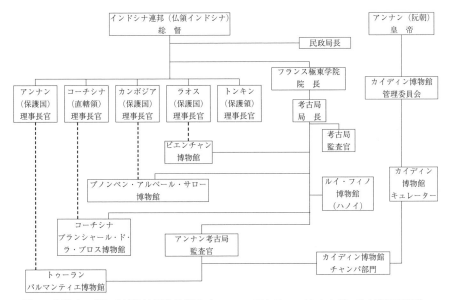

**図 1　仏領インドシナ博物館行政組織図**（Paquette 2022 Figure 4.1. に加筆、日本語訳は筆者）

が引き継いだ)。この調査の動機は純粋に学術的なものというより、中国と中国市場へのアクセス、アジアにおけるフランスの産業と貿易を支える資源の発見、そしてシャムとインドシナの他地域、特にラオスに対する軍事的・戦略的情報を得ることにあった。メコン川を遡上し長江を経て上海にまで行き着いた調査隊は、各地の寺院や言語に関する情報を収集し、碑文を記録したほか、多くの河川の地理情報を記録した。つまり、この調査で得られた情報は 19 世紀インドシナの植民地化を目指すフランスの「想像力」を具体化させることに貢献したのであった。

　調査の二つ目は、ルイ・ドラポルトによる 1873 年の調査である。後にパリのトロカデロ・インドシナ博物館館長となるこの将校は、1866 年ドゥダール・ド・ラグレのメコン調査のメンバーであり、アンコール再訪に必要な資金を集めるためフランス政府や学会に提案することでこれを実現させた。ドラポルトの調査の目的は、先のメコン調査に比べてより文化的なものであったといえる。ただし、クメール美術に純粋に魅了された彼は、数多くのクメール美術の遺物や影像をパリに持ち帰り、続くインドシナ博物館のイメージとコレクションの基礎を作った。1874 年、彼のコレクションはルーブル美術館への寄贈に失敗した後、コンピエーニュ宮殿（Château de Compiègne）に収められた。こうしてパリで最初のクメール・コレクションが誕生したのである。

　三つ目の調査、オーギュスト・パビーの調査もまた仏領インドシナの形成に大きな影響を及ぼした。パビーは、カンボジアのフランス電信局の下級官吏であったが、当時コーチシナ総督であったシャルル＝マリー・ル・ミル・ド・ヴィレ（Charles-Marie Le Myre de Vilers）と強い関係を築き、このメコン川流域の調査の実現を果たした。パビー調査団は、1879 年から 1895 年の間複数回調査がなされ、カンボジアとシャム、ラオスとトンキン、メコン川ではサイゴン、ルアンパバーン、ラオスに及ぶものであった。この過程でパビーはラオス・ルアンパバーン王の懐柔に成功し、フランス・シャムの戦争を経て、ラオスが仏領インドシナに編入されるきっかけとなったことでも知られる。加えて、インドシナの民族や文化に関する詳しい情報を数多く収集、記録したそれらの活動は、フランスの植民地支配を推し進める上で有益な情報をもたらしたといえる。

　以上、仏領インドシナ時代初期に行われた三つの調査について簡単に述べたが、いずれもフランスの植民地事業の展開に大きく貢献するものであった。そ

れらは、植民地政府がインドシナ半島に政治的、経済的な支配を広げるために不可欠な情報、地形・地理や水系を把握する能力を高め、また、その境界線（「国境」）を定義可能にするものである。さらに調査活動を通じて、この地域の文化や社会にも影響を与え、インドシナにおける恒久的な学術調査機関、すなわちフランス極東学院成立の布石となった。続いては、仏領インドシナ、フランス極東学院による博物館建設について述べたい。

## 3　仏領インドシナの博物館建設

### （1）コーチシナにおける植民地時代初期の博物館建設

　19世紀後半、とりわけ1873年から1889年の間には仏領インドシナにおいて三つの博物館の建設計画が行われたが、その最初はインドシナではなくパリにおいてなされた。すなわち先のルイ・ドラボルドの1873年調査によりパリに送られたクメール・コレクションに基づくものである。パリ北郊のコンピエーニュ宮殿（コンピエーニュ城）にクメール博物館が創設されたことは、仏領インドシナにおける博物館建設にとって大きな影響を与えるものであった。その博物館は、1879年から1882年までコーチシナ総督であったシャルル＝マリー・ル・ミル・ド・ヴィレの3年間という短い在任中に設立された。彼は、パビー調査への協力やドラポルトの第2次考古学調査を財政的に支援しただけではなく、1881年にサイゴン・インドシナ博物館（Musée Indo-Chinois de Saïgon）を設立したことで知られる。サイゴン・インドシナ博物館は、フランス出身の人々に対して植民地で社会的・文化的環境を整えようとする発想から生まれた。すなわちそれはコーチシナや仏領インドシナにとって博物館が必要不可欠であり、人々に対して土地の文化を教育し、そしてコーチシナ総督自身の威信に役立つというものである。しかし実際には、この博物館は総督府の敷地の中にあり、展示品のほとんどがアンコールや近隣の寺院から得られたものであった。コンピエーニュのクメール博物館はドラポルトの仕事によって支えられていたが、この博物館の場合は人々の関心の低さから解散に追い込まれた。後述するハノイ博覧会（1902〜1903）の後、ハノイの新しい博物館構想が提示されると、サイゴンのコレクションはすでに過去の遺物となってしまっていたのである。

　他方、商業もまた博物館づくりの推進力であった。1880年代、フランス商

人たちは第1回パリ万国博覧会（1855年）のために整備された展示館パレ・ド・インダストリ（産業宮：Palais de l'Industrie）に触発され、博物館が植民地での商売に役立つと考えていた。同じ頃、サイゴンのインドシナ研究会が開かれコレクションの収集活動が行われていたが、限られた資源の中での博物館の準備には商業との結びつきが不可欠だったのである。

　こうして1883年、サイゴン商業博物館（Musée commercial de Saïgon）が組織され、1884年5月10日に出された法令によりトゥドゥック通り26-27番地に置かれることになった。しかし、1902年にハノイが首都になったことで、サイゴンの地位とともに博物館づくりにおける位置づけは大きく変化し、商業博物館の構想もまた、20世紀初めのハノイ博覧会のために準備された別のプロジェクトへと変容していった。

　19世紀後半、サイゴンは仏領インドシナにおける植民地の中心であったが、当時は他の地域でも地域の博物館づくりが進められていた。アンナン（ベトナム中部）では、1885年から行政官のシャルル・ルミール（Charles Lemire）によりチャンパ美術品の記録化が始まった。ルミールは1891年から1892年にかけて、クアンナムとビンディン地方から重要な彫像や記念碑の破片を多数収集しており、1892年、90点以上がトゥーラン（ダナン）に集められ、地元やインドシナでは「トゥーランの庭」（Le Jardin de Tourane）のチャム彫刻として知られていた。これらの彫刻のうち68点は、1919年にトゥーランの博物館のコレクション268点とあわせ、チャンパ美術の博物館として発展していくことになる。

## （2）ハノイ博覧会とモーリス・ロン博物館

　1897年2月13日、ポール・ドゥメールはサイゴンにおいて仏領インドシナ総督に就任した。彼の任期中の5年間（1897～1902）は、このフランス植民地の建設において極めて重要な意味を持っている。彼はドゥメール橋（1902年竣工、現在のロンビエン橋）に象徴される大規模な橋や道路などのインフラ整備に力を入れた他、病院や教育機関など多くの公共機関に直接影響を与え、とりわけ博物館建設にとって重要な転機となった。彼は1898年サイゴンにインドシナ考古学調査団を創設したが、その設立趣旨によれば、「主な目的はインドシナにおける考古学、文献学的調査であり、歴史、記念物、語彙に関する資料を収集し調査することにより、インド、中国、マレーシアの諸文明に関する研

究に貢献する」ことであった。この調査団を引き継ぎ1900年に発足したフランス極東学院は、冒頭に述べたように二つの目的を持っていた。まず、研究機関としてアジアの文化や文明を研究する責務、そしてインドシナの遺産保護政策を実施する責務である。

　加えてドゥメールはハノイ博覧会（Exposition de Hanoi: 1902〜1903）を推進した総督としても知られる。ハノイ博覧会とフランス極東学院は、仏領インドシナにおけるこの時期の博物館建設の原動力となった。ハノイ博覧会は、仏領インドシナの行政の中心がサイゴンからハノイに移されたのと時を同じくして開催され、新しい首都の壮麗さを際立たせる意味があったが、同時に、パリ万国博覧会の原則に基づいた商業的な目的がその根底にあった。1889年に開催されたパリ万国博覧会は、フランス革命100周年を記念して開催されたメトロポリスにおける重要なイベントと捉えられ、ハノイ博覧会もそこからヒントを得たのである。加えて、インドシナの植民地化に重要な役割を果たしたガルニエの記憶を称えるものであった。ここで注目すべきは、そのメインの展示館が、インドシナの考古学的発見と物質文化を紹介するために設計された「博物館」的な施設であったということである。メインの展示会場であるハノイ・グランパレ（Grand Palais）の建物はアドルフ・ビュシー（Adolphus Busch）の設計で、1900年のパリ万国博覧会で建設されたグランパレを彷彿とさせるスタイルの建築であった。ハノイ・グランパレの「博物館」は、博覧会終了後に設立されたハノイ農業商業博物館（Musée agricole et commercial de Hanoi）の基礎となっただけではなく、設立されて間もないフランス極東学院が最初に設けた博物館の機能を整えていく重要な役割を持っていた。ハノイ博覧会ではインドシナだけでなく、中国をはじめとするアジア各地からのコレクションも展示されており、1903年の閉会式では、中国と朝鮮の大使が、新しい博物館のコレクションを発展させるため多くのコレクションを提供している。1903年、紅河デルタを襲った台風により博物館は大きな被害を受けながらも、ハノイ農業商業博物館は1904年正式に設立された。そして、1923年4月、フランス旅行からインドシナに戻る途中に亡くなったインドシナ総督モーリス・ロンにちなんで、モーリス・ロン農業商業博物館（Musée agricole et commercial de Mauice Long）と改名された（あるいは単にモーリス・ロン博物館（Musée Mauice Long）と呼称される）。

博物館の存在意義は時代とともに変化する。仏領インドシナにおいても初期には商業博物館に近い存在であったが、1930年代からは一般市民への教育を含めたより社会的な方向性が模索されていった。ハノイの旧グランパレには、一時的にフランス極東学院の博物館コレクションが収蔵され、その後1930年代には、後述するように、パリの人類学博物館（Musée de l'Homme）とフランス極東学院が共同で開発した「人類学博物館」も設置された。しかし、第二次世界大戦中、日本軍はグラン・パレを総司令部として使用したため、1943年6月から12月にかけてのアメリカ軍の攻撃によりこの博物館は完全に破壊されてしまった。

## （3）ルイ・フィノ美術館とハノイ人類学博物館

上述のようにフランス極東学院最初の博物館の建設については、仏領インドシナの政治的変化とハノイ博覧会の動向が強く関わっていた。1899年にはすでに博物館設立の完全な青写真があり、仏領インドシナの理想的な博物館が考古学と民族学の両部門からなることや、倫理的な観点から遺跡から遺物や彫像をはぎ取る行為をやめてレプリカを用いること、民族学コレクションについてはインドシナ民族の多様性を表現するような形でレプリカを加えることなどである。しかし、1902年、フランス極東学院が新首都のハノイに移管された結果、サイゴンでの博物館建設は中止されることになった。

フランス極東学院院長は、サイゴンのコレクションの一部をハノイ博覧会のために作られた施設（グランパレ）に移し、そこで博物館展示の基礎を作ることとなった。土器、青銅器、玉器、陶磁器などの考古学的遺物や民族学資料は

**図2 旧ルイ・フィノ博物館**
（現ベトナム歴史博物館、山形眞理子氏提供）

ハノイに移されたが、大きな彫刻や古代文字が刻まれた石碑などはサイゴンにそのまま保管された。以前もトゥーランからサイゴンへの遺物の輸送を経験していたフィノは、ハノイ輸送中での破損の可能性について慎重であり、さらに遺物は可能な限り「現地」で保管する必要があると考えていた。

ハノイ博覧会の会場に置かれたこの

博物館は「トンキン博物館」とは呼ばれず「フランス極東学院博物館」（Musée de l'EFEO）と呼ばれていた。1903 年、ハノイ博覧会のために展示会場が損傷し、その結果多くの物品が数年間フランス極東学院の図書館に収容されたり、モーリス・ロン博物館の一角に戻ったりということを繰り返していた。

　1930 年、上記の博物館は一般公開を終了し、フランス人建築家アーネスト・エブラール（Ernest Hébrard）の設計による新たな博物館施設の開館を待っていた。1920 年代後半における経済的危機の影響もあり、かなりの遅れをとりながらもこの博物館は 1932 年にようやく完成し、フランス極東学院の初代院長の名をとってルイ・フィノ博物館（Musée Louis Finot）と名づけられた。この博物館は 1950 年代から現在のベトナム歴史博物館（Bảo tàng Lịch sử Việt Nam）となっている。

　1924 年、フランス極東学院は民族学に特化した博物館の可能性を議論し始めた。1930 年代に入り、第 1 回極東先史学会議が 1932 年ハノイで開催され、フランスの民族学者ポール・リヴェ（Paul Rivet）がパリ・トロカデロ民族学博物館（Musée d'ethnographie du Trocadéro）の調査のため現地滞在するなど、インドシナにおける民族学と民族学博物館の発展にとって良好な条件が整い、そのような機関を望む声を受ける形で、1938 年にパリ・人類学博物館の地方支部である「ハノイ人類学博物館」（Le Musée de l'Homme de Hanoï）がハノイ博覧会の建物（旧グランパレ）の一角に誕生したのである。しかし、この建物は先ほど見たように 1943 年の空爆で破壊されることになる。

## （4）サイゴンとブランシャール・ド・ラ・ブロス博物館

　フランス極東学院がハノイに移転した後、残されたコレクションは限られていた。ドゥメールの後を継いだ仏領インドシナ総督ポール・ボー（Paul Beau）は、残されたコレクションから将来的にはチャンパとクメールの美術に特化した博物館を構想していた。サイゴンは、この二つの文化の境界

図 3　旧ブランシャール・ド・ラ・ブロス博物館（現ホーチミン市歴史博物館、徳澤啓一氏提供）

線、あるいは十字路に近い場所にあるという発想が強かったのである。1929年、サイゴンにブランシャール・ド・ラ・ブロス博物館（Musée Blanchard de la Brosse）という名称の博物館が設立された。当時のコーチシナ理事長官の名を冠したこの博物館がサイゴンで設立された背景には政治的な力がある。従来インドシナ総督やコーチシナ総督は、博物館建設への支持を表明していたのに加え、仏領インドシナの進展は各地（植民地）の行政間の競争をもたらした。1910年代2期にわたり仏領インドシナ総督であったアルベール・サロー（Albert Sarraut）は、1920年代に植民地大臣となり、1930年代にはフランス首相となったが、植民地各地での博物館建設に強く賛成していた（加えて彼は、サイゴンの博物館は民族学博物館であるべきとも考えていた）。1920年代には、観光開発のための道具としての博物館という考え方が、サイゴンにおける博物館計画の主要な枠組みとなっていた。

　最終的に、この博物館計画は1927年に大きく前進した。その背景にはアジアの古美術品の収集家であったフランス人薬剤師が遺品として残したコレクションの寄贈をめぐり、収蔵施設の必要性という形で展開したのである。このコレクションは、アマチュアが収集したもので統一性や品質を欠くとする意見もあり、当時のサイゴンには商工会議所に移転した商業博物館、フランス極東学院の考古学博物館、サイゴンのインドシナ研究協会が管理するホルベ・コレクション（Holbé collections）の博物館の三つがあったが、最終的に1929年にフランス人建築家オーギュスト・ドラヴァル（Auguste Delaval）が設計したブランシャール・ド・ブロス博物館が開館した。この博物館は1950年代以降にサイゴン国立博物館（Bảo tàng Quốc Gia Việt Nam, Sài Gòn）に改称され、現在はホーチミン市歴史博物館（Bảo tàng Lịch sử Thành phố Hồ Chí Minh）として知られている。

## (5) ダナンとフエ

　1900年代、インドシナ半島全域で博物館の計画が議論され、アンナン保護国（ベトナム中部）においても二つの博物館計画が持ち上がった。一つは1923年に実現したカイディン博物館（Musée Khai-Dinh）である。阮王朝第12代皇帝カイディン帝（啓定 Khải Định 1885〜1925）にちなむこの博物館は、フエ王宮の一角に建設された。この博物館の構想自体は内在的なものであるが、一方

で、博物館建設に重要な役割を果たした行政組織や学識者団体である「フエ友の会」（Société des amis du vieux-hué（Society of Friends of the Old Hué））が存在し、博物館の運営を実質的に支えており、管理と保存は事実上フランス極東学院の監督下にあった。カイディン博物館は、現在ではフエ宮廷古物博物館（Bảo tàng Cổ vật Cung đình Huế）として知られている。

**図4　旧カイディン博物館**
（現フエ宮廷古物博物館、山形眞理子氏提供）

　ベトナム中部のもう一つの博物館は、当時トゥーランと呼ばれていたダナンに作られたものである。先ほど見た1900年代初頭ルミールによって集められたコレクション（「トゥーランの庭」のチャム彫刻）は、コレクション調査のため派遣されたフランス極東学院の建築学者、アンリ・パルマンティ

**図5　旧アンリ・パルマンティエ博物館**
（現チャム彫刻博物館）

エ（Henri Parmentier）により引き継がれることになる。それから10数年を経て1913年に博物館のための公的補助金が計画され、1915年に最初の建物が建てられた。1919年、パルマンティエはインドシナ各地から再びトゥーランへ移送されてきた彫刻をこの建物で受け入れ、ルミールが組織した初期のコレクションをこれに加えた。幾度かの拡張を経て、1936年3月、最終的な新建物が完成し、この新しい施設にすべてのコレクションが所蔵されることになった。そして、彼の貢献を称えて、後にこの博物館はアンリ・パルマンティエ博物館（Musée Henri Parmentier）と改名された。これが現在のダナン・チャム彫刻博物館（Bảo Tàng Điêu khắc Chăm Đà Nẵng）である。

## （6）カンボジアとラオスの博物館
　コーチシナ、アンナン、トンキンの植民地化以降、カンボジアでは、早くから博物館が整備され、ラオスでも小規模ながら遺産保護が維持されていた。

1905 年プノンペンのクメール博物館の設立が発表され、フランス極東学院の遺産保護の新しい政策により、クメール・コレクションは地域での遺産保護の原則に伴い形作られることになった。それらははじめ王宮のパコダの内庭に置かれていたが、博物館設立が発表されると現地の行政官の手により特別に管理が必要なものから優先的にこの博物館に送られた。こうして 1909 年、プノンペンのクメール博物館が完成し、メインホールには堂々としたクメールの美術品が収められ、西翼にはより小さな作品が収められ、東翼には一般市民も利用できる図書館として設計されていた。この博物館には、クメール美術を正当に評価し、クメール文化の活性化を願う知識人・学芸員のジョルジュ・グロリエ（George Groslier）がいた。1913 年、クメール美術を研究するためカンボジアに赴任した彼は、今日「無形遺産」と呼ばれるものの重要性を考えた数少ない人物であり、1918 年のカンボジア美術学校（Ecole des arts cambodgiens）設立と後のカンボジア博物館の発展の中心人物である。この博物館は最終的に建設を支援したインドシナ総督に敬意を表して「アルベール・サロー博物館」（Musée Albert Sarraut）と改名された（現在、カンボジア国立博物館として知られる）。1925 年、フランス極東学院は、ビエンチャンでの博物館建設を支援しているが、事実上独立後に発展したものである。

## おわりに

　近代アカデミーを起源として仏領インドシナにおける東洋学の一大拠点としてフランス極東学院が成立した。フランス極東学院は二つの目的、すなわち研究機関としてアジアの文化や文明を研究する責務、そしてインドシナの遺産保護政策を実施する責務を持っていた。仏領インドシナにおける博物館を考えるとき、フランス極東学院ほど影響力のある機関はない。

　仏領インドシナにおける博物館建設は、いくつかの時代とパターンに特徴づけられる。第一に、植民地時代初期には、「商業博物館」モデルが最も支持を得た制度形態の一つであった。第二に、1920 年代から 1930 年代にかけては、民族学への関心が新しい博物館づくりの方向性として現れる。とはいえ、誕生した博物館の多くは考古学に重点を置き、それは文化遺産保護の観点からフランス極東学院の使命と関係がある。博物館は次第に教育・研究基盤の不可欠な部分となっていった。また、仏領インドシナ時代初期の中央集権的な博物館計

画から、複数の異なる博物館へと移行していった。とりわけサイゴンの博物館建設は、学識経験者団体、商工会議所、地元の商人、そして旧首都と新しい政治の中心であるハノイとの間の政治力学の影響を受けた。

　第二次世界大戦が転機となり、19世紀初頭に始まったこのような博物館建設のパターンは終焉を迎えた。1945年から1956年まで、フランス極東学院と博物館は大きな変化に直面する。それはインドシナ研究と博物館の新時代を示す期間のことである。なお本稿はフランス極東学院が行ったインドシナ研究や博物館事業を賛美するものではなく、コレクションと博物館は必ずしもすべてがフランスの植民地化に起源を持つものではない。さらに植民地期に海外へと流出したコレクションの「脱植民地化」も急務である。詳細は別稿に譲りたい。

引用・参考文献
【日本語】
俵　寛司　2014『脱植民地主義のベトナム考古学―「ベトナムモデル」「中国モデル」を超えて』風響社
【英語】
Anderson, B. 2006 Imagined Communities: Reflections on the Origin and Spread of Nationalism. New York: Verso books.

Paquette, J. 2022 Museum‐Making in Vietnam, Laos, and Cambodia: Cultural Institutions and Polities from Colonial to Post‐Colonial Times. London: Routledge
【仏語】
Singaravélou, P. 1999 L'École française d' Extrême‐Orient ou l'institution des marges (1898‐1956): Essai d'histoire sociale et politique de la science coloniale. Paris: L'Harmattan.

Trinh, V. T. 1995 L'École française en Indochine. Paris: Karthala.

# チャンパの世界遺産「ミーソン聖域」とサイト・ミュージアム

山形 眞理子

## はじめに

　ベトナム中部にあるミーソン（Mỹ Sơn）遺跡は、1999年に「ミーソン聖域」という名称でユネスコ世界遺産に登録された遺跡である。ベトナム中部には紀元後2世紀末から19世紀前半まで、チャンパという王国が長く存続した。ミーソンはチャンパの聖地であり、マハーパルヴァタと呼ばれた聖山の麓にヒンドゥー教の寺院が残されている。狭い盆地にたたずむ遺跡には幻想的な雰囲気が漂い、多くの観光客を惹きつけてきた。

　ミーソン遺跡には、日本の資金協力によって2005年に開館したサイト・ミュージアムがある。ミーソンの世界遺産とサイト・ミュージアムを運営するのはミーソン文化遺産管理委員会（Ban Quản lý Di sản Văn hóa Mỹ Sơn）である。本章ではこの管理委員会の活動に注目しながら、ミーソンの世界遺産とサイト・ミュージアムについて考察する。

## 1　ミーソン遺跡の概要：
## 　　保存修復の歴史を中心に

　ミーソン遺跡は、ベトナム中部クアンナム（Quảng Nam）省ズイスエン（Duy Xuyên）県ズイフー（Duy Phú）社に位置する。ベトナム中部第一の都市ダナン市から南南西へ直線距離で約36km、ミーソンと同じく1999年に世界遺産に登録されたホイアン市から南西へ約26kmの位置にある。ミーソンを訪れる観光客の多くはダナンもしくはホイアンに宿泊し、旅行会社のバスツアーに参加したり、個人で車をチャーターしたりしてミーソンにやって来る。

　ミーソンの世界遺産となっている区域の面積14haのなかには、8世紀から

図1　ミーソン遺跡Bグループより
チャンパの聖山を望む（2014年筆者撮影）

13世紀にかけて建てられ
た約70棟のヒンドゥー建
築が現存する（図1）。それ
らのほとんどは焼成レンガ
造である。寺院の開創は古
く、4世紀後半もしくは5
世紀にさかのぼるサンスク
リット碑文には、バドラヴ
ァルマンというインド的な
名前の王がこの地にバドレ
シュヴァラ神（シヴァ神を意味するシュヴァラと王名を組み合わせた神）を祀った
とある。

　チャンパの宗教的な中心がミーソンであったのに対し、政治的な中心と目さ
れるのがチャーキュウ遺跡である。ミーソンの北東に直線距離で約13kmの位
置にあるチャーキュウ遺跡は、東西約1.4km、南北約550mの長方形の範囲が
城壁（土塁）で囲まれた都城址である。ミーソンとチャーキュウという二つの
重要な遺跡を擁するトゥーボン川流域には、河口に近いホイアンが港として機
能したことを考慮に加えると、聖地・政治拠点・港市という三つの要素が揃っ
ている。チャンパとは、このように川筋に沿って形成された地方政体の連合で
あったとみられる（山形・桃木2001、Yamagata et al. 2019）。

　ミーソン遺跡は1880年代の半ばにフランス人によって再発見された。1902
年からフランス極東学院のアンリ・パルマンティエ（Henri Parmentier）がチャ
ンパの遺跡の調査と保護に取りかかり、ミーソンでも1903年3月11日から
1904年2月3日まで密林のクリアランスと調査が行われた。パルマンティエ
はミーソンの建築遺構をA～Nのグループに分類した。このグループ記号は
現在も使われている（図2）。ベトナム中部各地のチャンパ遺跡の調査結果を総
合したパルマンティエのインベントリーは（Parmentier1909・1918）、刊行から1
世紀以上が過ぎた現在でもチャンパの美術、建築、考古に興味を持つ研究者に
とって必須の情報源となっている（Baptiste 2009）。

　フランスによる調査と修復作業は1940年代まで続き、1930年から1944年
にかけてはフランス極東学院の一員としてベトナム人グエン・スアン・ドン

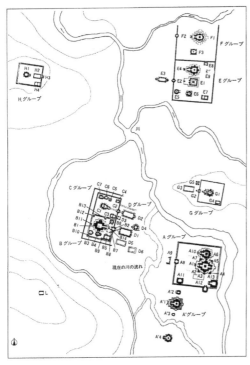

図2　ミーソン遺跡の遺構配置図
（重枝 1999：p.156 より引用）

（Nguyễn Xuân Đông）がミーソンの修復に参加している。長く続いた戦争の時代、チャンパの遺跡が顧みられることはほとんどなかった。ミーソンでは1969年8月、米軍の爆撃によってチャンパ建築の最高傑作と称えられたA1祠堂が破壊されるという痛恨の出来事も起きた。1975年にベトナム戦争は終結したが、遺跡は荒れ果て、ミーソンの谷にはあちこちに地雷が敷設されていた。その除去作業は8人の命を奪い、20人以上を負傷させたという（Hoàng Đạo Kính 2009）。

　惨状を救うべく、ポーランド政府の提案をもとに1980年から1986年にかけて、建築と保存修復の専門家であるカジミェシュ・クワイアトコウスキー（Kazimierz Kwiatkowski）が率いるチームがチャンパ建築遺跡の調査と修復を実施した。ミーソンではA、B、C、Dグループの修復が行われ、世界遺産登録への道を切り拓いた事業として高く評価されている（Hoàng Đạo Kính 2009）。

　1990年代に入ると、チャンパに関する学術調査に日本人研究者が積極的に関わるようになる。建築史の分野で中心的役割を果たしたのが重枝豊であり、彼は1989年に初めてミーソンを訪れたことを契機に、1990年代以降、当時ダナン市チャム彫刻美術館で学芸員を務めていたチャン・キィ・フォン（Trần Kỳ Phương）とともにチャンパ建築の研究に邁進した（チャン・重枝1997、重枝1999）。トヨタ財団の国際助成によって1994年から翌年にかけて日本国内5カ所で開催された「海のシルクロード―チャンパ王国の遺跡と文化展」は重枝によってプロデュースされたもので、約100枚の写真・解説パネルや遺跡模

型、さらにはチャム族の民族衣装や織物が展示された。日本で初めてチャンパの遺跡を体系的に紹介し、それらが陥っている危機的な状況の救済を訴える事業となった（チャンパ王国の遺跡と文化展実行委員会編 1994）。1990 年代を通して日本で沸き上がったチャンパへの関心は（桃木・樋口・重枝 1999）、のちの日本の支援によるミーソンのサイト・ミュージアム創設へと結びついた。

一方、1997 年にはユネスコとベトナム文化情報省、そしてイタリアのレリチ財団－ミラノ工科大学の三者による「ミーソン保全プロジェクト」が開始された。目的はミーソンの考古学調査の再開と、ユネスコ世界遺産への登録を視野に入れてミーソンの管理と保全のプランを策定することであった。そして1999 年、ミーソンは世界遺産登録を果たす。

イタリアチームは引き続き 2003 年から 2013 年まで「ミーソン世界遺産を救済する」というプロジェクトを実施して G グループの修復事業を行った（Hardy et al. 2009）。イタリアのあと、2016 年からミーソンの修復に入っているのはインド考古局のチームであり、現在までに A、K、H グループの発掘と修復を行っている（Nguyễn Văn Thọ 2018）[1]。

## 2　世界遺産としてのミーソン遺跡

ここで世界遺産に登録されたミーソンの「顕著な普遍的価値」を確認しておく。ミーソンは登録基準の（ii）と（iii）を満たしていると評価された[2]。

基準（ii）ミーソン聖域はインド亜大陸のヒンドゥー建築が東南アジアに導入された、その文化交流の顕著な例である。

基準（iii）チャンパ王国はミーソンの遺跡によって鮮明に示される通り、東南アジアの政治史および文化史のなかで重要な事象であった。

つまり、ミーソンはチャンパ王国の歴史と、東南アジアにおけるヒンドゥー建築の受容という、二つの重要な事象を象徴する顕著な例として評価されたのである。

世界遺産となったミーソンの管理と運営を担っているのが地元のズイスエン県の組織であるミーソン文化遺産管理委員会である（本稿では管理委員会と略称する）。所長 1 名と副所長 2 名のもとに管理部門、博物館・保存部門、解説ガイド部門、チャム民間芸術文化部門、セキュリティ部門、運輸部門、サービスおよび観光開発部門からなる、123 人の職員を抱える組織である。1995 年に前

身の「ミーソンの保護および観光サービス開拓委員会」が発足し、2016 年に現在の名称となった。管理委員会の活動についてはホームページから多くの情報を得ることができる[3]。

　管理委員会にとって重要な文書が 2008 年 12 月 30 日に出された。政府首相が「2008－2020 年段階のクアンナム省ミーソン遺跡の保存と価値の活用についてのマスタープランを承認」したという内容であるが、そのなかで 2020 年までの長期目標として三つの方向性が掲げられている[4]。それを要約すると以下のようになる。

　・遺跡周辺の自然環境と社会状況に適した持続可能な方法で遺跡を保護する
　・地域のコミュニティの役割を強化し、地域の人々の生活の向上に寄与する
　・観光サービスの潜在的可能性を引き出し、それによって遺跡の効果的な保護を促進し、地域経済と社会の発展に貢献する

　以上のように、国が承認した長期目標として、地元コミュニティとの関係強化や観光振興、さらには地域経済と社会の発展をもたらす文化遺産マネジメントが求められていたことがわかる。

## 3　ミーソン遺跡の現況：
## 　チャム族の文化の表象に注目して

　次に、これらの目標のもとで世界遺産のマネジメントに取り組んできたグエン・ヴァン・ト（Nguyễn Văn Thọ）への聞き取り調査をもとに、ミーソンの現況について述べる。筆者は 2019 年 8 月 23 日と 2022 年 8 月 14 日の 2 度にわたり聞き取り調査を行った[5]。2019 年のインタビューはミーソン遺跡におけるチャム族の音楽・舞踊・織物のパフォーマンスについて、2022 年のインタビューは博物館活動について、質問を行った。インタビューは新型コロナウィルス感染拡大が始まる前年と、感染拡大が収束したとみなされて人々の行動制限が解かれたあとに行われたため、コロナ禍の影響を知る機会にもなった。

　2019 年はミーソンのユネスコ世界遺産登録 20 周年にあたるため、記念行事として省や県が主催するフェスティバルが行われ、サイト・ミュージアムの前庭にて屋外の特別展も開催された。この記念の年に入場者が 42 万人強という、それまでで最高の数を記録したミーソンであったが、コロナ禍のなかで何度か閉鎖され、入場者数は 2020 年に約 10 万 5 千人、2021 年には約 1 万 3 千人に

表1 世界遺産「ミーソン聖域」入場者数の推移（ミーソン文化遺産管理委員会提供資料）

| 年次 | ベトナム人入場者数 | 外国人入場者数 | 計 |
|---|---|---|---|
| 2018 | 49,132 | 342,938 | 392,070 |
| 2019 | 45,479 | 377,557 | 423,036 |
| 2020 | 20,167 | 84,886 | 105,053 |
| 2021 | 12,509 | 1,326 | 13,835 |
| 2022（5月まで） | 17,346 | 4,715 | 22,061 |

落ち込んでしまった（表1）。入場料収入の5割が世界遺産の管理と運営に充てられるため、入場者数の激減は管理委員会にとって大きな痛手となっている[6]。

　ミーソン遺跡に足を踏み入れるとチャンパの建築と彫刻の素晴らしさに魅了されるが、同時に、遺跡で表現されているチャム族の文化もまた重要な見どころとなっている。遺跡内の劇場で行われているチャム族の舞踊と音楽のパフォーマンスは観光客の人気を集めており、コロナ禍前には劇場から立ち見の人々があふれるほどであった（図3）。また、遺跡内を巡る小道に沿って一軒の小屋が建てられ、そのなかでチャム人の女性が機織りを行い、傍らでチャム族の織物で作られた製品が売られていた。これらのパフォーマンスについてグエン・ヴァン・トが語った内容を以下にまとめる。

　「頭に壺をのせた女性が踊るダンスはチャム族の伝統的な舞踊であり、流れる音楽も伝統的なもので、チャムの女性たちが踊っている。サラナイという管楽器を演奏しているのはチャムのミュージシャンであるが、他の楽器を演奏するミュージシャンにはベトナム人（キン族）もいる。アプサラダンスはチャムのアーティストが創作した新しい舞踊である。チャンパ彫刻のアプサラス（天

図3　チャム族の舞踊
（遺跡内の劇場にて2017年筆者撮影）

女）を題材としており、ダンサーの衣服も彫刻に表現されたものを再現している。劇場におけるパフォーマンスは一日4回行われ、さらに遺跡内のGグループでも一日に2回、ダンスと音楽が披露される。演じられるプログラムは少しずつ変わってきたが、2018年に新しいプログラム

が導入された際にはニントゥアン省からチャムの先生を招いた。このようにダンサーやミュージシャン、指導者など、チャムの人々がミーソンに滞在する際には管理委員会が彼らの仕事と生活を全面的にサポートする。

　ミーソン遺跡で行われるチャムの舞踊と音楽、織物の実演などは、もちろん観光客の興味を惹きつけて楽しんでもらうことが目的であるが、さらに重要なことは、管理委員会が建築や彫刻だけではなく、それを残したチャム族の無形文化遺産にも興味と関心を払っており、その価値を伝えようという姿勢を示していることである。」

　歴史的なチャンパの遺跡であるミーソンと、チャンパの末裔として少数民族になったチャム族が並列的に表象されている状況を見て、文化人類学者の中村理恵は非常に驚いたと述懐している。少数民族の文化は今やベトナム観光のトレンドとなり、ミーソンにおけるチャム族のパフォーマンスもその一例であると言える。ただしチャム族自身がミーソン遺跡を利用して彼ら自身の歴史を再構築するとしたら、そのダイナミズムが今後のミーソンの在り方にどのような影響を及ぼすのか。興味深い観察の対象となるであろう（中村 2021）。

　2022 年はベトナム国家観光年事業の対象がクアンナム省であったため、ミーソンでは 6 月 14 日の夜に「ミーソン：伝説の夜」という行事が開催された。様々なプログラムが用意され、チャムの料理体験・機織り体験・土器作り体験・民族衣装体験、チャム族祭礼見学などのあと、200 人の出演者によるショーが遺跡を舞台に行われた。チケットは 40 万ドン（2022 年 12 月のレートで約2,235 円）だが、地元県民は半額、身長 120 センチ以下の子どもは無料とされたため、地元の人々を中心に多くの来場者があったという。

　コロナ禍の前から、そして現在はポストコロナの時代を見据えて、管理委員会では建築や彫刻といった従前からの有形文化遺産に加えて、チャム族の無形文化遺産の価値をミーソンで伝えようとしている。しかもその価値を享受する人々として、国内外からの観光客に加えて、地元住民がクローズアップされている点が重要である。


## 4　サイト・ミュージアム「ミーソン博物館」の目的と役割

　ここで管理委員会の活動の拠点となっているサイト・ミュージアムについて考察する。ミーソン遺跡の入場ゲートを入って歩いて行くと、すぐ右手に

図4　ミーソン博物館（2008年筆者撮影）

図5　ミーソン博物館の常設展示室
（2008年筆者撮影）

見えてくる平屋の建物がサイト・ミュージアムである（図4）。管理委員会のホームページでは「ミーソン博物館（Bảo Tàng Mỹ Sơn）」と紹介されているが、「ミーソン展示館（Nhà Trưng Bày Mỹ Sơn）」という名称で呼ばれることも多い。本稿ではミーソン博物館と呼ぶ。2001年に制定されたベトナムの「文化遺産法」、さらには2009年に制定された「文化遺産法の条文の施行に関する詳細な規定及び文化遺産法の条文の修正と補足」のなかで法令上の博物館が規定されているが（菊池・菊池 2022）、ミーソン博物館は法令上の博物館には含まれない。ベトナムの公立博物館は「国立博物館」「専門博物館」「地方博物館（省・市級博物館）」「展示館・記念館（区・郡、特別国家級遺産、ユネスコ世界遺産に直属するもの）」に分類される[7]。ミーソン博物館はこのうちの「展示館・記念館」のカテゴリーに含まれる。

　ベトナム文化情報省では2003年、クアンナム省人民委員会を実施管理者とする「ミーソン遺跡保存・整備マスタープラン」が策定されたが、予算上の困難に直面して日本に援助を要請した。これを受けて日本はミーソン遺跡のサイト・ミュージアム及び管理施設の建設と必要機材の調達を、文化遺産無償資金協力の一環として行った[8]。

　ミーソン博物館の常設展示室に入ると遺跡全体地図とジオラマ模型がある（図5）。そして「チャンパ遺跡と東南アジアの遺跡」「チャンパとアジア周辺国との海洋交易」「チャンパの主要遺跡の分布」「ミーソン遺跡の建築年代」「チャンパの碑文」「装飾柱の時代による変遷」「祠堂入口の建築様式」「ミーソン遺跡の研究者達」といったテーマ別に解説パネルが展示されている。チャン

パ時代の髪型や衣装、ヒンドゥーの神々の化身である動物たちの彫像に関する解説もある。石碑やリンガなどの実物資料も展示されている。展示室の奥にはミーソンの祠堂内部に設けられたと推定される木造の構築物が復元されている。この構築物の復元に先立って、チャム族の人々が儀礼を行った。

　2005年の開館時には博物館を紹介するパンフレットが作成され、日本語版もあったが、現在は品切れ状態となっている。パンフレットの冒頭「サイト・ミュージアムの建設の目的と意義」というページには「このサイト・ミュージアムは出土した遺物を収蔵するための施設ではなく、遺跡を楽しむための情報を発信するステーションとして計画されている」と述べられている（重枝編2005）。博物館を建設するにあたり日本側は、遺跡そのものが最大の展示物であるという認識のもと、訪れる観光客に対して短時間に簡潔に遺跡を紹介することを重視した。観光客が博物館へ立ち寄る時間を10〜20分と想定し、それに合った規模と内容の展示を作ったのである。

　管理委員会はホームページで、来場者がミーソン遺跡を見学する前に遺跡に関する基礎的な知識を得るための博物館、と紹介している。しかしミーソンに到着した人々の多くは博物館の前を素通りして足早に遺跡へと向かう。遺跡を見学した人が帰りがけに博物館に立ち寄り、遺跡で実際に受けた印象に確実な知識を重ね合わせるケースの方が多いように見受けられる。常設展示室の向かい側にはテーマ展示室があり、Gグループを修復したイタリアチームの調査成果が展示されている。地域住民の祭礼に関する解説パネルのコーナーもあり、全体として見ごたえのある展示内容となっている。

　博物館の建物はシンプルな構造で、展示室に空調はなく、自然の光と風を採り入れて見学者に爽快感を与える工夫が凝らされている。建物のなかに整理作業のためのスペースは作られたが、もともと資料を収蔵する機能を想定しなかったため収蔵庫は無かった。そのため現在、作業スペースを収蔵庫として利用しているが、博物館の石造りの外壁には風を通すための隙間があけられているため、風雨が入り込むという問題を抱えている。

　世界遺産におけるミュージアムの必要性について、林菜央は以下の諸点を挙げている（林　2019）。

・遺産のオーセンティシティやインテグリティを維持するために不可欠な、可動文化財を保存・管理する場であること

・遺産について様々な知識を提供する情報センターとしての役割を果たすこと
・訪問者に遺産の普遍的価値を伝えること
・世界の歴史とその発展の中での遺産の意義を示すこと
・世界遺産の保護が市民の義務であるという認識を促すこと
・地元コミュニティが遺産の保護と活用に参画する拠点となること

　これらの点はまさしくミーソン博物館が担ってきた、または今後重点的に取り組むべき役割である。筆者はこのなかでも特に、近年、管理委員会が地元コミュニティとの連携を強化しようとしている点に注目している。

## 5　ミーソン遺跡と博物館活動：<br>　　移動展示が目指したこと

　2019年に世界遺産登録20周年を記念してミーソン博物館の前庭で開催された特別展「ミーソン文化遺産の保存と発展の過程」を見学した際、筆者の関心が強く惹きつけられたのは、管理委員会が2010年代に取り組んだ地元の小中学校を対象とした教育普及事業と、省内の幾つかの村で開催された移動展示を紹介するコーナーであった。ここでは後者の事業を取り上げて考察する。

　2015年に管理委員会が刊行したベトナム語と英語の展示図録『山から海へ——クアンナムの地に残されたチャンパ文化の痕跡』は、関係者のみに配布されたものであったが、同年に行われた移動展示の内容をまとめた優れた図録である（Bản Quản lý Di sản Văn hóa Mỹ Sơn 2015）。移動展示はミーソン文化遺産管理委員会とダナン市のチャム彫刻美術館が共同で実施したもので、2015年の3月から5月にかけて、クアンナム省内のズイスエン県バートゥーボン村、ダイロック県バーフォンチャオ村、ズイスエン県ミーソン村、続いてダナン市内のフォンレ村、クアザン村、最後にチャム彫刻美術館を巡回した（図6）。

　この特別展は日本のユネスコ信託基金の援助によって2011年から2015年まで行われたユネスコのプロジェクト「カンボジア、ラ

**図6　移動展示の様子**
（グエン・ヴァン・ト氏提供）

オス、ベトナムの世界遺産ミュージアム」の一環として実施された。このプロジェクトについては、全体を統括した林菜央による詳細な報告がある（本書9-24頁）。グエン・ヴァン・トはチャム彫刻美術館の担当者とともに移動展示のコーディネーターを務めた。図録は以下のような章立てで構成されている。

・ミーソンの祠堂とトゥーボン川
・河川の交易ルート
・レディー・トゥーボンとレディー・フォンチャオへの信仰
・女神信仰
・河口域のチャンパの痕跡
・人々の暮らしのなかにあるチャンパの古物

　ここで強調されているのは、クアンナムがトゥーボン川のもたらす恵みを享受する地であり、その川がチャンパの聖なる川であったこと、2千年前から現在に至るまで山間部と平野部を結ぶトゥーボン川の河川交易がクアンナムの繁栄を支えたこと、河川流域の各所にレディー・トゥーボン、レディー・フォンチャオに代表されるような女神信仰の寺院や廟があること、土着の女神信仰がチャンパの女神ポー・ナガールの信仰に由来すること、現在の暮らしのなかにチャンパが残した遺跡や遺物がしばしば見られること、などである。現在のクアンナムの住民はほとんどがキン族であるが、実は住民生活の近くに今もチャンパの歴史と文化が息づいているのだという視点が、美しい写真とともに繰り返し現れる。

　2022年8月に行ったグエン・ヴァン・トに対する聞き取り調査によれば、「この移動展示は管理委員会の活動を拡大する機会となった。移動展示の場で住民と話すことによって、彼らがチャンパの文化遺産をどのように考えているかを調査することができた。また、チャンパのヒンドゥー彫刻を仏像と勘違いしている人が少なからずいたが、その誤解を解くこともできた。村の文化担当者や長老と話すことで、地域に伝えられた古文書を発見できた。」

　筆者には、移動展示として行われたこの特別展が、世界遺産ミーソンとミーソン博物館が今後進んでいく方向性を明示したように思われる。クアンナムの地を通じて現在の住民が過去のチャンパと繋がっている。このような郷土への認識をもつ住民が増え、彼らが参画する形で管理委員会の博物館活動が推進されることが期待される。

ただし移動展示はその後、行われていない。コロナ禍のもとでは博物館の事業全体が滞ってしまった。今後、資金不足のなかで再び博物館活動を活発化することは容易ではないと予想される。

## おわりに

ミーソン遺跡の保存と修復は、ベトナム人の専門家や行政職員が主導して、外国チームの協力と資金援助、技術支援を得ながら行われている。ミーソンの価値をさらに高めていく一つの方向性として、チャム族が今後、この歴史的遺跡において主体的に彼らの文化を発信することが期待される（中村 2021）。それに加えて筆者は、土地を介して地域住民とチャンパの歴史とを繋ごうとした移動展示の試みのなかに、今後のミーソン世界遺産と博物館の可能性を見出している。管理委員会と地域住民の協働が、生きた文化遺産としてミーソンを再生し持続させる原動力となると考えているからである。

謝辞：本稿の執筆に際し、ミーソン文化遺産管理委員会には筆者の現地調査の便宜を図っていただいた。また、Trần Kỳ Phương 氏、Nguyễn Văn Thọ 氏、Nguyễn Kim Dung 氏、中村理恵氏、新江利彦氏からは貴重な資料と情報をご教示いただき、有益なご助言をいただいた。ここに記して感謝申し上げる。

## 註
1) 本稿ではミーソンに関する学術研究の概要については述べていないが、近年、多くの分野でチャンパ研究が進み、最前線の研究を集めた論集が相次いで出版されている（Trần Kỳ Phương et al. 2018、Griffiths et al. 2019）。
2) ユネスコ世界遺産「ミーソン聖域」のホームページ（https://whc.unesco.org/en/list/949）にある英語の説明を筆者が翻訳した。
3) ミーソン文化遺産管理委員ホームページ（https://disanvanhoamyson.vn）（2022年12月28日閲覧）
4) https://thuvienphapluat.vn/van-ban/Van-hoa-Xa-hoi/Quyet-dinh-1915-QD-TTg-phe-duyet-du-an-quy-hoach-bao-ton-va-phat-huy-gia-tri-khu-di-tich-My-Son-tinh-Quang-Nam-giai-doan-2008-2020-83509.aspx（2022年12月28日閲覧）
5) グエン・ヴァン・トは管理委員会の博物館・保存部門の副部門長であり、ミーソンのサイト・ミュージアムと、ズイスエン県立サーフィン文化・チャンパ博物館の2館を管理する立場にある。聞き取り調査はベトナム語と英語で行い、回答の概要を筆者が日本語に翻訳したものを本稿で引用している。内容に誤解や誤り

があるとしたら全て筆者の責任である。

6）　なお2022年8月現在の世界遺産への入場料は外国人15万ドン（2022年8月のレートで約879円）、ベトナム人10万ドン（同じく約586円）である。

7）　ベトナム文化スポーツ観光省文化遺産局のホームページ「ベトナムの博物館の体系」（baotang.dsvh.gov.vn）（2022年12月28日閲覧）

8）　この資金協力プロジェクトについては、独立行政法人国際協力機構（JICA）と株式会社マツダコンサルタンツが2003年に行った事前調査の報告『ベトナム国ミーソン遺跡保存環境整備計画　基本設計調査報告書』が公開されており（https://openjicareport.jica.go.jp/pdf/11774791.pdf）、具体的な経緯の一端を知ることができる。

引用・参考文献
【日本語】
菊池百里子・菊池誠一　2022「ベトナムの博物館と博物館学教育」山形眞理子・徳澤啓一編『アジアの博物館と人材教育』雄山閣、pp.27-44

重枝　豊　1999「チャンパ建築史序説」桃木至朗・樋口英夫・重枝　豊『チャンパ　歴史・末裔・建築』めこん、pp.145-253

重枝　豊編　2005『MYSON SITE MUSUEM』オープン・リサーチ・センター整備事業成果物

チャン・キィ・フォン・重枝　豊　1997『チャンパ遺跡』連合出版

チャンパ王国の遺跡と文化展実行委員会編　1994『チャンパ王国の遺跡と文化』トヨタ財団

中村理恵　2021「国家史の言説と文化の担い手としての少数民族—ベトナムのチャム族の場合—」アジア文化研究所研究年報55、pp.45-56

林　菜央　2019「2015年ユネスコ博物館勧告採択の経緯」栗原祐司・林　菜央・井上由佳・青木　豊『ユネスコと博物館』雄山閣、pp.63-104

桃木至朗・樋口英夫・重枝　豊　1999『チャンパ　歴史・末裔・建築』めこん

山形眞理子・桃木至朗　2001「林邑と環王」山本達郎・桜井由躬雄編『岩波講座東南アジア史　第1巻　原史東南アジア世界』岩波書店、pp.227-254

【英語】
Baptiste, P. 2009. The archaeology of ancient Champa: the French excavations. In Hardy, A., C. Mauro and P. Zolese（eds.）*Champa and the Archaeology of My Son（Vietnam）*, NUS Press, Singapore: pp.14-25.

Griffiths, A., A. Hardy and G. Wade（eds.）2019. *Champa: Territories and Networks of a Southeast Asian Kingdom*. École française d'Extrême-Orient, Paris.

Hardy, A., C. Mauro and P. Zolese（eds.）2009. *Champa and the Archaeology of My Son（Vietnam）*, NUS Press, Singapore.

Hoàng Đạo Kính 2009. The archaeology of ancient Champa: the Vietnam-Poland conservation. In Hardy, A., C. Mauro and P. Zolese (eds.) *Champa and the Archaeology of My Son (Vietnam)*, NUS Press, Singapore: pp.26-32.

Trần Kỳ Phương, Võ Văn Thắng and P.D.Sharrock (eds.) 2018. *Vibrancy in Stone: Masterpieces of the Đà Nẵng Museum of Cham Sculpture*. River Books, Bangkok.

Yamagata, Mariko, Nguyễn Kim Dung and Bùi Chí Hoàng 2019. The development of regional centres in Champa, viewed from recent archaeological advances in central Vietnam. In Griffiths, A., A. Hardy and G. Wade (eds) *Champa: Territories and Networks of a Southeast Asian Kingdom*. École française d'Extrême-Orient, Paris: pp.47-62.

【仏語】

Parmentier, H. 1909, 1918. *Inventaire descriptif des monuments čams de l'Annam* Tome I, II. E. Leroux, Paris.

【ベトナム語】

Bản Quản lý Di sản Văn hóa Mỹ Sơn 2015. *Từ Nguồn xuống Biển Vết tích Văn hóa Champa Xứ Quảng (From the mountains to the sea – Cham cultural relics in the land of Quang Nam)*. Tài liệu lưu hành nội bộ（内部配布資料）.

Nguyễn Văn Thọ 2018. Vài sui nghĩ về những đóng góp quan trọng của các chuyên gia quốc tế trong công tác bảo tồn trung tu Mỹ Sơn（ミーソンの保存修復事業において外国の専門家が果たした貢献に関する考察）. *Bảo tồn Di sản văn hóa Mỹ Sơn* 2018 (1): pp.57-60.

# ホイアンの文化遺産と博物館

菊池 百里子

## はじめに

　ホイアン（Hoi An）は、ベトナム中部最大の都市ダナン（Da Nang）市の南東約 30 kmに位置する。中部最大の大河、トゥーボン（Thu Bon）川下流の左岸にあるホイアン旧市街地には、400 棟近い歴史的建造物が残っており、1999 年にUNESCO の世界文化遺産として登録された。

　本稿では、ホイアンの歴史や文化遺産保護の経緯を概観するとともに、ホイアンの博物館の特色であるテーマ別博物館について紹介する。そして、これらの博物館における文化普及活動と文化遺産保護の意義について考察する。

　なお、新型コロナウイルスの蔓延による渡航制限もあり、本稿はおもに2019 年以前の筆者の記録及びホイアン市文化遺産保護管理センター（以降、「管理センター」とする）の Web サイトや職員からの情報提供により執筆している。最新情報ではない内容が含まれるが、ご寛恕いただきたい。

## 1　ホイアンの歴史
### （1）サーフィン文化期

　ホイアン地域の歴史は先史時代から紐解くことができる。およそ 2000 年前、ベトナム中部ではサーフィン（Sa Huynh）文化が栄えていた。稲作を伴う初期金属器文化で、北部のドンソン（Dong Son）文化と並行する。この文化の遺跡は主に砂丘上に築かれた甕棺墓であり、菅笠形の蓋を有する大型の甕棺が発見されている。

　ホイアン地域の砂丘でもサーフィン文化後期の遺跡が多数確認されており、その代表的な遺跡はホウサー（Hau Xa）遺跡である。副葬品には鉄器や土器、

石製装身具、銅銭、銅鏡などがある。石製装身具には双獣頭形耳飾りや有角玦状耳飾り、ガラス小玉でできた首飾りなどがあり、フィリピンやタイ、マレー半島、台湾との交流が指摘されている。金属器では中国製の素環頭刀子や銭貨、鏡などが確認されており、紀元前後ごろには、ホイアンを経由地とした南シナ海交流活動が活発であったことを示している。

### (2) チャンパー（林邑）王国期

　サーフィン文化のあと、ホイアン地域はチャンパー（Cham Pa）王国の時代を迎える。チャンパー王国はオーストロネシア系のチャム人を中心とした王国で、2〜15世紀にかけてベトナム中部を支配していた。レンガ造の塔を特徴とするヒンドゥー教の祠堂はベトナム中部から南部の沿岸部に点在し、海から入港する船舶の目印であったと考えられている。

　トゥーボン川の上流にはチャンパー王国の王都チャキゥ（Tra Kieu）遺跡が、さらにさかのぼると聖地ミーソン（My Son）遺跡があり、ホイアン地域は王国の港、経済の中心として機能していた。またホイアン沖に浮かぶチャム島（Cu Lao Cham）の考古学調査ではイスラーム陶器やガラス、中国の長沙窯、越州窯などの初期貿易陶磁器などが多数出土している。ホイアン郊外のチャンパーの祠堂遺構の周辺からも中国北宋時代の青磁や白磁片が確認されており、このころには中国や西アジアの船舶を受け入れていたことがわかる。

### (3) 広南阮氏支配期

　15世紀になると、ベトナム北部を支配していた大越国の南下政策によりチャンパー王国は南に追いやられ、ホイアンは大越国黎朝の武人、広南阮氏の支配領域となる。ホイアンにはベトナム北部からベト人が入植し、農地が開拓されるとともに、陶工や大工などの多様な職業集団も受け入れることで産業が発展していった。その豊かな南海の産物を求めて、16世紀中ごろには中国人商人のほか日本人やヨーロッパの商人もホイアンへ来航し始めていた。徳川幕府による朱印船貿易が1604年に開始されると、茶屋や荒木、角屋といった朱印船貿易家の商船に乗った日本人商人たちがホイアンへ渡るとともに定住し、日本人による自治が認められた日本町がつくられていた。以降30年間に、少なくとも356通の朱印状が東南アジア方面との交易のために発給され、うち71

通が交趾、現在のベトナム中部宛であり、この地域が南シナ海交易ネットワークにおける一大港市として繁栄していたことがわかる。

名古屋市の情妙寺に伝わる『茶屋交趾貿易渡海図』には、長崎を出港して交趾へ赴く朱印船と、ホイアンの日本町や現地での交易の様子が描かれている。この中には、宣教師が着る大きな白い襟がついたマントを羽織り、髷を結った日本人通訳が描かれ、定住した日本人の中には禁教令が厳しくなっていた日本から移住したキリシタンも含まれていた。

1635年に鎖国政策が始まると、朱印船による交易活動は中国やオランダの商船にとって代わり、日本から銅や銅銭、陶磁器（肥前磁器）を運んだ。日本人の渡航が絶えた後も、ホイアンの日本町は日本人頭領の下に統治され、鎖国後もベトナムに残った日本人が交易に関与していたが、17世紀末には日本町は衰退し、中国人の町となっていた。


## （4）阮朝期

1771年に西山党の乱がおこるとホイアンは戦場となり、家屋は破壊され、一旦廃墟と化した。その後、ベト人と華人により町は再建されたが、19世紀の阮朝のころからトゥーボン川の河口部に土砂が堆積し河口が狭くなり、ダナンとホイアンを繋いでいたココ（coco）川も埋まり始めていた。蒸気機関により大型化した船舶はホイアン港に入港できなくなり、ホイアンの国際港としての地位はダナンに譲ることになったが、ダナンを窓口とした中部最大の商業センターとしての地位は保ち、トゥーボン川の南下に伴い新たに2つの街路も建設され、ホイアン市街地は南に拡大していった。

ダナンは、1889年にフランスのインドシナ総督府が直轄地としたことで、ベトナムの主要貿易港として発展する。これに伴い、ホイアンの商業活動は停滞し衰退していくのだが、逆にこのことで、ホイアンはその後の都市開発から取り残され、伝統的な古都市の様相を維持したまま現在に至ることになり、UNESCO世界文化遺産の認定へと繋がっていくのである。

世界文化遺産となったホイアンは、世界中から多くの観光客を惹きつけている。ベトナム有数の観光地として再び脚光を浴びたことで、町の経済は発展し、新市街地が次々と開発され、町は郊外に向けて拡大している。人口も年々増加し、2008年にはホイアンは、町（Thi Xa）から市（Thanh Pho）に昇格した。

## 2 ホイアンの文化遺産

サーフィン文化から始まり近代まで国際的な交易の拠点として発展し続けてきたが、近代的な開発を免れたホイアン地域には、多くの文化遺産が残され、世界文化遺産として保護されている。有形文化遺産として代表的な遺産には、旧市街地の伝統的木造家屋群があり、その中での生活や経済、文化、宗教活動において使用され、あるいは関連し、伝世されたものや、考古学的遺構・遺物として出土したものも含まれる。無形文化遺産としては、ホイアン地域で歴史的に継承されてきた伝統技術や生活文化、習俗・芸能などがある。

### （1）ホイアン旧市街地

ホイアン旧市街地は、トゥーボン川沿いの東西に延びる4本の街路からなる。川沿いからバックダン（Bach Dang）通り、グエンタイホック（Nguyen Thai Hoc）通り、チャンフー（Tran Phu）通り、ファンチューチン（Phan Chu Trin）通りと呼ばれ、チャンフー通りの西端に来遠橋、通称「日本橋」がかかっている。この橋を境に、チャンフー通りはグエンティミンカイ（Nguyen Thi Minh Khai）通りとなる。また、これらの街路と直交する南北の街路がある。これらの通りを含む東西約900m、南北約300mの範囲が保存地区に指定されており、歴史的建造物が密集して残っている。住宅の典型的な構造は、通りから順に前家、中庭、後家、トイレ、台所が配置され、奥に細長い、いわゆる「ウナギの寝床」状の家屋である。

建築史的調査及び各家屋に伝わる土地家屋売買契約書の調査から、ホイアン旧市街地に残存する建造物の最古の類型は18世紀の平屋木造壁家屋であり、以降、平屋レンガ壁、中二階建一階庇、二階建正面木造壁、二階建正面レンガ壁、二階建コロニアルと発展してきたとされる（福川他編 1997）。

チャンフー通りには平屋木造

**図1　観光客でにぎわうグエンティミンカイ通り**
右側には二階建正面木造壁、左側には中二階建一階庇の
家屋が並ぶ。

壁家屋が比較的多く残されている。中二階建一階庇家屋はグエンティミンカイ通りに多い。チャンフー通りの北側には、中国からの移住者が立てた広肇会館（1796年創建）、中華会館（1773年創建）、福建会館（金山寺、1697年創建）、海南会館（1883年創建）、潮州会館（1776年創建）のほか、陰魂廟や文聖廟、信義亭、観音寺、関公廟（1653年創建）などの史跡も残されている。内乱による1775年の戦火でホイアンは壊滅的な被害をうけたため、現存している建物はその後に再建されたものである。創建時の姿を残す建物はないが、チャンフー通りの北側が17世紀代の街の中心であったことが想定でき、考古学発掘調査の成果からもこのことが立証されている（菊池他編 1998）。

　チャンフー通りの南側、グエンタイホック通りは1840年に建設されたことが知られており、二階建正面レンガ壁家屋が多い。バックダン通りは1878年に建設され、コロニアル家屋が多く、特に通りの西側ではフレンチクオーターを形成している。トゥーボン川の流路が南に移っていくにしたがって、南側に町が広がって行った結果である。

### （2）来遠橋（通称「日本橋」）

　チャンフー通りの西端に位置する。橋の東側に設置されている1817年の修復石碑には「日本国人所作」と記される。その建立は16世紀末と伝わるが、正確な年代は不明である。日本町がホイアンにあった時代である1630年に作られた『天南四至路図』（Bửu Cầm 他編 1962：94）には「会安橋」と記された屋根付きの橋が描かれている。現在の名称である「来遠橋」は、1719年に阮福凋が名付けたとされる。梁に残されていた記録や碑文によると、1763年、1817年、1865年、1915年、1986年に修復されている。現在の橋は覆い屋がつき、橋脚部は石のブロックでアーチ状になっている。上屋は木造で屋根には瓦を葺き、陶磁器で装飾している。陶磁器の装飾は阮朝時代に流行した装飾技法である。橋の中腹には橋寺があり、祭壇と簡単な展示施設となっている。1990年に国家歴史文化遺産に指定され、ベトナムの20,000ドン紙幣の図柄にもなっている。

　橋の老朽化に伴い、1996年から車両の通行に規制がかかり、その後、橋の南側に車両用の橋が別途作られ、来遠橋は徒歩での通行に限定されることになった。そして現在、橋の本格的な修復が計画されており、そのための3Dグラ

フィック作成作業が進められている。

## （3）日本人墓

　17世紀前半にホイアンにいた日本人の墓がホイアン旧市街地の東北の農村部で3基確認されている。このうちの1基、1629年あるいは1689年没の「日本　孝文賢具足君墓」はタンアン（Tan An）地区にあったが、ベトナム戦争中に破壊され、墓石のみがホイアン歴史文化博物館に展示されている。

　残りの2基はカムチャウ（Cam Chau）地区に現在もあり、いずれも亀甲墓である。土地の所有者によって管理され、花や線香が供されている。住宅の庭先にあるのが1665年没の「顕考潘二郎字（日？）（練？）墓」であり、そこから約1km離れた畑の中にあるのが1647年没の「顕考弥次郎兵衛谷公之墓」である。筆者が1997年に最初に見学した時はかなり荒廃し、畑のあぜ道を注意しながらたどり着いたが、現在は遺跡として区画、修復され、道も舗装されている。

## （4）専業村

　国際貿易港として長い歴史を持つホイアンでは、都市の人々の生活のニーズにあわせて日常生活の道具を製造すると同時に、海外の商人からの要望に応じた貿易品やその商品を運搬する容器も製造する必要があった。このため、ホイアンの市街地や郊外には、ホイアンの経済活動を支えた手工業の専業村が発展し、今日までその技術が継承されている。

　現在、大工村、陶器作り村、ランタン作り村など12の専業村があり、これらの専業村を紹介する施設として、グエンタイホック通り9番にダンチョン芸術工芸センター（Xu Dang Trong art craft center）が設立されている。伝統産業の製作工程や製品を紹介する展示とともに、実際に工芸品製作を体験できるワークショップも実施している。定期的に民俗歌謡や舞踊のパフォーマンスを実施し、2017年当時は、茶芸のデモンストレーションも行われていた。陶芸やランタン作りなど、国家無形文化遺産として登録されているものもある。また、伝統歌劇（ベトナムの京劇）や建築工芸では優秀職人国家名誉称号を得ている専門家もいる[1]。以下に、代表的は専業村を紹介する。

### ①キムボン大工村（Kim Bong Carpentry Village）

　キムボン大工村は、トゥーボン川の右岸のカムキム（Cam Kim）社にあり、

高い木彫技術を持つ。祖先は北部から移住してきた大工職人であり、歴史的に木造家屋の建設を担ってきた。ホイアンの伝統的町並み保存事業に伴う木造建築の修復事業が日本の建築家の支援で始まると、キムボン大工村の職人に対し木造建築修復の技術移転が行われた。現在、ホイアンの伝統的木造家屋の修復は、キムボン大工村が担っている。

### ②タインハー陶器作り村（Thanh Ha Pottery Village）

ホイアン旧市街地から西へ 1.5km、トゥーボン川の左岸に位置する。祖先はタインホア（Thanh Hoa）から移住してきた陶器作り職人で、16 世紀に創業している（菊池他 1998）。朱印船貿易時代には、ホイアンからの輸出品である糖蜜や香木の運搬容器を生産していたと考えられる。現在も、100 人ほどが陶器を生産しており、村ではその様子を見学できる。また、近年開館したタインハーテラコッタパーク（Thanh Ha Terracotta Park）では、タインハーの歴史や製品、芸術作品を紹介するとともに、実際に陶芸を体験することもできる。

### ③チャークエ農業村（Tra Que Vegetable Village）

ホイアン旧市街地から北西約 3km に位置する。チャークエ農業村では 100 軒以上の農家が香辛料や野菜を栽培しており、歴史的にシナモンなどが生産され輸出されていた。農業体験や料理教室などのワークショップが観光客に人気である。

## 3 ホイアン旧市街地の調査・保存と世界遺産登録
### （1）ホイアン旧市街地の保存

ベトナム政府は 1985 年にホイアンの旧市街地を国家文化財に指定し、史跡保存事業が始まった。1986 年にドイモイ政策が始まると、1990 年にダナンで国際シンポジウムが開催された。そして、ベトナム文化情報省は、歴史的に日本と関連があり、木造家屋修復や町並み保存に豊富な経験があったことから日本に対して調査保存への協力を要請した。日本の文化庁は、1990 年に昭和女子大学に対して協力を依頼し、これを受けた昭和女子大学は国際文化研究所を設立し、1992 年からホイアンの町並み調査保存事業に取り組むこととなった。

調査研究プロジェクトでは、日本側からは昭和女子大学のほか千葉大学や東京芸術大学、東海大学、東京都立大学が、ベトナム側からはベトナム国立大学、ハノイ建築大学などが国際共同研究チームを作り、建築学、都市計画、歴

史学、考古学等の総合的調査研究をすすめた。

　保存修復プロジェクトでは、日本の文化庁が中心となり、奈良県や滋賀県の教育委員会の専門家や日本建築セミナーの会員も参加し、ホイアン遺跡管理班の職員やキムボン大工村の職人への保存技術移転が続けられた。

　これらのプロジェクトと同時に、1995年からホイアン旧市街を対象とした駐輪規制や店舗のあふれ出し規制などの条例が制定されるなど、町並みの保存も本格化していく。

　そしてこのような国際協力体制に対応するため、ベトナム政府は1995年にホイアン・ソサエティを認可し、正式な海外からの援助の受け皿とした。また、日本の国際協力事業団（JICA）も1997年から専門家派遣などで支援している。

　一連の活動が評価され、ホイアンは1999年にUNESCO世界文化遺産に登録された。


## （2）　文化遺産の管理

　ホイアンは、世界遺産登録基準のうち（ⅱ）（ⅴ）の条件を満たして登録された。（ⅱ）の条件では、国際商業港での時間の経過に伴う文化の融合の顕著な物質的表現が評価された。（ⅴ）の条件では、伝統的なアジアの貿易港として非常によく保存されていることが評価された[2]。

　世界文化遺産としてのホイアンの価値を守っているのが管理センターである。その前身は、1986年に設立されたホイアン遺跡管理班であり、その後1996年にホイアン遺跡保存管理センターとなり、2011年に現在の組織となった。ホイアンの文化遺産の管理・保存のほか、UNESCOに遺産保護活動を報告する責任を負っている。そのタスクは以下のとおりである。

①ホイアンの文化遺産の価値を管理、保存、復元、補修、活用する。
②ホイアン市人民委員会に、旧市街地の遺跡修復の許可と監督について、直接助言する。
③ホイアンの愛国的伝統と革命闘争に関する学術研究を組織し、歴史・文化に関する資料や遺物（有形・無形を含む）を収集し、保管する。
④ホイアンの文化遺産の価値の展示・宣伝・紹介・ブランディングを組織する。
⑤ホイアンのチャム島の生態系保存地区の価値を活用し、国家管理の調整に

参加する[3]。

　管理センターの組織については別稿（菊池他 2022）に詳しいため本稿では触れないが、遺跡修理室、博物館室、行政・財務室、遺跡情報資料室、史跡管理室、旧市街管理室の6室がある。

## 4　ホイアン市内の博物館とその活動

　ホイアン市内の博物館には、ホイアンの歴史文化を総合的に展示する歴史文化博物館と、多数のテーマ別博物館がある。現存する博物館で最も古いものは歴史博物館（現在の歴史文化博物館）であり、最も新しいものはホイアン伝統医学博物館である。そのほとんどが世界文化遺産に指定された旧市街地にあり、伝統的建造物を修復して再利用している。

　ここでは、主に管理センターが所管する博物館について紹介する。

### （1）歴史文化博物館（The Museum of History and Culture）

　チャンフンダオ（Tran Hung Dao）通り10番に位置する。歴史文化博物館の前身は、1989年に開館した歴史博物館であり、グエンフエ（Nguyen Hue）通り7番に位置する観音寺（1653年創建とされる）内にあった。当時は、寺院の狭い館内に梵鐘や考古遺物、移設された日本人墓などが置かれているだけだったが、2015年8月に現在の地に新築された歴史文化博物館にリニューアルしてからは、広い展示スペースを活用してホイアンの歴史や文化を総合的に展示する博物館となった。

　現在の歴史文化博物館は、先史時代から近世に至るまでのホイアンの歴史・文化を物語る展示品が豊富な写真や解説とともに系統的に展示されている。なお、博物館の1階は、以前は管理センター事務所であったが、現在は隣に新築された建物に移転し、歴史文化博物館もリニューアルが予定されている。

#### ①先史時代展示

　およそ2000年前にベトナム中

図2　歴史文化博物館の革命時代展示

部一帯に栄えたサーフィン文化について展示している。ホイアンには多くのサーフィン文化の遺跡が知られており、展示では、特にホウサー遺跡の考古学発掘調査で発見された甕棺墓の遺構をそのまま復元して展示しているほか、土器や銅・鉄製品、石器、ガラス製品、銅銭などの出土遺物についても詳しく展示している。特に、中国の五銖銭や南インドに由来する瑪瑙製の装身具など、サーフィン文化の特色を示す遺物を見ることができる。

②チャンパー王国時代展示

展示では、チャンパー王国時代のホイアンの遺跡分布を示す地図とあわせて、陶磁器や建築部材、石像などのほか、遺構の写真もあり、ホイアンの港市としての姿や、チャンパーの精神文化を見ることができる。

③大越時代展示

ホイアン市内で出土した陶磁器などの考古資料のほか、古民家の建築部材や、寺院で使用されていた梵鍾や香炉などが、国内外で発見されているホイアンの歴史を示す史資料の写真などとともに展示され、港市として繁栄していた往時のホイアンの姿を提示している。ホイアンで発見されている 17 世紀の日本人墓 3 基のうちの 1 基の墓石「日本　孝文賢具足君墓」も展示されている。畑の中にあった墓が取り壊され、墓碑だけが歴史博物館に展示されていた資料である。

④チャム島沖引き上げ遺物展示

2022 年 6 月、クアンナム（Quang Nam）省博物館が収蔵していた、チャム島沖沈没船引き揚げ遺物 103 点がホイアン市に譲渡された。これを受け、あらたな展示室「チュウダウ陶磁—チャム島沖の海底からの遺物—（Gom Chu Dau -Co vat tu long bien Cu Lao Cham）」を開設した。展示品はベトナム北部の窯業地チュウダウで生産された碗や盤、花瓶、水注、合子などの陶磁器が陳列されている [4]。

⑤革命時代展示

革命時代展示の前身は、1977 年にファンチューチン通り 12 番に設立された革命伝統室である。1992 年にチャンフー通り 149 番に移転し、歴史文化博物館建設後は、その中で展示されている。ホイアンのベトナム革命青年協会誕生から 1975 年のベトナム戦争終結までのホイアンにおける革命運動や戦闘の歴史を紹介している。

図3　サーフィン文化博物館　　　　　　　図4　貿易陶磁博物館

展示では、戦闘で使用された武器や戦場での生活道具、文書を陳列しているほか、写真パネルやジオラマを多用して解説している。

## (2) サーフィン文化博物館 (The Museum of Sa Huynh Culture)

チャンフー通り149番に1994年に設立された博物館で、ホイアン一帯から出土したサーフィン文化の遺物を展示している。フランス植民地期のコロニアル様式の二階建て建造物を修復して再利用している。

展示では、サーフィン文化を代表する遺物である甕棺について解説するとともに、ホイアン一帯の主要なサーフィン文化の遺跡であるバイオン (Bai Ong) 遺跡 (チャム島) やホウサー遺跡、アンバン (An Bang) 遺跡、スオンラム (Xuan Lam) 遺跡などの各遺跡について、調査の概要や写真、遺物、出土状態をそのまま復元した遺構展示などを用いて詳細に解説している。胴部に叩き調整痕が残る小型丸底壺や装身具、武具も多数展示しており、東南アジア、南インド、中国との交流による交易の様相を確認できる。サーフィン文化の特質を理解するのに十分な展示内容となっている。

## (3) 貿易陶磁博物館 (The Museum of Trade Ceramics)

チャンフー通り80番に1995年に設立された博物館で、日本の考古学研究チームによるホイアン地域での発掘調査で出土した貿易陶磁器を中心に、9世紀から19世紀までの遺物を展示している。日本の国際協力の下で初めて修復された19世紀の典型的な木造二階建て家屋を再利用している。修復の際に使用できなくなった古建築部材も解説をつけて展示しているため、ホイアンに残る歴史的建造物の変遷や空間構造を理解することもできる博物館である。また、

エントランスではホイアンの歴史文化を紹介する図書を販売している。

海のシルクロード（陶磁の道）におけるインドシナ半島の要衝としてのホイアンの歴史がわかるよう、ホイアン旧市街地で実施された考古学調査で出土した中国や日本の磁器や、ベトナムの在地の陶器を豊富に展示するとともに、ホイアンの郊外にあって、ホイアンの貿易を管理していた役所、広南営の遺跡で出土した陶磁器も展示している。また、チャム島の考古学調査で発見されたイスラーム陶器や、チャム島沖で発見された沈没船から引き揚げられた15世紀のベトナム陶磁器も展示している。このチャム島沖沈没船引き揚げ遺物は、サルベージ調査のあとほとんどが競売によって散逸してしまったため、歴史文化博物館とあわせて一定の規模でまとめて観察できる貴重な展示となっている。

### （4）民俗博物館（The Hoi An Folklore Museum）

グエンタイホック通り33番に2005年に設立された博物館で、ホイアンで現在まで伝承されている有形、無形の文化遺産が紹介されている。19世紀ごろの木造家屋を再利用している。

1階では、ホイアンの郊外に点在する陶磁器や提灯、木彫、絹織物などの伝統工芸村での生産の様子を再現展示したり、各種道具を陳列して紹介している。

2階では、伝統的木造家屋にある祖先祭祀の祭壇や家庭での生活の様子を再現したり、民族衣装や正月や祭祀における伝統舞踊の様子などマネキンを用いて展示している。

### （5）カオ・ホン・ライン同志記念館（The Memorial House of Comrade Cao Hong Linh）

チャンフー通り129番に2010年に設立された記念館で、ベトナム革命青年協会ホイアン組織設立者であり、党中央委員会の重職を務めたカオ・ホン・ラインの生家を展示施設として公開している。「ドゥク・アン（Duc An）の家」とも呼ばれる。

ホイアンにおける革命運動の歴史や、カオ・ホン・ライン氏の生活や活動の様子を写真パネルなどで紹介している。また、当時に生業としていた、進歩的なイデオロギーの発信拠点としての書店や、伝統的な漢方薬屋の様子も再現している。建物は、ホイアンの伝統的な歴史的木造建築で、当時そのままの室内

装飾から 20 世紀初頭の知識人の生活の様子を見ることができる。

## （6）ホイアン伝統医学博物館（The Hoi An Museum of Traditional Medicine）

グエンティミンカイ通り 46 番に、2018 年 3 月に設立された博物館で、建物は、典型的な木造二階建て家屋を修復して再利用している。ホイアン及び広南地域全体の伝統的な東洋医学に関する知識を紹介している。

展示スペースは 6 つのゾーンに分けており、伝統的な漢方薬屋の店構えを再現した展示では、薬棚のある販売スペース、客の脈拍を取り診察するスペース、待合室、漢方薬の運搬や保管の様子などがマネキンを用いて再現されている。このほか、ベトナムの伝統的東洋医学について紹介するパネルや、書籍紹介スペースなども整備して情報発信している。

## （7）その他

旧市街地には、伝統的木造建築の 2 軒で家屋や生活を公開している。グエンタイホック通り 101 番の「進記の家（Tan Ky Old House）」は、19 世紀に建てられた豪商の家で、美しい装飾のある梁や柱、当時のままの調度品を見学できる。1990 年に国家歴史文化史跡に指定されている。グエンティミンカイ通り 3 番の「馮興の家（Phung Hung Old House）」は、19 世紀後半の商人の家で、1993 年に国家歴史文化史跡に指定されている。

また、グエンティミンカイ通り 6 番には、2022 年に「日本文化の家（Japanese Calture Gallery)」が開館し、毎年夏に開催されているホイアン祭りの時に担がれる神輿を展示するなど、日本文化について紹介している。グエンティミンカイ通り 52 番のカムフォー（Cam pho）集会場では、ホイアンの町並み保存事業における日本の国際協力の歴史と実績を紹介する写真を展示している。グエンティミンカイ通り 79 番には、長崎県から寄贈された朱印船の模型が展示されている。

ファンボイチャウ（Pham boi Chau）通り 26 番では、2017 年にプレシャスヘリテージアートギャラリーミュージアム（The Precious Heritage Art Gallery Museum）が開館した。ホイアン在住のフランス人写真家であるレハーン（Rehanh）が調査し、記録・収集したベトナムの 54 の民族の写真や、民族衣装、

工芸品などが展示されている。建物は、19世紀のコロニアル様式のものである。

## 5　博物館を活用した文化遺産保護
### （1）テーマ別博物館

　上述の博物館のうち、歴史文化博物館（革命伝統室を含む）、サーフィン文化博物館、貿易陶磁博物館はホイアンが世界遺産として登録される以前からある博物館である。ホイアン地域で収集された遺物をケース陳列し、文字中心のパネルやジオラマを用いて解説するスタイルで、世界遺産登録以前は展示ケースの清掃が杜撰で、展示品を詳細に観察できないこともあった。

　世界遺産登録後に開館した民俗博物館は、ケース展示にとどまらずマネキンを使用したり、使用されていた当時のままに配置する復元展示が中心となっており、見学者の視線を考えた展示となっている。カオ・ホン・ライン同志記念館も、氏が使用していた当時の家屋・店舗の様子をそのまま展示し、伝統的木造家屋での生活の工夫や、往時の書店、漢方薬屋の店構えをそのまま見学者が体験できる展示となっている。世界遺産になり、世界の博物館の動向や活動などの情報が管理センターへ流入したことによる変化であろう。

　管理センターでは、博物館建設戦略としてテーマ別博物館を打ち出している。最近の事例では、伝統医学博物館がある。設計にあたっては博物館専門職員のほか、伝統医学の専門家も含めた専門チームが作られていた。従来のベトナムの博物館に多い遺物の収集・展示にとどまらず、テーマ別博物館にしたことで、ストーリー性がある復元展示や学術情報の提供が実現し、伝統的な文化的価値の真の理解を促進する設計となっている。

　今後「ホイアン香製品博物館」をチャンフー通り57番に設立する計画で、現在地元や国内外の香製品に関する専門家が参加するワークショップなどを開催し、準備を進めている。また、「ホイアン刑務所博物館」の修復も終え、現在全体設計に関する話し合いがすすめられている。


### （2）博物館における教育普及活動

　管理センターではハード面では早期に開館した3つの博物館においてもリニューアルを順次行っている。

　ソフト面では音声ガイドを開始したほか、特にセンター職員の教育に力をい

**図 5　ホイアン伝統医学博物館での体験学習**
（写真提供：管理センター Lê Thị Tuấn 氏）
市内の小学生 30 名が薬草の効能について触覚や
ゲームを通じて学んでいる。

**図 6　貿易陶磁博物館での考古学体験学習**
（写真提供：管理センター Lê Thị Tuấn 氏）
博物館職員の指導のもと、小学生が陶磁器の破片
を接合し、考古学者に対する理解を深めている。

れ、専門家が作った講義形式の原稿を読み上げるような単調な解説ではなく、遺物にまつわるストーリーを活用した解説、来場者の年齢や属性に応じた問いかけによる双方的なツアーガイドを育成している。また、熟練職人を講師とした博物館での体験型ワークショップが開催されているほか、テーマ別博物館めぐりのためのガイドマップ作成など、参観者の深い学びと発見に貢献する活動を積極的に実施している。

　さらに 2013 年からは青少年に向けた博物館教育に力をいれている。センターの職員や小中学校の教員に対する教育学の専門家を招いた博物館教育のレクチャーが行われるとともに、中学生向けには民俗博物館学習ツール統合セットが、小学生向けには展示コンテンツに基づいたゲームなどが開発されている。

　このように、教育、普及に資する博物館としてデザインされることで、伝統的職業への理解を深めるとともに敬意と信頼を醸成し、ひいては職人の育成、保護、専業村の存続・維持まで見据えることができる。伝統的職業村によって支えられているホイアンの文化遺産の保護に資する取り組みとして評価できるのである。


### おわりに

　ホイアンという小さな町ではあるが、残されている文化は濃密であり、町全体が博物館といえる。この町の住民は自身のアイデンティティとしての文化遺産に誇りをもっている。しかし、ホイアンの歴史的価値を体現するための伝統的職業にあっては後継者不足が危惧されている。人々が遺跡とともに暮らして

いるリビングヘリテージ、ホイアンでは、博物館は単なる観光コンテンツではなく、伝統文化に裏付けられた住民の生活をまもり、そのアイデンティティを未来へ継承するために必要な施設として機能しているのである。

　本稿では、紙面の関係上チャム島の資料館や文化遺産をはじめ、ホイアンにあるすべての史跡や資料館を扱うことができなかった。ぜひ別稿でまとめることにしたい。

　　謝辞：本稿をまとめるにあたり、資料や情報を提供していただいたホイアン市文化遺産保護管理センターの職員である Le Thi Tuan 氏、Vo Hong Viet 氏に心から感謝申し上げる。

註

1)　管理センター「優秀職人国家名誉称号認定決定」（2022 年 10 月 10 日）https://hoianheritage.net/vi/news/Tin‐tuc‐su‐kien/quyet‐dinh‐cong‐nhan‐danh‐hieu‐vinh‐du‐nha‐nuoc‐nghe‐nhan‐uu‐tu‐1377.html（2022 年 12 月 30 日閲覧）

2)　ユネスコ World Heritage List「Hoi An Ancient Town」https://whc.unesco.org/en/list/948(2022 年 12 月 30 日閲覧)

3)　管理センター「機能・タスク」https://hoianheritage.net/vi/about/Chuc‐nang‐nhiem‐vu.html（2022 年 12 月 30 日閲覧）

4)　管理センター「遺物の受贈及び、ギャラリー「Gốm Chu Đậu‐Cổ vật từ lòng biển Cù Lao Chàm」開幕式」（2022 年 11 月 24 日）https://hoianheritage.net/vi/news/Tin‐tuc‐su‐kien/le‐tiep‐nhan‐hien‐vat‐va‐khai‐truong‐phong‐trung‐bay‐gom‐chu‐dau‐co‐vat‐tu‐long‐bien‐cu‐lao‐cham‐1392.html（2023 年 1 月 20 日閲覧）

引用・参考文献

菊池誠一・阿部百里子　1998「ベトナム中部のホイアン・タインハーの土器作り」『古代学研究』第 142 号、pp.24‐29

菊池誠一・阿部百里子編　1998『昭和女子大学国際文化研究所紀要　ベトナム・ホイアン考古学調査報告書』Vol.4、昭和女子大学国際文化研究所

菊池百里子・菊池誠一　2022「ベトナムの博物館と博物館学教育」『アジアの博物館と人材教育』pp.27‐44

福川裕一・友田博通・マーク チャン編　1997『昭和女子大学国際文化研究所紀要　ベトナム・ホイアンの町並みと建築』Vol.3、昭和女子大学国際文化研究所

Bửu Cầm 他編　1962「天南四至路図」『洪徳版図』Bộ Quốc Giáo Giao Dục

# ラオス北部から中部における
# 埋蔵文化財調査・文化財保護と博物館
## —ポスト COVID-19 の現状と課題—

清水 菜穂

## はじめに

　現在のラオス（The Lao Peoples Democratic Republic ラオス人民民主共和国）は、インドシナ半島中央を縦貫する大河メコン中流域に位置し、中国・タイ・ヴェトナム・カンボジア・ミャンマーの5ヶ国に囲まれた、東南アジア唯一の内陸国である。国土は日本の本州とほぼ同じ面積。その8割は山岳森林地帯となり、メコン河畔の中〜南部に僅かな平野が広がる。総人口は650万人に過ぎないが、ラーオ・モン・カムなど50以上の民族が混在する多民族国家でもある。近隣諸国と比較すると、ラオスは社会・経済・産業・教育いずれも発展途上にあり、観光開発や文化財行政、考古学的な調査研究や専門家の育成等に関しても、まだ立ち遅れているのが現状であろう。当国内では、北部の旧都 ルアン・パバンの町・シェンクワンの巨石遺構（Plain of Jars）・南部チャンパサック県の文化的景観にあるワット・プーと関連古代遺跡群が、ユネスコの世界文化遺産に登録された周知の史跡となっているが、言うまでもなく3遺跡以外にも、調査研究や保存修復の対象となるべき文化財は少なくない[1]。

　ラオス政府内では、情報文化観光省・遺産局（Ministry of Information, Culture and Tourism, Department of Heritage）が、各遺

図1　本稿掲載遺跡と主要都市
（筆者作成）

71

跡地や文化財、および国内各地の博物館を管轄しており、諸外国の政府・研究機関・大学等による調査研究・保存修復・博物館運営支援などの活動は、いずれも基本的には上記遺産局との共同プロジェクトとして実施されている。

かつて筆者はラオスにおける近年の考古学調査に関して拙文をまとめたが（清水 2010）、13 年が経過し、COVID-19 に伴う休止期間を経た現在、当地の埋蔵文化財調査・遺跡保存・博物館の現状と課題について見てゆきたい[2]。ラオス南部に関しては本書別稿に譲り、本稿では北部のルアンパバーン・シェンクワン・中部のラオパコー遺跡・ヴィエンチャンの国立博物館・中部サヴァナケット県のセポン鉱山内遺跡を検討対象とする（図1）。

## 1　ルアンパバーン：
## 　　世界遺産の景観保全・考古学調査成果の公開

旧都ルアンパバーン（Luang Prabang、古名ルアンプラバン）には、ラーンサーン時代（Lane Xang・14〜19 世紀）創建とされる古寺院や仏領期のコロニアル建築が多く遺り、落ち着いた美しい町並みは、国内外の観光客を魅了している。建造物の保存修復や景観保全に関しては、1995 年の世界遺産登録を契機に積極的な取り組みがなされ、ラオス政府による建築規制や指導に加えて、日本国際協力機構（以下 JICA）を含め諸外国からの専門家派遣による人的支援や無償援助が続けられており、一定の着実な成果を確認できよう。COVID-19 による2 年間の空白を経て、来訪者が復旧しつつある現在、拙速な観光開発や経済効果ばかりが優先されることのないよう、長期的かつ持続的な指針が改めて官民に求められている。

さて、当地はラーンサーン王国を興し初代王位に就いたファーグム（Fa Ngum）により 1353 年に王都と定められて以降、北部ラオスにおける政治経済の中心として発展したと歴史学的には理解されているが、ラーンサーンの遥か以前、先史時代からメコンおよび他の河川や陸路を介した南北・東西交易の要衝として機能していたことが考古学的調査により明らかになりつつある。

アメリカのペンシルヴァニア大学博物館（Institute for Southeast Asian Archaeology, ISEAA）と、ラオス政府「遺産局」の共同により 2005 年に発足した「メコン川中流域考古学プロジェクト（The Middle Mekong Archaeological Project）」では、洞窟遺跡を中心に当地域内での発掘調査や遺跡地の踏査を継続してきた[3]。

図2　ルアンパバーン県・情報文化観光局（2022年8月筆者撮影）

COVID-19による休止を経て、2022年7月に調査活動が再開され、筆者も出土遺物分析のため同プロジェクトに参加する機会を得た。現地の情報文化観光局・考古美術部（Division of Archaeology and Fine Arts）事務所内には長年の調査活動により採集された土器・石器など大量の考古資料が収蔵されているが、型式学的研究のための器形分類といった出土資料の検証は未着手に近い（図2）。今後、土器類の胎土分析などが計画されているが、まずは基礎資料として内外に公開されるべき「調査報告書」の作成・刊行が、喫緊の課題であり義務であろうと、筆者自身は私案している。

　また、将来的には、当該プロジェクト他の調査活動により集成された考古学的資料および各調査成果を一般に公開する場、すなわち博物館ないし資料館の開設が求められるのではないか。当地には、かつての王宮建物を利用した「ルアンパバーン国立博物館」が開館しているが、展示内容は専ら旧王族の生活や儀式に用いられた調度品・衣装・書画骨董であり、考古資料は碑文・銅鐸・石仏など僅かに過ぎない。当ルアンパバーン県の情報文化観光局担当官も「考古学的調査成果の展示施設」が必要であることを言明しており、目下、資料館開設に向けて具体的に動き出している。


## 2　シェンクワン：
### 世界遺産の史跡整備・県内寺院趾の考古学調査と保存修復

　ラオス北東部に位置するシェンクワン県（Xieng Khouang）は、その東辺を隣国ヴェトナムのゲアン・タインホア両省に接し、西辺は前述ルアンパバーンに接している。県のほぼ全域は山脈に囲まれた海抜1,000m前後の高原ないし盆地であり、大河メコン沿岸の低地部に発達したラオス国内の諸都市とは、気候

風土・民族構成・生活文化も異なる様相をもつ。しかしながら、メコン流域と同様に、当地は東南アジア大陸部において「ベトナムと雲南やタイとを結ぶ古くからの陸上通路の拠点」として（新田 1998）、先史以降現代に到るまで、活発な交易活動を継続、隣国との外交上も重要な役割を果たしてきた。

　県西部には、先史時代の巨石遺構群ジャール平原（Plain of Jars）がある（図3）[4]。遺跡地は 1930 年代のフランス極東学院による調査を端緒として、日本やオーストラリアの諸大学による学術調査がなされ、加えて近年はラオス政府・ユネスコによるジャール平原保全のためのプロジェクト（Lao-UNESCO Project for Safeguarding the Plain of Jars）、すなわち遺跡の保護、とくに地域の村落共同体による自立的な遺跡保存管理体制の確立を目的として、測量・分布調査・遺構や出土遺物の修復・不発弾除去・自治体行政官や住民を対象とした研修等が継続されてきた（Van Den Bergh 2008）。

　その結果、2019 年に世界文化遺産として登録されたものの、直後に発した COVID-19 により、現地での活動は休止せざるを得なかった。2022 年 11〜12 月にあらためて「世界遺産認定式典」が催行され、2023 年 1 月以降、オーストラリア国立大学による考古学調査や遺産局による史跡整備活動が再開されている。当遺跡は、たとえば遺構（巨大石壷）の性格や用途、帰属年代に関して今も論議があり、研究者間で統一見解に至っていない。ある意味で史跡としての価値は未知数であり、調査研究の進展が待たれると同時に、最新の学術成果を現地で広く一般に伝える展示施設ないし資料館の開設も必須であろう。

　さて先史以降、シェンクワンはどのような歴史を経て現代に到ったのであろうか？文献史料は乏しく、考古学的な情報も現時点では十分でない。当県内の歴史的な文化遺産としては、ラーンサーン時代（14〜19 世紀）に建立された無数の仏教寺院が集落ごとに遺存している。当該寺院に関する研究は、20 世紀初頭のフランス極東学院による悉皆調査が、現在にいたるまでほぼ唯一の資料となっているが（Parmentier 1954）、伽藍の多くはヴェトナム戦争時の米軍空爆により破壊さ

**図3　ジャール平原遺跡群　バン・アン（Ban Ang）遺跡**（2015 年 2 月筆者撮影）

れ、現存する建物も、老朽化あるいは新築や増改築により本来の堂宇が消失する危機にある。伽藍構成において最も重要な中心祠堂シム（Sim、仏堂）の基本構造は、独自のシェンクワン建築様式（Xieng Khouang Architectural Style）をとどめ、ラオスひいては東南アジア大陸部の仏教建築史を考察するうえで看過できない遺構群であると指摘されてきた（成田 2010）。

当地における古寺院の建築学的特徴を明らかとし、保存修復に必要な資料を集成することを目的として、2008 年に日本工業大学建築学科とラオス国立大学建築学部との共同研究プロジェクトが開始され、2013 年まで継続して寺院の実測調査・遺構台帳作成・一部寺院伽藍の基壇基礎における発掘調査を実施した（清水 2014、図4）。残念ながら、2014 年以降プロジェクトは中断しているが、遺跡や文化遺産の価値ないし重要性は、無論その存

図4　ミーサイ村寺院 Vat Ban Mi Xay in Phoukut 仏堂基壇発掘調査
（2012 年 8 月筆者撮影）

続年代の新旧に拠るものではなかろう。歴史時代以降の建造物に関わる調査研究や保存修復活動も、将来なんらかのかたちで再開されることを願っている。


## 3　ラオパコー遺跡：
### 既往調査・ラオス国立大学による新規調査の概要と展望

ヴィエンチャン平野の北西域を流れるナムグム川の河岸段丘上に位置するラオパコー遺跡（Lao Pako）は、保養施設建設に先立つ造成工事の過程で 1994 年に確認された先史時代の遺跡である。1995 年、スウェーデンのウプサラ大学（Uppsala University）が遺産局との協同プロジェクトとして調査活動を開始し、2003 年にかけて、遺跡範囲確認のための分布調査や複数箇所でのトレンチ発掘調査を実施した。調査の結果、約 70 個体の埋甕（土壙内に埋設された大甕）が検出され、そのうち 2 個体では、青銅製装飾品・ガラス製ビーズなどを伴う小人骨を確認。また包含層からは土器類と共に土製品・青銅製品・鉄製品等が

出土した。調査担当者は、埋葬遺跡には限定せず、祭祀的な性格をもつ複合遺跡との見解を呈示している（Kallén 2008）[5]。出土遺物は全てラオス国立博物館（後述）に保管され、一部は展示されている。

さて、首都ヴィエンチャンにあるラオス国立大学社会科学部に、2009年、考古学専攻が新設された。国内で考古学を学ぶことがで

図5　ラオパコー遺跡、ラオス国立大学教員・学生と遺産局職員によるトレンチ発掘調査（2020年2月筆者撮影）

きる唯一の場である。現時点では指導教員も十分でないが、JICAからの人的支援および日本の民間財団からの助成を受け、教員および学生研修（考古学実習）の場として、遺産局と合同で2019年からラオパコー遺跡の発掘調査を再開、継続している（図5）。2020年および2022年にトレンチ発掘調査が実施され、現在は大学の研究室内で出土遺物の整理や実測、遺構図面作成がすすめられている。資料の分析やデータ作成の結果、近い将来、教員や学生自身の手で、ラオ語による初めての「発掘調査報告書」が作成される意義は大きい。考古学的な研究のみならず、実地教育ないし発掘調査指導のための稀少な場として、持続的な調査活動が望まれよう。

## 4　ラオス国立博物館：郊外移転後の現状と課題

首都ヴィエンチャンでは、近年、都心部の再開発にともなう官公庁の郊外移転が相次いでいるが、ラオス国立博物館（Lao National Museum in Vientiane Capital）も、旧都城内中央に位置する仏領期の総督公邸であったコロニアル様式の木造建物から、2017年末、約5km郊外に新築された4階

図6　郊外に移転新築されたラオス国立博物館（2022年9月筆者撮影）

建ての大型施設へと移転した（図6）。開館準備中にCOVID-19が発生、当初の計画よりかなり遅れて2021年にソフトオープンしたものの、2022年10月現在、一部展示室はまだ未完成（図7）。日本政府はじめ各国からの人的支援や助成を受け、展示完成に向けての作業が継続しているが、専門家の不足により、説明パネルなどはほとんど用意できていないのが現状である。

図7　館内の展示は未完成
（2022年9月筆者撮影）

　現職館員のなかで、学芸員としての専門教育を受けた、あるいは歴史学・考古学・民俗学の専門知識をもつ職員は極めて少ない。これら関連諸学に加えて、新展示のコンセプトを具現化できる知識や技術力を備えた専門家による指導が必須であることは、博物館館長も再三言明してきた。館外の専門家、とりわけ外国人が展示作成に直接関わるには、制度上の障壁も少なくないが、私事ながら筆者は移転まで10年以上旧博物館内にて作業してきた経緯もあり[6]、館長からの依頼を受けて、目下考古学関連の企画展示作成をお手伝いしている。

　さて、都心のホテル街に隣接していた旧博物館には、外国人が非常に多く来館し、個人・団体旅行者ともにヴィエンチャン滞在中に必ず立ち寄る「観光スポット」であった。が、新館は郊外に移転し、公共の交通機関が未発達なことから、外国人は激減、現時点ではゼロに近い。アクセスが改善されぬ限り来館者増加は望めまい。しかしながら、博物館が所属している情報文化観光省では、外国人の増加を「検討課題」としてはいない。なぜなら当局にとって、博物館とは、あくまでラオ国民のための教育・啓蒙の場として設けられた公共施設であり、外国人は主たる来館対象ではないのである。

　当国立博物館のみならず、各県内の「博物館」においても、来館者は専ら一般市民。教師に引率された小中学生・課外授業の高校生・研修中の地方公務員・出張や旅行中に立ち寄る地方在住者である。ラオ人来館者には担当館員が同行し、子供から高齢者まで理解できるよう懇切丁寧に展示を案内している。現在も社会共産主義国家であり、国民の就学率や識字率もまだ完全ではない当国にとって、博物館は貴重な社会教育の場として機能してきた。館長に拠ればこの基本方針は今後も変更されることはない。したがって、たとえば日本や欧

米の博物館に散見される、斬新かつ集客第一のテーマパーク的趣向は、当地において は無用であろう。来館者が自国の歴史・文化・社会を学び、その多様性を理解し、自国を誇りに思えるような、ラオスとしてのアイデンティティを尊重した展示作りが求められている。

## 5 セポン鉱山遺跡：
## 既往発掘調査と出土遺物の概要

　ラオス中部サヴァナケット県ヴィラブリ郡の、ヴェトナム国境に近い山間部のセポン鉱山（Sepon Mining Tenement Site in Vilabouly, Savannakhet）では、金及び銅の鉱床開削・採掘事業が継続しているが、2008 年に採掘現場から大型の銅鼓が出土、また古代の銅採掘・精錬に関わる遺構や各種遺物が確認された。そのため埋蔵文化財保護を目的として、情報文化観光省遺産局・鉱山会社・オーストラリアのジェイムスクック大学（James Cook University 以下 JCU）による調査プロジェクトが組織され、以降 2018 年まで発掘調査および鉱床開削にともなう遺物の表面採集作業を継続してきた（図 8、9）。2019 年に鉱山の採掘権がオーストラリアから中国に移管したため JCU による調査は中断。雲南大学が短期調査を実施したが、2022 年以降は遺産局が調査を再開、継続している。

　当遺跡地に関しては、出土銅鼓の編年型式および検出された採掘坑木枠炭化材の放射性炭素（C14）年代測定結果等から、紀元前後より活動を開始した大規模な銅採掘・精錬に関わる生産址との解釈がなされている（Tucci et al. 2014）。

**図 8　セポン鉱山・遺跡全景**
写真上辺の遠方山脈はヴェトナム国境　左下隅の矩形開削地が 2014 年発掘調査区（2014 年 11 月筆者撮影）

上記銅生産関連遺物以外に、歴史時代の遺物包含層からはこれまでに相当量の陶磁器類が出土している。筆者は 2011・2014 年に現地調査に参加し、出土陶磁器を実見する機会を得た。資料の主体は他地域より搬入された、いわゆる貿易陶磁であり、中国陶磁（16〜17 世紀の景徳鎮および漳州窯・18 世紀代の福建

広東諸窯製品）、15〜16世紀のヴェト
ナムやタイの製品に加えて、17世紀
後半に比定される日本の肥前染付磁器
も、雲龍見込荒磯文碗など複数個体が
確認された（Shimizu et al. 2016）。

**図9　セポン鉱山内遺跡の発掘調査**
（2014年10月筆者撮影）

出土貿易陶磁器における質量ともに
豊富な組成から、当地域が先史のみな
らず、歴史時代（15〜18世紀）にあっ
ても、インドシナ半島内陸交易の要衝として機能し、かつ相当量の舶載陶磁器
を搬入し得る経済基盤を有していたことが予察され、文献史料が皆無に近い当
地においては、今後の考古学的調査成果の公開が待たれる。

さて、JCUの発掘調査により出土した縦坑木枠や舟型木製品などは、大型
で保存管理が困難な自然遺物である。化学的な保存処理も施されぬままに貯
水槽の不備等により著しい劣化が進行していたが、鉱山の所有権が中国に移管
される際、遺産局の判断により、鉱山のあるヴィラブリ郡の文化会館（Cultural
Hall）敷地内で、大型木製品は僧侶の葬送の祈祷とともに地下に埋納されてし
まった。つまり「土に還した」ことになろうか。無論、諸外国では、貴重な考
古学資料を遺棄したと非難される行為であろうが、当地においては、やむを得な
い苦渋の選択であった。他にも出土資料が遺棄・隠匿・盗難される、あるいは開
発工事等にともない遺跡が未調査のまま破壊される事例は国内で頻発しているが、
これがラオスにおける「文化財保護」の現状であると言わざるを得ない[7]。

### まとめにかえて

本稿ではラオス北部から中部における文化財調査や保存活動、博物館につい
て、そのごく一部を紹介させていただいた。各章の記載はいずれも筆者が当地
で直接見聞した結果に拠り、既往文献の記述やインターネット情報とは異なる
事例も少なくなかろう。無論、文責は全て筆者にあるが、SNSを介して拡散す
るラオスとは別の、現地の一側面として理解していただければ幸甚である[8]。

埋蔵文化財の考古学的調査に関して現況を総括しておきたい。拙稿にて言及
した以外にも、日本の文科省科学研究費調査を含め諸外国が調査を実施してい
るが、COVID-19の影響もあり、現時点では短期、単次の小規模プロジェクト

が多く、2010年代以前と比較すると調査活動が停滞している観は否めまい。

　たとえば、首都ヴィエンチャン。1993年に施行された、文化財保護に関わる大統領令（Presidential Decree）により、ラーンサーン時代の城壁に囲繞された旧都城内においては、現存する各古寺院伽藍などの文化財および地下の埋蔵文化財は「遺産局」が管轄し、保護および調査が必要であると定められているが、造成工事等に伴う発掘調査は、JICAにより2006~2007年に実施された「ヴィエンチャン1号線道路改修工事に関わる埋蔵文化財調査」以外、僅か数事例に過ぎない[9]。先述したように、旧都城内では目下、再開発が加速しているが、多くの建設現場では、地上に遺る仏領時代の木造建築は破壊され、工事にともなって掘り出された地下の埋蔵文化財も、遺産局職員による確認ないし立ち会いのみで、正規の発掘調査はなされぬまま遺棄されている[10]。

　ラオス国内の遺跡調査や保存活動にはユネスコをはじめ海外の大学や研究組織が関わる場合が非常に多く、また海外からの人的・経済的支援なくしては、諸活動は立ち行かぬことも事実である。しかしながら、支援する側にも、あらためて再考すべき課題が少なくない。たとえば、遺産局副局長として20年近く、ほぼ全ての海外プロジェクト実務を総括してきた担当官は、筆者との面談の場で再三、諸外国の調査団に調査成果を独占され、現地ラオス側には何らの報告もフィードバックもないままに、欧米の研究誌やインターネット上にその成果が一方的に公開される事例が極めて多いことを憂慮していた。今後の状況によっては、当局が海外プロジェクト活動許可を留保する可能性も高い。

　現在、外国人調査者としての信義、節度が問われているように思う。本文中第1節でも言及したように、まずは「調査報告書」の作成、ラオ語併記英文報告書の早期作成と遺産局への提出が最低限の責務であろう。各々の論考作成は報告書提出後に着手すべきではないか。海外の調査団は、たとえ遺産局との協同であろうと、活動を「許可していただいている」に過ぎまい。あくまで主体はラオス側であり、外国人は「支援」ないし「補助」する側であることを、当地において活動される際は、つねに意識していただければと願っている。

註
1)　ユネスコの世界文化遺産に登録された3史跡の名称は、日本ユネスコ協会の記述に準じている。また、拙稿本文および図版で記載する地名等の固有名詞に関しては、日本語カタカナ表記による誤謬（現地語発音との齟齬）が少なくないことか

ら、ラオス政府内で公用されるアルファベットを併記した。なお、日本・諸外国で用いられる「ラオス・LAOS」の語は仏領期以降の慣習的な誤記もしくは通称であり、「ラオ（ないしラーオ）・LAO」の表記が望ましい。

2)　日本では「コロナ」と通称されているが、ラオス国内では Corona Virus Infection Disease in 2019 の略称 COVID-19 が専ら用いられている。感染防止のため、ラオス政府は 2020 年 4 月以降 2022 年 5 月まで約 2 年間、全ての陸路国境を封鎖し、ほぼ全ての国際線旅客機の離発着を停止、謂わば「鎖国」政策を敢行した。その結果、海外プロジェクト、とくに緊急度が低いと解される文化財関連の活動はほぼ休止せざるを得なかった。

3)　当該研究所 ISEAA の活動に関しては www.ISEAArchaeology.org 参照。

4)　日本語のガイドブック等には「ジャール平原」と記載されている遺跡。ジャールは仏語 jar のカタカナ表記でラオ語ではない。ラオ語ではトンハイヒン、直訳すれば、石の壺の原（石壺ヶ原）となろうか。なお、ユネスコ世界文化遺産としての正式名称は "Megalithic Jar Sites in Xieng Khouang –Plain of Jars-" と表記されるが、日本ユネスコ協会による和文表記は未発表。

5)　ラオパコー遺跡の存続年代に関しては、既往調査報告書に拠れば出土炭化物試料の放射性炭素 C14 年代測定から AD350~600 の暦年代が示され、おおまかには東南アジア大陸部における鉄器時代に比定されるとしている。

6)　旧博物館の収蔵庫内で自身の調査研究を進めつつ、随時、館員へのレクチャー・館内の展示替え・収蔵品整理・移転準備作業などに従事してきた。

7)　大型銅鼓をはじめ JCU による調査で出土した遺物の多くは、ヴィエンチャンの国立博物館に移送・保管、一部は展示されている。その他、出土資料の一部は、サヴァナケット県の博物館およびヴィラブリ郡の文化会館内に展示されている。

8)　本稿作成に際しては、JICA からラオス国立大学に派遣されている川島秀義氏のほか、以下の組織・個人よりご教示・ご助力を得た。

　　ラオス政府情報文化観光省遺産局、ラオス国立博物館、ルアンパバーン・シェンクワン・サヴァナケット情報文化観光局、ラオス国立大学、ペンシルヴァニア大学考古人類学博物館・東南アジア考古学研究所、Viengkeo Souksavatdy, Vanpheng Keopannya, Souliya Bounxayhip, Thonglith Luangkhot, Joyce White

9)　遺産局が実施したヴィエンチャン旧都城内における埋蔵文化財事前発掘調査としては、旧城壁西辺近くのパックパサック遺跡（ルクセンブルグ政府による専門学校建設予定地、2012~2013 年調査、報告書未刊行）などがある。

　　日本国際協力機構（JICA）による「1 号線道路改修工事に関わる調査」の概略は拙稿記載（清水 2010）。当該調査の本報告書は、遺産局から刊行される予定であり、調査担当であった筆者他から既に原稿図版資料は同局に提出移管されたものの、現在も出版の目処は立っていない。プロジェクトの終了した 2007 年時点で、JICA から下記の概要報告書が発表公開されている。

"Preliminary Report on the Buried Cultural Properties Salvage Works for the

Project for Improvement of Vientiane Road No. 1", by Consultant Team for Archaeological Works for the Project for Improvement of Vientiane Road No. 1 (Katahira Engineering International Co. Ltd. / Kokusai Kogyo Co., Ltd)
10) ヴィエンチャン旧都城内の再開発工事では、施主もしくは施工者が国内外の公的機関である場合、随時、遺産局職員による試掘や立ち会い調査が実施されることがある。また工事中になんらかの遺構を検出（遺物が出土）し、遺産局が通報を受けた場合は職員により写真撮影や図面作成などの「記録保存」作業がなされる。

### 引用・参考文献
【日本語】

清水菜穂　2010「ラオスにおける近年の考古学調査」『東南アジア考古学』30、pp.103-110

清水菜穂　2014「ラオス・シェンクワン県内仏教寺院における発掘調査―出土貿易陶磁の概要」『東南アジア考古学』34、pp.85-91

成田　剛　2010「シェンクワン仏教建築におけるシム建築の特徴―ラオス国シェンクワン建築様式に関する調査研究　その2―」『日本建築学会2010年度大会学術講演梗概集』F2、日本建築学会、pp.599-600

新田栄治　1998「第2章　大陸部の考古学　3 土器のはじまりと農耕への道」、『世界の考古学8 東南アジアの考古学』同成社、pp.49-130

【英語】

Kallén, A., 2008. Lao Pako. In Y. Goudineau & M. Lorrillard (ed.) *Recherches nouvelles sur le Laos · New Research on Laos Études thématiques no 18* Vientiane – Paris: École Française D'Extrême-Orient: pp.53-63.

Shimizu, N., Souksavatdy, V., Chang, N., Luangkhot, T., 2016, Trade Ceramics Recovered from the MMG-LXML Sepon Mining Tenement, Savannaket Province, the Lao PDR. *Journal of Southeast Asian Archaeology 36.* Japan Society for Southeast Asian Archaeology: pp.47-60.

Tucci, A., T. Sayavongkhamdy, N. Chang and V. Souksavatdy 2014, Ancient Copper Mining in Laos: Heterarchies, Incipient States or Post-State Anarchists? In *Journal of Anthropology and Archaeology Vol.2, No.2:* 01-15. American Research Institute for Policy Development.

Van Den Bergh, J., 2008, Safeguarding the Plain of Jars, an Overview. In Y. Goudineau & M.Lorrillard (ed.) *Recherches nouvelles sur le Laos · New Research on Laos Études thématiques no 18:* Vientiane – Paris: École Française D'Extrême-Orient: pp.65-80.

【仏語】

Parmentier, H., 1954, INVENTAIRE DÉTAILLÉ A. TRAN-NINH XIENG KHUANG *L'ART DU LAOS. Publications De L'École Française D'extrême-Orient Volume XXXV:* L'Écolle Française d'Extrême-Orient, Paris: pp.13-48.

# ラオスの文化的景観と博物館
## ―遺産マネージメントと観光―

小田島　理絵

## はじめに

本章では、国際連合教育科学文化機関（United Nations Educational, Scientific and Cultural Organization, UNESCO〈以下ユネスコ〉）の世界遺産リストに記載された東南アジアの文化的景観とはどんなものであるのかを考えていく。また遺産マネージメントの拠点となっている博物館が、持続可能なマネージメントにおいて、どのような課題に直面するのかを述べていく。ここで取り上げる世界遺産としての文化的景観の事例は、ラオス人民民主共和国（以下ラオス）の「チャムパーサック県の文化的景観にあるワットプーと関連する古代遺跡群」である。ユネスコ世界遺産リスト記載から20年あまりを経たこの遺産の経緯を顧みることで、東南アジアの文化的景観という世界遺産の価値と意義、遺産マネージメントの課題を考えてみたい。

## 1　世界遺産と文化的景観：
## 　　人間・文化・自然の全体的アプローチ

世界遺産と文化的景観の関係について、簡単に確認しておきたい。世界遺産に文化的景観という類型が加わったのは1992年である。このときに採択された文化的景観の定義とは、「自然と人間との共同の業（the "combined works of nature and of man"）」（World Heritage Centre 2008：85）[1] である。文化的景観とは、自然と人間とが相互に作用する領域、相互接触の過程に焦点を置き、その類まれなる様態に価値をおく遺産である。

文化的景観なる遺産の設定は、1972年世界遺産条約以後の遺産の概念を大きく更新させた出来事だったといって過言ではない。世界遺産条約は、類いま

れなる普遍的価値をもつ人類共有の遺産として、文化遺産と自然遺産という二大類型をまず設定した。ただこれは図らずも、文化と自然との間の異種性を強調してしまうものだった。自然と文化が二項対立的関係にあるとは述べていないが、その印象を強める可能性があった。複合遺産なるものも存在してきたが、あくまでも文化（遺産）と自然（遺産）の組み合わせとされ、文化と自然とは異種なるものとされていたのである。しかし、文化・自然は、実際には、相互行為を重ね、複雑に交錯する様態を生み出していることがある。これが文化的景観という遺産の誕生につながったのである。文化的景観の考え方は、文化（遺産）と自然（遺産）の間に引かれていた厳格な境界の恣意性に対して一石を投じ、それらの連関性を照射した。

　筆者は、文化的景観を人間・文化・自然の複合的全体と呼ぶことができると考える。筆者の専門分野である文化人類学にとって、複合的全体は馴染みのある用語である。文化は人間の生と創の所産であるが、それは多要素が有機的に連関する総体と考えてきたからだ。しかしこの考え方は、人間と人間文化に目を向け、それらが自然との深い関わりによって生命を保つ側面を隠してしまうものであった。この態度を顧みて、人間・文化・自然の対等で深遠なる関わりに目を向けることが文化人類学でも重視されている。文化的景観とは、こうした視点の鑑となるものでもあるだろう。

## 2　アジア大洋州地域と文化的景観

　文化的景観が世界遺産に参入してから、ちょうど30年が経過した。現在、文化遺産は世界遺産全件数1,154のうち897件で全体の約77.7%[2]を占める。文化的景観は制度上、この文化遺産の一部と区分されている。121件ある文化的景観は、世界遺産全件数の約10.5%、文化遺産全件数の約13.5%である。

　表1からは、この文化的景観の分布がヨーロッパと北アメリカに圧倒的に多いことが分かる。次点のアジア大洋州地域における文化的景観の二倍以上、アフリカ・ラテンアメリカとカリブ海諸国・アラブ諸国の合計数の二倍以上がヨーロッパ・北アメリカに分布する。

　分布の偏重は文化的景観に限らず、世界遺産全体の傾向として長らく議論の的である。ユネスコは、分布に関する地域間格差是正の取り組みを行ってきた。例えば、世界遺産委員会の1994年採択による「均衡ある代表的な世界遺

表1 ユネスコ世界遺産である文化的景観の地域的分布（2022年）
（ユネスコ公式HP「文化的景観」[https://whc.unesco.org/en/culturallandscape/]）
（2022年11月12日閲覧）を基に筆者作成）

| 地域（ユネスコによる区分） | 文化的景観の件数 | 文化的景観（121件）中の割合 |
|---|---|---|
| ヨーロッパと北アメリカ | 65件 | 約53.7% |
| アジア大洋州 | 26件 | 約21.5% |
| アフリカ | 15件 | 約12.4% |
| ラテンアメリカとカリブ海諸国 | 11件 | 約9.0% |
| アラブ諸国 | 4件 | 約3.3% |
| 合計 | 121件 | 約99.9% |

産リストのためのグローバルストラテジー」は代表的取り組みである（World Heritage Committee 2001：13）。地域毎の活動の中でも是正の取り組みは行われ（World Heritage Centre 2001：14・16）、アジア大洋州地域の一つの取り組みは文化的景観の普及活動だった。自然と文化の二類型ではなく、文化的景観の考えで地域に潜在する遺産を賞賛しうるという姿勢は、例えば2001年開催のアジア大洋州地域11か国の専門家による会議報告（World Heritage Committee 2001）[3]上でも明らかである。この報告では、文化的景観の地域的潜在性と重要性が強調されている。

　ではそもそも、アジア大洋州地域における文化的景観とはどんな遺産なのだろうか。次節では、当該地域の一部である東南アジアの文化的景観の概要をラオスの事例から述べていきたい。

## 3　ラオスにおける文化的景観：
## 　　人間・文化・自然の総体的遺産として

　2001年12月に世界遺産リストに記載されたラオスの文化的景観は、南部チャムパーサック県チャムパーサック郡とパトゥムポーン郡（メコン川右岸と左岸）にわたる390㎢の広大な保護地帯からなる。図1は、その保護地帯を示している。ゾーン1（Zone1）「チャムパーサック遺産と文化的景観保護地帯」が全体の文化的景観保護地帯、あるいは緩衝地帯である。この内部は、三つの小保護地帯から成る。ゾーン2（Zone2）「聖なる環境保護地帯」、ゾーン3（Zone3）「考古学調査地帯」、ゾーン4（Zone4）「遺跡マネージメント地帯」である。ゾーン2は、山塊の一帯（図2）を保護する地帯である。対してゾーン3とゾー

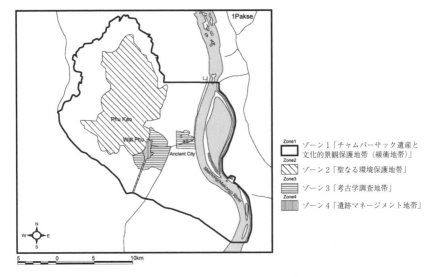

図1　チャムパーサックの文化的景観各ゾーン
(The Government of Lao PDR 1999 を基に筆者作成)

ン4は古代遺跡・遺物を保護する地帯である。とくに、(1) 古代都市（図1で
は Ancient City）、そして (2) ワットプー（図1では Wat Phu[Vat Phou]、ラオス語
で山寺）の二つの遺跡とその周囲地帯をゾーン3・4は保護している。ゾーン3
が (1) (2) を取り囲む広い遺跡保護地帯であるとすれば、ゾーン4は (2) と
その周囲の地上建造物群の保護に特化する。ゾーン3・4が保護する (1) (2)
の古代遺跡以外にも、古代遺物はゾーン1内に点在する（The Government of
Lao PDR 1999)。そうした遺物と主要遺跡の間、あるいはそれらと自然環境と
の関連を考慮したとき、緩衝地帯としてのゾーン1の線引きが行われた。

## (1) 世界遺産に記載されたラオスの文化的景観の価値：
### 多様性と統一性

　現代ラオスの正史は、14世紀のランサン王国の誕生を現国家の萌芽と表す。
ランサン王国は、現代ラオスの主要集団であるラオ人が北部ルアンパバーンを
王都に成立した王国とされる。王国は南下してメコン川両岸に勢力を延伸した
と正史は述べる。現代ラオスの南部は、このランサン王国の拡大の過程で王国
の一部に統合されたという。王国は18世紀初頭に三王国（ルアンパバーン・ビ

**図2　メコン川から臨む山塊**（中央奥が
プーカオまたはリンガパルバタ）
（2009 年 8 月筆者撮影）

エンチャン・チャムパーサック）に分裂
した。南部王国はこのとき、中部の王
族が南下して建国したとされる。三王
国は、シャム（タイ）の属国となって
いったが、19 世紀末にはフランス領イ
ンドシナの一部となった。20 世紀の南
部王国は、フランスからの独立、ベト
ナム戦争と社会主義革命の中、早期に
弱体化した。

　上記の南部王国の歴史は、世界遺産
の文化的景観の説明の中ではほぼ言及
されてこなかった。世界遺産保護地帯
は、先述したとおり、山塊と古代遺跡・
遺物群を中心に線引きされている。核
となる古代遺跡、つまり（1）古代都市
と（2）ワットプーおよび関連の遺跡群

は、ランサン王国から分岐した南部王国建国以前の人間集団に制作された遺物
とされる。（1）古代都市の調査は進行中だが、3 世紀以降からの非ラオ人集団
の文化的創造物とされ、（2）ワットプーおよび関連する遺跡群は、現代カンボ
ジアの主要集団クメール人によるアンコール帝国（9 世紀〜12 世紀）の萌芽と
拡大の例証[4] と考えられている。つまり、この世界遺産／文化的景観は本来、
実に多様な歴史、人間集団と文化の層から成り立っている。しかし世界遺産
は、その中で南部王国建国以前の古代の歴史と人間集団による文化的遺物に注
目をしている。

　このような遺産の様態は、現代でも多様性を維持する東南アジアの遺産の特
徴といえるのかもしれない[5]。反面、非ラオ人集団の古代の歴史や文化に注目
することは、ラオ人中心のランサン王国を始点とする現代ラオスにとって、統
合性に関する誤解を受ける危惧もないわけではないだろう。では、それほど多
様な人間集団がこの地を目指し、文化的創造性を発揮したのはなぜなのだろう
か。ここで私たちは、もう一つの主要な保護対象が自然の山塊（図2）である
ことを考えなければならない。この自然こそ、集団の垣根を超え、人間をここ

に惹きつけてきた動因であると考えられる（The Government of Lao PDR 1999）。

　この地で発掘・保存されてきた碑文（解読・整理したフランス極東学院のリスト上は番号 K365）[6] の一部が、古代からの自然・人間・文化の結びつきを示唆している。碑文は古代サンスクリット語で、山塊の中心的な山をリンガパルバタ（リンガの山）―現代ラオス語ではプーカオ（図 1 の Phu Kao、女性の結髪した頭部の形をした山の意味）―（図 2）と記している。これは、古代の人間がこの山を聖山―シヴァ神の化身リンガの形状をした自然の岩石を山頂にすえる山―と考えた証と考えられる。この聖山とメコン川を臨むこの地こそ、様々な集団は聖なる理想郷と考え、文化的創造物を生んだと考えられる。人間・文化・自然のこのような結びつきこそ、この地が文化的景観として世界遺産リストに記載された所以[7] である（The Government of Lao PDR 1999）。

## 4　世界の公共財、地域社会の公共財：
　　文化的景観マネージメントの課題

　世界遺産リストに記載された 2001 年を遡って 14 年前となる 1987 年、現地にはワットプー博物館という組織が設立された（小田島 2018・2022）。主要な保護対象である古代遺跡の一つの名称を冠したこの博物館は、文化的景観マネージメント事務所の役割も担ってきた。筆者は世界遺産リスト記載前後から、この文化的景観で遺産マネージメント研究を継続するが、現場には実に様々な苦労が伴ってきたということができる。現場の予測や努力を越え、多くの課題が「押し寄せてきた」。ただ多くの課題は、地域に内在したものといい切れないと筆者は考える。多くの課題は、保護対象が世界遺産という国際的なレベルの遺産であることに起因する。世界の公共財のマネージメントを、地域の政治経済、文化社会慣習によって対応する（しなければならない）現実に直面し、課題―しばしば「不足」と表現される―が生み出されてきた。これはラオス、あるいはいわゆる途上国において、世界遺産マネージメントだけでなく、その他の開発分野でもみられる現象だろう。後進国を先進国のように離陸させる近代化理論に基づく開発の現場で、地域社会は急激な変化を求められる。そのときしばしば、地域社会を支えた慣習では「もの足りない」となり、新知識・技術の導入が尊重される。

　この現象は、ラオス南部の文化的景観マネージメントでもみられてきた。新

知識・技術の導入は世界遺産マネージメントにとって必須であることには間違いない。しかしこれは遺産に関わることであり、とりわけ繊細な問題である。なぜなら、現状から新状態への改変を目標とする開発とは異なり、遺産の現場の主目的・目標は保護である。あるものをなるべくそのまま保護し、維持させようとすることだからである。すでにある素晴らしさを、次世代も享受しうるように持続させようとする考えと努力—持続可能性の実現—が保護活動では大いに求められる。

　もちろん世界遺産保護には新たなものの導入、現状の改変も必要とされる。新たな科学や技術革新は、非破壊保護の可能性、持続可能性の実現をより拡大することにも寄与することだろう。実際に、ラオスの文化的景観マネージメントでも、点在する遺跡の調査、保存、修復、博物館展示において、科学的調査と博物館学的知識・技術が導入され、文化的景観という広大な保護地帯のより詳細な情報の集積と普及が可能となった。文化的景観マネージメントに携わる博物館は、世界基準のマネージメント方法と技術修得のために、国内外への学習機会があれば参加しながら、外部支援も含めた調査、保存、修復によって遺産保護活動の幅を広げてきた。

　他方、広大な世界遺産保護地帯の内外は、実際には、現代の生活圏でもある。南部王国時代以来の地域社会（世界遺産リスト記載時、緩衝地帯／ゾーン１内部には52から53村が存在）は聖なる自然環境と古代遺跡とともに暮らしてきた。遺産マネージメントの現場は、地域社会の一部なのである。遺産マネージメントをする博物館組織も、地域の慣習と価値観を知り、それによって生活する職員から構成される。彼らは世界と地域社会の間に置かれ、差異を取り持つことを期待されるミドルマン、あるいは相互の差異を読み解く人類学者的な役割を期待されている。そのような立場を期待されるのは、少なくともこの文化的景観の現場においては、世界遺産の考え方・保護の手法と地域社会にとってのそれらの間に差異が存在してきたからである。ではこの差異とは、いかなるものだろうか。世界遺産マネージメントの現場で浮かぶ地域内外の差異を次に述べながら、文化的景観マネージメントの課題をまとめていきたい。


## （1）地域社会の公共財感覚とコミュニティ意識

　世界の公共財である世界遺産の保護は、地球規模の世界への帰属意識、責任

や連帯意識を基盤に行うことが期待される。現地設立の遺産マネージメント組織である博物館は、現地の慣習に精通しながら、世界の公共財としての世界遺産保護の責任を果たそうと努めてきた。地域の政治経済と文化的慣習を理解する一方で、ラオスが目指す博物館学的な博物館として（小田島 2018：88）、世界遺産の保護を世界的な基準で果たそうとしてきた。

　しかし、世界遺産と地域社会の考える遺産には異なる性質が含まれている。遺産マネージメントは、その間に置かれた。差異を示す第一の例として、筆者は、世界遺産という言葉をラオス語に翻訳する際に生じたずれについて拙稿（2022）で述べた。そこでは、遺産 heritage のラオス語の対訳となったモーラドックの単語が、主に仏教的観念を基盤に文化的意味を含んでいることを述べた。つまり地域社会の遺産の用語には、精神的修養・鍛錬から永遠の幸福へ到達するという行為、実践、その過程こそ、社会が共有すべき尊さ、受け継ぐべき素晴らしさとする考えが含まれているといえる（小田島 2022：60）。この遺産のあり方は、ラオス南部の文化的景観周辺を生活圏とする地域社会にも共有されている。地域社会の遺産とは、必ずしも物質的財そのものではない——修養・鍛錬という達成の行為あるいは過程の所産として物質財は随伴するものだが、それだけで発展、あるいは遺産の状態に「到達しえない」——。

　地域にとっての遺産とは、換言すれば、ヘット・ブン（ラオス語で功徳／祭祀を行う）、つまり善行により功徳（ブン）を積むこと、あるいは功徳を積もうと開かれる祭祀（ブン）によって実践され、達成されていく（小田島 2022：60）。地域社会は、積徳・祭祀をしばしば強力な聖域である寺院、塔、あるいは遺跡の周辺域で行ってきた。こうした寺院や塔、遺跡の多くは、様々な歴史と文化の層から構成——東南アジア地域の遺産の特徴である——されている。例えば仏教を国教としたランサン王国時代に建立されたいわゆる仏教寺院や仏塔の多くは、土着の精霊信仰の観点からも強力な霊力のある場とみなされる場であったからこそ建立されたのである。地域社会が実践、達成しようとする人間幸福のために功徳を積む修養・鍛錬と祭祀は、こうした複数の信仰の重なる聖域で行われることが多い。

　ラオス南部の文化的景観は、こうした地域社会にとっての聖域の一つなのである。あるいは、この文化的景観の内部にいくつもの聖所があり、その総体としての聖域景観なのだといえる。とくに南部の文化的景観周辺の人々が功徳を

積む・祭祀を実践してきた場所は、ワットプー遺跡の周辺域である。最大の積徳の機会は、ラオス暦３月のワットプー祭である。ワットプーは結局、地域の人々が永遠の幸福へ到達しようとする善の実践過程により、特別な場所として保たれている。

　世界遺産と地域社会の異なる遺産の性質を示す第二の例として、保護に関する行いを挙げることができる。世界遺産マネージメントでは、技術的な遺跡の修復が国際支援を含めて行われている。この技術は地域社会に「不足」しているといわれるのだが、保護機能が慣習に内在していないわけではない。なぜなら地域社会は、積徳行為の一環として金銭を喜捨するが、これはしばしば寺院や塔といった建造物を修復する費用とされてきた（小田島 2022）。つまり、地域社会には潜在的には、聖所たる建造物を持続させようとする機能が、遺跡の修復技術とは異なる形で内在してきたといえる。功徳を積む行為が建物の維持と社会での共有を可能にし、建物もまた聖所として保たれてきたといえるからだ。

　地域社会による文化的景観、または遺産とは、上記の全体的体系から成り立つのだ。行為や価値、表現とそれに随伴するものとしての物質文化の総体的遺産ともいえるだろう。しかし、この実践され、達成される遺産の地域的体系は、世界遺産マネージメントでは、異なる性質のマネージメント手法とされてしまうものである。世界遺産は、文化と自然の二類型から出発していることを冒頭で述べたが、現在でも多くがこの基本類型で占められている。基本類型の文化遺産では、ラオスの実践され、達成される地域的な遺産のあり方は、なかなか捉えきれないものである。なぜなら、文化遺産とされるものの多くは、特定の寺院や遺跡の有形建造物それぞれの審美性や歴史性に価値の焦点が置かれてきたからである。この考えは、無形の行為を有形の建造物から分け隔てることができない地域社会によって実践され、達成される遺産の様態を捉えきるものではない[8]。

　ラオス南部の文化的景観は、現代の地域社会の生活圏であることから、上記の地域的な実践遺産の考え方・用い方と世界遺産のそれらの間とのずれを無視するわけにはいかないものである。このため、遺産マネージメントの現場には、差異を取り持つ役割がしばしば求められてきたのである。世界遺産リスト記載後、まずは世界遺産の理念の主流化の役割が博物館に求められてきた。しかし、広大な文化的景観の保護地帯のマネージメントには、地域社会との連

携、協調なしには難しい部分がある。このため、地球規模のコミュニティの公共財という理念と保護の手法が、地域社会の実践する公共財、コミュニティ意識と協調することは、これまでも課題ではあったが、今後もさらに取り組むべき課題である。

## （2）文化的景観と博物館

　これまでの遺産マネージメントの現場では、文化的景観という世界遺産の考え方が曖昧になっていることも多かった。主な理由は、遺産マネージメントが遺跡ゾーンにおける地上建造物の遺跡の修復に特化してきたことである。増加する観光客への対応として急務とされた一つ一つの遺跡修復に取り組む作業が継続すると、統合的な景観という視点へと目を向けることが少なくなってしまったのである。

　博物館展示では、遺産の価値を伝達することは重要な役割である。しかし、訪問者の増加によって、博物館内部でもやはり、まずは古代の物質文化に焦点をおいた展示の促進が急務とされた。これは、博物館が博物館として機能するには必須なことだった。遺産の核ゾーンは古代遺跡ゾーンであり、マネージメント機関である博物館にとってはやはり古代の物質文化の展示作業は最重要である。反面、文化的景観という世界遺産の価値が疎かになりがちになったことは否めない。ただし、文化的景観という考え方の伝達のために博物館展示を活用するには、新たな展示技術だけでなく新たな展示理念が求められるのではないだろうか。世界遺産は、文化的景観を「自然と人間との共同の業」と定義した。あるいは人間・文化・自然の交錯様態こそこの遺産の価値であるとすれば、それを伝達することが課題となる。自然の力と人間の創造力、文化的景観の聖域性の伝達に対し、いかに博物館展示が寄与できるのかが課題となる。

　地域社会にとっての実践的な遺産とコミュニティ意識を世界遺産マネージメントにつなげる重要性について上記でふれた。これはすなわち、博物館展示もまた、地域社会による実践する遺産、到達する遺産のあり方との協調が重要であることを意味する。また善行の積み重ねと周りとの共有を受け継ぐべき尊さとし、その実践を文化的景観のなかの聖域、つまりワットプーをはじめとする遺跡群の周辺域で地域社会が行ってきたことを述べた。コミュニティが行為を通して達成し、持続する文化的景観の神聖性を伝達する役割に対し、博物館

展示はどのように応答することが可能だろうか。世界的な博物館学的展示手法は、いかに応じ、連携するのかが課題でもある。

## （3）文化的景観と聖域巡礼

これまでの文化的景観マネージメントが、遺跡ゾーンの修復を急務としてきた大きな理由が観光への対応であったことはふれた。その理由は、他には代えられない文化的創造物をまずは維持し、守ることと同時に、訪問客の安全も考慮に入れなければならなかったからだ。このため、地上建造物の遺跡、とくにもっとも知られたワットプー遺跡区画内の建物の物理的強化作業が行われてきた。

ただ皮肉にも、遺跡の物理的保護に焦点を置いたマネージメントが長期間継続した波及現象として、特定の遺跡だけを「見る」観光、遺跡ツアーが観光産業によって促されたことが挙げられる。ラオス内外の多くの観光メディアの上では、とくにワットプー遺跡区画の地上建造物だけが絵的構図として切り取られ、この建造物だけを世界遺産とするイメージで占められている。

この観光産業とメディアに促され、多くの遺跡ツアーがワットプーの遺跡区画に集中している。そのための駐車区画整備等も行われ、ますます短時間で地上建造物の遺跡を「見る」ツアーが促進されている。また、多くのツアーが遺跡を南部地域内の様々なアトラクションの中の一つとして、より多くの観光客をより多くのアトラクションへと周遊させようとしている。この大衆観光は、限られた時間内でアトラクションの一つとなった建造物の外観、古さと美しさを視覚的に消費する時間を主に提供する。遺跡空間はしばしば、ロマンある非日常的舞台として宣伝されるが、その宣伝上の遺跡は、古代の演出物になっている。制限時間のある観光客は結局のところ、古代の疑似イベントとして遺跡を消費することを促される。

ラオスの文化的景観でも萌芽しはじめたこのような近代遺産観光産業は、地域社会の旅と異なる性質を帯びる。地域の代表的旅は、先にふれたワットプー祭である。この祭（ブン）は、強力な聖域であるワットプー遺跡の周辺域で功徳（ブン）を積むことで修養・鍛錬する人々に広くその機会を供するものである。つまり人間的発展の達成を目指す人々による聖域への巡礼である。この巡礼者は、実践する遺産、達成する遺産を体現している。祭には市が伴うため、聖俗両義的な旅であるといえるものの、ほとんどの対象を「見るもの」として

切り取る近代遺産観光とはそもそも一線を画しているだろう。

　遺跡と文化的景観を聖域にならしめる巡礼の旅は、現代の地域社会だけでなく、古代の人間集団も行っていたと推察される。その可能性は、この地を「ティルタ（tīrtha）」―聖域、あるいは聖域の交差点（crossing）（Eck 1981・2012）―として記す古代碑文（先述の K365）（Cœdès 1956）が示唆する（Odajima 2020）。ティルタとは巡礼者の聖なる行為によって神聖化される領域（Eck 1981・2012）であることから、古代のこの地は巡礼を通して聖域となり、他の聖域や「地域」を結ぶ聖なる交差点、様々な人間集団を結ぶ聖域でもあった可能性がある（Odajima 2020：112-117）。古代において、巡礼という人間の行為がこの地の価値を持続させたということは、当時の遺産のあり方もまた、実践される遺産、到達される遺産だったことを示唆する。現代の地域社会の巡礼の旅もまた、同様の営みとして、文化的景観を価値あるものにしている。時代と集団の枠を越え、人間の行為や価値、実践という無形文化が特有の自然環境と有形文化とともにこの文化的景観を遺産として持続させている。

## おわりに

　本章では、世界と地域という両レベルの遺産の考え方、あり方を考察しながら、遺産マネージメントの現状と課題を述べてきた。遺産保護においては、すでにある素晴らしいものの持続可能性が鍵となる。地域社会が持続させている実践される遺産・達成される遺産のあり方と世界遺産との協調は、文化的景観マネージメントの鍵だと筆者は考える。

### 註

1）　ユネスコ世界遺産センターによる 2008 年版『世界遺産条約実施のための作業指針』内に整理された「世界遺産リストへの特別な類型の資産の記載に関する作業指針」によると、1992 年に公式採択された文化的景観の第一の定義「自然と人間との共同の業」（World Heritage Center 2008：85）に続けて以下の記述がある。「自然環境がおよぼす物理的制約やきっかけによる影響と、内外の一連の社会的、経済的、文化力の影響を受けた人間社会と居住地の長期的進展の例証となりうる」（World Heritage Centre 2008：85）もの、「明らかな輪郭を持つ地理的、文化的地域」（World Heritage Centre 2008：86）、「人類と自然環境間の相互行為の多様な出現」（World Heritage Centre 2008：86）、「持続的な土地利用に係る特別な技術や（中略）自然に対する特別な聖霊の関係を反映」（World Heritage Centre

2008：86）したもの（翻訳は筆者による）。

2）　現在、世界遺産リスト記載の全資産件数は1154件。うち文化遺産は897件（うち文化的景観121件）、自然遺産218件、複合遺産39件である（ユネスコ公式HP「リスト」[https://whc.unesco.org/en/list]）（2022年11月12日閲覧）。文化遺産は全件数の約77.7％だが、自然遺産（全体件数の約18.9％）、複合遺産（全体件数の約3.4％）よりも圧倒的に多い。

3）　この会議は2001年9月に日本国文化庁主催にて和歌山県で開催された。報告書（World Heritage Committee 2001）は、アジア大洋州地域11か国の専門家が地域特有の聖山・自然と人間・文化との関係性を議論したと記す。この際、地域にとっての文化的景観の考え方の重要性が指摘された。なお、この会議の開催地周辺の「紀伊山地の霊場と参詣道」は、3年後の2004年に日本初の文化的景観としてユネスコ世界遺産リストに記載された。同年、日本の文化財保護法が一部改正され、重要文化的景観の選定制度が出来上がった。文化財法第2条は文化的景観を「地域における人々の生活又は生業および当該地域の風土により形成された景観地で我が国民の生活又は生業の理解のため欠くことのできないもの」と定義づけた（日本国文化庁 2019：2）。

4）　ワットプーの遺跡区画における現存の地上建造物の多くは、アンコール帝国時代（9世紀〜12世紀）の様式を示す。しかし、現存の様式以前の遺構も確認されており、アンコール帝国時代以前からの長いプロセスとして遺跡をみる必要性があるだろう。

5）　これは、東南アジアの世界遺産マネージメントに越境の連携が必要とされることがあることを示唆する。近年、ユネスコの支援の下、近隣諸国の人材間の交流がみられる。

6）　碑文番号K365（通称デバニカ王の碑文、パノン村あるいはワットルアンカオ村の碑文等と呼ばれてきた）の解読はフランス極東学院 G. セデス（G. Cœdès）（1956）による。碑文はこの地をティルタと記すが、それが示唆する意味（Odajima 2020：112-117）は後節本文で述べた。

7）　世界遺産における文化的景観には、三つの下位類型がある。(1)審美性のある公園や宗教的遺構等を含む「人間の意図的計画創造景観」、(2)自然景観と社会経済的な応答によって進化する「有機的進化景観」（さらにその下位単位はa. 進化過程が過去に留まり物質的形態に現れる「残存[または化石]景観」およびb. 伝統生活が現代も活性化する「継続景観」）、(3)自然要素が宗教的、芸術的、文化的に強く関連する「関連文化景観」（World Heritage Centre 2008：86）（翻訳は筆者による）。ただしラオス南部の文化的景観がどの類型に相当するかは不明。政府公式文書（The Government of Lao PDR 1999）は、古代の自然・人間・文化の統合性を強調する。

8）　建物を有形の文化遺産、功徳を積む行為をそこから区別して、(2003年ユネスコ無形文化遺産の保護に関する条約が価値を認めるような)無形文化遺産とする

ことは、制度上できるのかもしれないが、本来それらは区別されるべきなのかどうかという疑問がうまれる。

引用・参考文献
【日本語】
小田島理絵　2018「ラオス人民民主共和国における博物館：制度化の過程」『博物館学雑誌』43（2）、pp.65-92
小田島理絵　2022「ラオスの博物館序説―博物館人類学的視座からの考察―」山形眞理子・德澤啓一編『アジアの博物館と人材教育　東南アジアと日中韓の現状と展望』雄山閣、pp.45-66
日本国文化庁　2019「文化的景観の保護のしくみ」（ttps://www.bunka.go.jp/tokei_hakusho_shuppan/shuppanbutsu/bunkazai_pamphlet/pdf/r1393016_02.pdf）（2022年11月12日閲覧）
【英語】
Eck, Diana L. 1981. "India's 'Tīrthas': 'Crossings' in Sacred Geography," *History of Religions* 20（4）: pp.323-344.
Eck, Diana L. 2012. *India: A Sacred Geography*.　New York: Harmony Books（Kindle Version）.
Odajima, Rie. 2020. "Theatrical Governmentality and Memories in Champasak, Southern Laos," *Southeast Asian Studies* 9（1）: pp.99-129.
The Government of Lao People's Democratic Republic. 1999. *Champasak Heritage Management Plan*. Bangkok: United Nations Educational, Scientific and Cultural Organization.
United Nations Educational, Scientific and Cultural Organization. *Cultural Landscapes*.（https:// whc. unesco.org/en/culturallandscape/）（Accessed November 12, 2022）
World Heritage Committee, United Nations Educational, Scientific and Cultural Organization. 2001. *Report of the Thematic Expert Meeting on Asia-Pacific Sacred Mountains（Wakayama, Japan, 5 to 10 September 2001）*.（https://unesdoc.unesco.org/ark:/48223/pf0000126500）（Accessed Nov. 12, 2022）
World Heritage Centre, United Nations Educational, Scientific and Cultural Organization. 2008. "Guidelines on the Inscription of Specific Types of Properties on the World Heritage List," in *Operational Guidelines for the Implementation of the World Heritage Convention（WHC.08101）*.（https://whc.unesco.org/archive/opguide08-en.pdf#annex 3）（Accessed Nov. 12, 2022）
【仏語】
Cœdès, Georges. 1956. Nouvelles données sur les origines du royaume Khmèr: La stèle de Văt Luong Kău près de Văt P'hu. *Bulletin de l'École Française d'Extrême-Orient* 48: pp.209-225.

# 世界遺産アンコールと博物館
## —保護・開発・文化遺産国際協力—

丸井　雅子

## はじめに

　カンボジア北西部シアムリアプ州に位置するアンコール遺跡群は、1992年12月米国サンタフェで開催された第16回世界遺産委員会において世界文化遺産一覧への記載が決定し、同時に「危機に瀕した遺産」[1]であると判断された。1970年以降長い間内戦状態にあったカンボジアにとって、先ず1991年11月のユネスコ世界遺産条約締結はそれまで対立していた派閥が一丸となって平和な国家再建を目指し始めたことを国内外へアピールする布石となり、それに国際社会が応えた結果が翌1992年のアンコール世界遺産登録だったと言えよう。アンコールを危機から救うための保護と開発は、最早カンボジア一国の国内問題に留まらず国際社会が協同して取り組むべき国際問題であると世界が合意したのである。カンボジアでは1993年に国連カンボジア暫定機構監視下で実施した制憲議会選挙を経て新憲法発布によりカンボジア王国が復活したが、このような文化遺産国際協力の体制は内戦終結後30年が経過した今もまだ続いている。世界遺産アンコールにとって国際協力は極めて重要なセクターであることは間違いない。

　本稿は世界遺産アンコールに関わる主として公的な博物館について概観しそれらの特徴と課題を指摘することを目的とする。世界遺産アンコールの保護と開発を第一義とする社会的環境の中で文化遺産国際協力分野から博物館への理解を試みる。加えてそうした文脈において地域社会がどのように位置づけられているかを明らかにし、世界遺産アンコールにおける博物館の持続可能性を探っていきたい[2]。

## 1 世界遺産登録のためのマスタープラン構築と博物館

前段で 1992 年にアンコールの世界遺産登録が決定されたと説明したが、厳密には条件が提示された上での世界遺産承認であった。その条件を達成するため、ユネスコはアンコールの保存と開発のためのマスタープラン構築に着手し、多分野の専門家による現地調査を経て報告書をカンボジア政府へ提出した。この報告書がその後のマスタープランに踏襲され、今もなおアンコールの保存と開発の指針となっている。以下、この時期に策定されたプランに博物館がどのように位置づけられているのかを確認していきたい。

### (1) マスタープラン構築プロジェクト（ZEMP）

世界遺産委員会からカンボジア政府へ出された条件とは 1995 年までに主として遺産保護の体制に関わる次の 5 項目：1. 文化財保護法の改正（不法取引禁止）、2. 対象物遺跡の特定（遺跡へのアクセスと地図）、3. 緩衝地帯（Buffer Zone）の特定と開発抑制、4. 遺跡保護・管理を実施する機関の設立、5. 文化財保護への国際協力を調整する仕組み、を達成することで正式に世界遺産として登録するというものであった（田代 2001：229-230）。

5 つの条件を満たすためにユネスコが牽引して取り組んだのがアンコール遺跡保存と管理に関するマスタープラン構築プロジェクトである。正式名称をZoning and Environment Management Planning（ZEMP）for the Angkor region（アンコール地域の区画及び環境管理計画）と言い、1992 年 10 月から 1993 年 4 月まで現地調査が実施された。ZEMP 報告書の大きな特徴は、ユネスコがそれまで関わってきた他国の遺跡保存事業において指摘された住民排除批判を反省し、アンコールのマスタープランについては遺跡群を含む周辺地域において初めて、遺跡周辺住民及び周辺環境も保護対象に含めた点である。

### (2) ZEMP 報告書における博物館の位置づけ

全 207 頁からなる ZEMP 報告書（ZEMP 1993）で直接的に「博物館」に言及しているのは 15 か所であるが、いずれも主題として扱われているのではなく、世界遺産地域に必要な（あるいは存在することが望ましい）施設のひとつとして博物館が挙がっているに過ぎない。

一部要約すると（下線は筆者）、報告書冒頭でアンコールをめぐる保存の歴

史的経緯に触れた箇所で「仏領インドシナ期の 1900 年代にフランス極東学院（EFEO）が開拓したカンボジアの文化遺産や遺跡研究の結果、博物館、図書館、そして美術学校等を通じてアンコールが息を吹き返し、さらには芸術、口頭伝承、舞踊、文芸、そして工芸品といったクメールの遺産の創造を促した（ZEMP1994：Chapter Ⅱ -8)」と植民地期文化政策の一部として博物館がアンコールの普及に一役買っていたことを類推させる歴史的背景を説明する[3]。

　具体的なマスタープランとしては考古学調査との関連において「アンコール公園内には、考古学調査や研究成果を共有・公開する場や機会が必要である。例えば、アーカイブズ、保存・修復研究室、博物館、そして展示等（同：Chapter Ⅴ -8)」や、国家的機関が担うべき考古学業務として「記念物（遺跡）の維持管理と修復、次の各項の調整：踏査（測量）、調査とモニタリング、修復事業や発掘調査の認可と監督、アーカイブズ・修復研究室そして博物館・展示の維持管理、考古遺跡の登録、考古遺跡の分類及び開発が遺跡に与える影響の査定、そしてアンコールの考古学的解釈の共有（同：Chapter Ⅶ -9)」を列挙し学術調査成果の社会還元という観点から博物館の必要性を説く。加えて「学芸部門、遺物修復室そしてアーカイブズ担当部署は、出土（もしくは収集）した考古資料や文書の保存と活用のためサイト・ミュージアム等を設立することが望ましい（同：Chapter Ⅶ -13)」、「収集資料は、将来的には博物館展示へ活用することが望ましい。資料の取り扱いや展示に関しては国立博物館[4]のノウハウを活かして共同事業とすること（同：Chapter Ⅷ -7)」としている。

　広く社会還元という意味において、マスタープランは観光開発地区設定の必要性と地区内に訪問客（観光客）のための諸設備準備が望ましいことを提言している。例えば「（急激な増加が見込まれる観光客数に対応するため）地域全体のホテル客室数を 2005 年までに今よりも 1,500-2,000 増やすことに加えて、次の全ての設備を準備することが望ましい：興行用ステージ、小規模博物館、展示と情報センター、プールとスポーツ施設、医療設備、手工芸品販売所、観光客用店舗（書店、車や自転車のレンタル）、従業員用施設等でそれらは水、庭園そしてもともとそこにあった自然の樹木を利用した景観の中に設けられなければならない（同：Chapter Ⅵ -16)。」のように、報告書内では他にも「小規模博物館」が頻出する。

　ZEMP 報告書における博物館の位置づけをまとめると、"考古資料の収集や

保存"と"学術調査の社会還元（情報共有）"の2点に大別できる。前者にはその延長線上に調査や研究が含まれ、後者には文化施設として観光資源への活用が含まれると言えよう。

## （3）アンコール遺跡保存修復国際調整委員会（ICC）と
## 　　 アプサラ国立機構（APSARA）における博物館の位置づけ

　アンコール遺跡世界遺産一覧記載（1992年）に伴う措置として、先に述べたように世界遺産委員会からカンボジア政府へ5項目が提示された。そのうちのひとつ「文化財保護への国際協力を調整する仕組み」に基づき第1回アンコール遺跡保存修復国際調整委員会（ICC）[5] が1993年12月に開催され、「遺跡保護・管理を実施する機関の設立」については1995年2月にアプサラ国立機構（以下、アプサラ）が設立された。現在、カンボジア政府文化芸術省及びアプサラによる世界遺産アンコールの管理及び整備が進められており、国際的な調査・研究事業は事業毎にカンボジア政府と基本合意文書を締結すること、必ずカンボジアとの共同事業とし構成員に機構職員を加えること、各種申請及び報告書を提出することなどが義務付けられている。事業の中核をなすのは遺跡の修復保存、即ちアンコールの諸寺院建築等文化財建造物に対する修復保存事業であり、それらの多くが国際協力事業として展開し、特にこうした修復保存事業の細部についてはICCにおいて精査・議論の俎上に載ることが多い。世界遺産アンコールに関する新規の調査や修復事業、開発等は規模や内容に応じてアプサラが直接認可するものもあれば、ICCの議論を経て諾否が決まる場合もある。このような体制において、ZEMPによるマスタープランを視野に入れつつ博物館の設立が目指されることとなった。

　もともとアンコール遺跡群を抱えるシアムリアプ市内には、フランス保護領期の1908年に設立されたアンコール保存事務所があった。複数の収蔵庫には遺跡から移送されたものや盗掘の押収品が数万点以上保管されている。収蔵庫や修復作業室は一般公開されず、一部の専門家を対象とした学術的な見学のみが許されていた。しかし世界遺産登録以降の治安回復や観光開発の進展に伴い観光客が増加し、旅行業界や観光客自身から遺跡以外の文化観光施設でアンコールの歴史や美術史を体系的に見て知ることができる施設を要望する声が上がるようになった。なぜならアンコール・ワット等ほとんどの遺跡では、往時に

祀られていた石製、木製、あるいは青銅製のヒンドゥーや仏教の聖像は保護のために既にアンコール保存事務所や、320km離れたプノンペンの国立博物館へ移送されていたからである。ICC及びカンボジア政府にとって、世界遺産アンコールのそばに博物館を建設することは喫緊の課題であると認識され、検討が進められた。次章ではこうした経緯で誕生した博物館を紹介したい。

## 2　新設された博物館

### （1）アンコール国立博物館

　アンコール国立博物館（Angkor National Museum）は2007年11月にシアムリアプ市内に開館した。海外の民間投資を資金源として建設・運営され、展示資料の多くはアンコール保存事務所収蔵資料である。この博物館が開館したことで、時代を超えた彫像や資料の展示により、彫像を中心に歴史や美術史を学ぶことが可能となった。民間投資の後押しもあり、展示室は空調が徹底しておりその展示方法も映像資料や照明を多用し来館者を飽きさせない工夫が凝らされている。

　学芸部門はカンボジア文化芸術省所属の専門家で、展示品の解説や修復・保存活動に取り組んでいる。博物館建物には博物館オリジナルグッズや手工芸品等を販売するミュージアム・ショップ、そのほか免税店や喫茶店も併設されている。

### （2）プレア・ノロドム・シハヌーク＝アンコール博物館

　上述のアンコール国立博物館とほぼ同時期2007年11月に完成したのが、プレア・ノロドム・シハヌーク＝アンコール博物館（Preah Norodom Sihanouk＝Angkor Museum、以下シハヌーク博物館と呼ぶ）である。同館は上智大学とアプサラの共同調査によるバンテアイ・クデイ発掘調査出土資料をコレクションの中心として誕生した。バンテアイ・クデイは12世紀末のジャヤヴァルマン7世治世下に造営された大乗仏教寺院で、1991年から発掘調査を継続実施している。2000年から2001年にかけて同遺跡内で大量の石製仏像を一括遺物とする「仏像埋納坑」を検出した。この調査による出土資料の保管と一般公開のために、日本の公益財団法人イオン1％クラブの全面的な資金援助を得て建設され、現在はアプサラが管理している。

　仏像埋納坑から出土した274点に上る石像は主としてナーガ上の仏陀坐像を中心とする像容に分類されたが、その多くが頭部あるいは胴部等の一部が欠損

**図1　シハヌーク博物館に再現された遺構展示**
(2022年8月撮影)

した状態だった。意図的に壊されたことは明らかであった。これは先行研究では建造物上の痕跡として知られている「仏教王ジャヤヴァルマン7世以降の、仏像破壊行為」であると理解されたが、一方でバンテアイ・クデイの仏像埋納坑は調査の結果、深さ1.5mのほぼ正方形に近い穴を堀り下げていることが観察され、且つひとつひとつの仏像を丁寧に扱って埋めた様子が類推できるなど、単に破壊して埋めて廃棄したとは断言できない要素も多い（丸井2005）。

　筆者はこの調査に関わった立場から、当時の出土資料の扱いと博物館設立経緯を簡単にまとめて紹介したい（丸井2010）。大量の仏像出土は内外の新聞などで報道されたこともあり、研究者だけではなく一般の観光客にも注目された。調査終了直後は遺物の整理及び研究のためにシアムリアプにある上智大学施設にて出土した仏像全てを保管したが、貴重な文化財を「一時的に預かる」責務を遂行するため大学が遺跡保護警察に警備を依頼することとなった。3名の警察官は交代で昼・夜勤し、その人件費は全て大学負担であったため、一刻も早く調査と研究を終わらさなくてはいけないという焦りを感じたことは確かである。一方で、アプサラ側にも深刻な事情があった。アンコール保存事務所にも他の場所にも、これら大量の274点にのぼる石像資料をまとめて一か所に保管する収蔵庫の余裕はどこにもなかった。もしカンボジア側へ仏像群が引き渡されれば、現在の倉庫の空間もしくは屋外にそれぞれ分散して置かれることが予想された。

　そうした状況にイオン1％クラブから専用博物館建設の提案があり、発掘調査から6年後の2007年11月の博物館開館に至ったわけである。

　開館後のアプサラ運営によるシハヌーク博物館の特徴について特筆すべき点は以下の通りである。開館当初からアプサラは、同館を考古学博物館及び遺物の管理や修復を担うセンターと位置付け活用してきた。同館には2022年末時点でバンテアイ・クデイ出土仏像の他、ほぼ常設展扱いでフランスとカンボジ

アの国際共同調査である先史時代遺跡の調査成果（コッ・ター・メアス遺跡）、遺跡修復作業時に発見された鎮壇具（スラ・スラン貯水池中央塔）、アンコール時代終焉後（中世）の墓地遺跡調査の出土陶磁器（コッ・パットリー遺跡）等が常時展示されており、これは即ちアプサラが学術調査成果の解説や出土資料展示に力を入れていることを意味する。加えて、アンコール保存事務所学芸部門の発案で、テーマによって収蔵品を選定し期間限定でシハヌーク博物館に展示する小規模な企画も始まっている。こうした同館の事業は、根本的には ZEMP マスタープランで提示された考古学事業の義務や目的に則った博物館の位置づけを踏襲していると理解できる。

　シハヌーク博物館で展開している文化遺産教育にも触れておきたい。もともと上智大学がバンテアイ・クデイで 1991 年 1 月に実施した発掘現場の現地説明会に端を発する。以後定期的に地域住民や学校生徒を招待して実施してきた現地説明会であったが、くだんの仏像埋納坑発掘時は遺跡保護警察からの指導により説明会が開催できなかった。そのためシハヌーク博物館開館直後、真っ先に企画したのがバンテアイ・クデイとシハヌーク博物館をセットにして見学する「文化遺産教育プログラム」であった。文化遺産教育プログラムは、博物館独自で定期的に開催し、館内展示の説明から始まって模型を使った拓本体験、塗り絵体験など体験型学習に工夫を凝らしている。上智大学と共同で企画する際は、アンコール・ワットやバンテアイ・クデイと組み合わせて見学することが多い。文化遺産教育については既に拙稿で何度か論じている通り（丸井 2010・2018・2022）、単に見せかけの 1 回限りのパフォーマンスで終わらせることなく継続的な相互（専門家と地域社会）理解を醸成する機会であるべきで、シハヌーク博物館はそのような意味において地道ではあるが途切れることなく取り組んでいることが評価されるであろう。

## （3）アンコール・タニ窯跡博物館

　アンコール遺跡群北東（アンコール・ワットからは約 24 km）に位置するタニ集落にあるのがアンコール・タニ窯跡博物館（Angkor Ceramics Museum at Tani）だ。アンコール聖山のひとつであるプノム・ボック（ボック山）を西に臨むタニ集落は、周囲に水田が広がる農村地帯で内戦期を通じて反政府勢力が強かった地域でもある。1979 年 1 月 10 日、シアムリアプ市街を撤退したクメール・

**図2　文化財保存の冊子は日本語版も作成された**
（アプサラ機構 1998）

ルージュだったが、アンコール地域からは撤退したもののタニ集落を含む地域一帯に依然として立てこもっていた。ようやく1993年以降徐々に村人が戻り、宅地の造成や田畑の拡張を始めたところ「古い焼き物」が偶然に見つかり瞬く間にクメール陶器として骨董市場へ出回った。文化財が売買されている情報は直ぐに遺跡保護警察に通じ、1995年8月15日午後、バンテアイ・クデイ発掘調査中のメンバーに緊急の現場視察依頼がありタニ集落へ向かうこととなった。タニ集落には周囲に広がる水田を区切るような南北に長く続く土手がある。その土手上に、家屋や田畑と隣接して小高い高まりが幾つも見られ盗掘あるいは村道整備の際に掘削されたのか多くの陶器・窯道具が散乱していた。ここに古代のアンコール時代の窯跡があったことは確実であると判断し、タニ集落における窯跡の発掘調査が開始された。1996年8月から2002年にかけて、アプサラ、奈良文化財研究所そして上智大学が調査を実施した。

　アンコール研究史上初の窯跡調査であったこと、そして文化財保存という観点から、1995年2月に発足したばかりのアプサラにとってこの事業は大きな挑戦であったことは想像に難くない。筆者はこの時期、タニ窯跡調査に参加し且つ留学生としてカンボジアに滞在していたこともあり、このタニ窯跡保存事業にも関わることとなった[6]。

　アプサラは、考古学的な発掘調査は学術組織へ任せるとし、同時にアンコール地域から約25km離れたこのタニ集落住民との信頼関係構築も重要課題と認識した。これから始まる集落内での発掘調査への理解と協力を得るためであり、陶器類が文化財で保護すべき対象であり売買は違法であることや窯の盗掘をこれ以上増やさないために、いわゆる文化遺産教育的活動が必要であると考えた。アプサラはタニ集落近くのルン寺を拠点として、活動を開始した。特に都市部から離れた集落では寺や僧の意見は、村人の意思決定にも大きな影響を与える。また寺はコミュニティにとって物理的にも精神的にも中心的存在で

あるため、寺を拠点にプロジェクトを進めることを選んだのである。1996年6月、ルン寺にて第1回文化遺産マネージメントフォーラムを開催、当日は僧侶、地区長、住民等地域の様々なステークホルダーが一堂に会し、アプサラからの現状と文化財に関する解説及び今後の調査計画の説明に続いて、集まった参加者からの質問に自由に答えていく時間が持たれた。

　アプサラはフォーラム開催後も、定期的に集落を訪問することでタニ集落と密接な関係を継続した。これは、実は文化財の問題だけではなく、長くクメール・ルージュの支配下にありシアムリアプの中心地からみると「田舎」で「今もまだ危なそう」で殆ど誰も顧みることの無かった地域をアプサラがいつも気にかけていることを示すものであった。そしてプロジェクトとしては、文化財保存とタニ窯跡そしてクメール陶器について説明する小冊子を、カンボジア語、英語、フランス語、日本語の多言語で作成し配布するに至った。

　タニ窯跡調査は発掘調査を経て学術的な研究が徹底的になされ、カンボジア発の窯跡調査として多くの成果を発信した。その集大成ともいうべきものが博物館の建設だった。博物館を何処に建設し、どのような展示にするかなど多岐にわたる項目が何度も時間をかけて関係者間で話し合われた。当初 UNESCOは、現地のサイトミュージアムは、発掘した遺構の露出展示にこそ意味があると主張した。一方で一部の専門家や日本側は、いくら遺構の科学処理を施したとしても露出展示は継続的に良い環境での保存を維持することに多くの困難が予想される点から、遺構は埋め戻した上で集落内に博物館を建造して出土資料や詳しい解説、模型などを展示することを提案した。以上のような議論を経て、日本政府による草の根無償援助及びカンボジア政府の資金によって、このアンコール・タニ窯跡博物館はカンボジアで初めてのサイト・ミュージアム（遺跡博物館）として誕生した。残念ながら同博物館の認知度は必ずしも高くなく、一般の観光客にはその存在が殆ど知られず、発掘調査時に比べて道路状況は格段に改善されているにもかかわらず来館者は非常に少ない。遺跡博物館が抱えるこのような問題は他地域の他遺跡でも散見される。調査に携わった関係者として考古学調査と博物館の在り方に関する緊急の課題として再認識すると同時に、サイト・ミュージアムの存在を望ましいと推奨していた ZEMP 報告書に立ち戻って関係諸機関間での課題共有が求められている。

## （4）小規模な博物館、展示室等

世界遺産アンコールの遺跡群では、カンボジア政府だけではなく様々な国際チームが調査や修復に関与している。そのようなプロジェクトを説明する立て看板が各遺跡に設置されている場合もあれば、木造の小屋をしつらえて小規模な遺跡博物館・展示室を用意している場合もある。そうした小規模な博物館・展示室は数多くあり全てを網羅することはできないが、ここではバンテアイ・クデイに近い集落内にあるカンボジア民家園（日本語名称は筆者仮訳。英語正式名称は Khmer Habitat Interpretation Center）を紹介したい。これはアプサラがニュージーランド政府の資金援助を得て 2012 年に開設した小規模展示施設で、バンテアイ・クデイ北側に隣接するロ・ハール集落内に現在も村でよく見かける高床式木造住宅を新築し展示施設として利用している。

家屋内には、様々な種類の伝統的木造民家の模型が並べられ、日常生活で使用する道具や農具の展示、さらに地域住民へのインタビュー内容の展示など、来館者が村の歴史や生活文化を自ら疑似体験しながら過去を想像したり現在と比較して考えを深めたりできるような施設である。展示内容は 2006 年から開始された村における衣食住に関する調査成果を再構成したもので、地域の生活文化や信仰実践を記録・公開している点でも意義がある。

残念ながら来訪者は多くないようだ。しかし観光客と地域住民のより良い関係性構築のためには、村に何の断りもなく"土足"で入り込み住民の生活を"見物"するのではなく、先ずはこうした民家園での学びを経てから地域への尊厳をもって村を訪問することが望まれる。

## 3　世界遺産アンコールと持続可能な"もうひとつの"博物館

本稿冒頭で提示したマスタープランで提案されていた博物館の位置づけは、世界遺産アンコール特有のものではなく一般的な機能かもしれない。しかし筆者は、世界遺産登録以降の世界遺産アンコールにおける官民共同による多岐におよぶ事業を見聞きし自らも携わった経験から、マスタープランが具体的にどのような過程を経て実施に移されるのかを実体験してきた。「博物館」に焦点を絞って議論するならば、学術調査成果を公開し社会還元することに関して世界遺産アンコールにおけるアプサラと関係機関の取り組みが指針にそって実行されていると評価できるかもしれない。ただしそこには博物館という箱物だけ

ではない、運営する人材とその活用が大きな鍵を握っている。人材については拙稿で論じた通り（丸井 2022）カンボジアは限られた環境の中で、高等教育と行政が緊密に連携し結果的には博物館の専門人材養成と博物館運営へ優れた効果をもたらしていることが明らかになっている。また地域住民との相互理解も博物館を舞台とした文化遺産教育を通じて少しずつではあるが浸透している。

　アンコールは、世界遺産として遺跡保護も経済もステークホルダーはグローバル化が急激に進み、大規模プロジェクトからはそこに生きる個々の人間の姿は見えてこない。しかし世界遺産アンコールの持続可能な開発を考える時、"もうひとつ"の相互理解への再考が求められる。従来、文化遺産教育が想定していた相互理解はおそらく「専門家と地域住民」の2者であったと推察できる。今後はここにゲスト（観光客だけではなく他所から来た人）を追加することが望まれる。観光的行為が「逆行できない文化的事実」[7]である以上、それに対応する道具が必要であり、その実践の場として例えば博物館や小規模な展示施設で村の生活文化を展示することは有効なのではないかと提案して本稿を閉じたい。

註
1)　世界遺産アンコールは 2004 年に危機遺産リストから削除されている。
2)　カンボジアの博物館の起源及び歴史的経過は、19 世紀半以降のフランスによる植民地支配と文化政策、さらにアンコール遺跡の文化遺産化の過程にまで遡る必要がある。紙幅の都合上本稿では言及しないが、既に多くの先行研究が議論を重ねているため詳細はこれらを参照されたい（笹川 2006、田代 2001・2013、藤原 2008、丸井 2018・2021・2022）。
3)　植民地期の博物館の役割については国立博物館館長（当時）コン・ヴィレアックが「カンボジアの博物館は、フランス植民地期に開始されたアンコールの研究と遺跡や文化財の修復保存活動の延長線上に、考古・美術資料を盗掘や不法売買から保護し適切に保管するために設立された歴史的経緯がある。こうした博物館の役割は、内戦を経験したことで尚一層強まり、今も変わっていない。」と述べている（丸井 2022：79）。
4)　首都プノンペンにある国立博物館（National Museum of Cambodia, Phnom Penh）のことを指す。フランス保護領下の 20 世紀初頭に開設された収蔵庫を起源とし 1920 年に現在の場所に今も使用されている博物館建物が完成した。国立博物館の詳細については幾つかの先行研究を参照されたい（Khun 2018、丸井 2012・2022）。
5)　ICC の正式名称は International Coordinating Committee for the Safeguarding

and Development of the Historic Site of Angkor

6)　この事業の担当者はアプサラ関係者及び学術顧問も含めて次の諸氏である(敬称略、順不同)ヴァン・モリヴァン(事務局長)、スン・コン、ロス・ボラット、アン・チュリアン、チャウ・スン・ケリヤ、テップ・ヴァットー、アシュリー・トンプソン、リー・ダラヴット、リー・ヴァンナ、マオ・ロア、遠藤宣雄、丸井雅子

7)　1976 年に ICOMOS 総会で採択された「文化的観光の憲章(Charter of Cultural Tourism)」より引用。日本イコモス国内委員会ウェブサイトに掲載された日本語仮訳を参照(日本イコモス国内委員会)。

### 引用・参考文献
【日本語】

笹川秀夫　2006『アンコールの近代 植民地カンボジアにおける文化と政治』中央公論新社

田代亜紀子　2001「遺跡保存と住民 ―アンコール遺跡を事例として―」『カンボジアの文化復興』18、pp.219-255

田代亜紀子　2013「東南アジアにおける文化遺産保存と国際協力」独立行政法人国立文化財機構奈良文化財研究所編『文化財学の新地平』吉川弘文館

日本イコモス国内委員会ウェブサイト「憲章・宣言等」(https://icomosjapan.org/icomos6/)（2022 年 12 月 31 日閲覧）

藤原貞朗　2008『オリエンタリストの憂鬱 植民市主義時代のフランス東洋学者とアンコール遺跡の考古学』めこん

丸井雅子　2005「仏像埋納坑を読む―274 破片の仏像からバンテアイ・クデイ形成過程を追う―」石澤良昭編『アンコール・ワットを読む』連合出版

丸井雅子　2010「地域と共に生きる文化遺産―バンテアイ・クデイ現地説明会の10 年―」石澤良昭・丸井雅子共編『グローバル／ローカル 文化遺産』上智大学出版

丸井雅子　2012「コラム 22 国立博物館」上田広美・岡田知子編著『カンボジアを知るための 62 章 [第 2 版]』明石書店

丸井雅子　2018「世界遺産アンコールの 25 年―上智大学による文化遺産国際協力と人材養成―」『カンボジアの文化復興』30、pp.185-200

丸井雅子　2021「遺跡の「真正さ」を探る：アンコール遺跡群バンテアイ・クデイの近現代史」『東南アジア考古学』41、pp.25-40

丸井雅子　2022「カンボジアの博物館と専門人材育成」山形眞理子・徳澤啓一編『アジアの博物館と人材教育 東南アジアと日中韓の現状と展望』雄山閣

【英語】

Khun Samen 2018 *The New Guide to the National Museum Phnom Penh*, Fifth edition (revised edition)

ZEMP Expert Team 1993 *Zoning and Environmental Management Plan for Angkor*

# カンボジアにおける染織業とその伝承

## ―戦火による断絶と国際的な支援―

朝日　由実子

## はじめに

　東南アジア地域は、世界的に見ても紋織、絣[1]など多様な技術をもつ染織物の宝庫である。古来よりインド、中国の両文明のあいだに位置し、それぞれの影響を受けつつ、独自の染織文化を発展させてきた。とくにその絣の技術は、「括る」を意味するインドネシア（マレー）語の「イカット」が英語の「絣」を意味する語となり、グローバルに使用されていることからもわかる。

　カンボジアの染織物も「ピダン」と呼ばれる精緻な絹絵絣をはじめ、粋を凝らした高度な絣織りの技法がある。また、日本の手ぬぐいに似た用途の綿布「クロマー」や、仏教儀礼や冠婚葬祭の折に着用される絹布など日常・非日常生活を織りなす生きた文化財でもある。しかし、その背景となるカンボジアの近現代史は苦難の連続であった。1863年から90年余におよぶフランス保護領期を経て、独立後も1970年のクーデタから20年余におよぶ内戦状態にみまわれ、染織物の生産も一時停止した。その間、1979年のポル・ポト政権[2]崩壊後からは住民により徐々に再開されるようになり、内戦が終結し、治安が回復した1990年代半ば以降は、国際的な支援も参入して復興を遂げてきた。

　したがってカンボジアの染織物にかんする研究は、戦火がおさまる1990年代半ばに端緒についたにすぎず、他の東南アジア諸国に比べて基礎的な情報が限られた段階にある[3]。こうした歴史的な背景もあり、カンボジア国内での染織物のコレクション収集も非常に困難な状況にあった。それどころか多くの傑作は、消失もしくは国外に流出したとされる。さらに、2010年代以降には、急速な市場経済化の浸透やグローバル化のなかで、生活に根付いた「伝統文化」としての布の生産・使用にまつわる慣習の様相が変化しつつあり、新たな

課題も出てきている。

　本稿では、はじめにカンボジア政府が認定している染織業をはじめとする無形文化遺産について紹介する。そのうえで上述の状況を踏まえ、以下の4点に注目して見ていく。第一に、カンボジアにおける染織物生産の歴史的な源流をさぐる。第二に、現代における染織物生産の特色について概観する。第三に社会変容のなかでの危機と課題について、第四にミュージアムの可能性について述べたい。これらの議論をとおして、カンボジアにおける染織物の無形文化遺産としての特色について考え、貴重な財が未来へと向けて伝承されていくために、今後どのような展望があるのかについて考えてゆくことにする。

# 1　無形文化遺産としてのカンボジアの染織業

　ユネスコは、2003年の総会において、「無形文化遺産の保護に関する条約」を採択し、世界文化遺産に引き続いて無形文化遺産の保存にかんする国際的な枠組みが本格化した。カンボジアでもその申請に向けた取り組みがはじまり、2003年に文化芸術省内に無形文化遺産委員会が設置された。2004年に同委員会およびユネスコにより、『カンボジアの無形文化遺産目録』を発行している。この目録には、下記の項目が挙げられており、カンボジア政府の認知する無形文化遺産の対象が明らかとなっている。

1. 舞台芸術
   古典舞踊、ロイヤル・バレエ（王宮舞踊）、民俗・大衆舞踊、演劇、音楽、サーカス
2. 口承文化遺産
   カンボジアの諸言語、口承文芸、口承民間伝承
3. 工芸技術
   絹織り、銀細工、寺院の壁画、仮面制作、手工芸（かご織り、マット織り、枝編み細工、綿織り、クロマー、石の彫刻、木彫り、陶器・陶磁器、漆器）、凧制作

　この目録は、「1. 舞台芸術」に多くの記述があてられ、この分野の研究の厚みを表している。たとえば、カンボジアにおける芸術分野の国立研究機関である王立芸術大学には、舞踊学部があり教授陣を擁している[4]。いっぽうで、「3. 工芸技術」の記述は少なく、研究蓄積は途上にあるといえる。染織業について

は、このうちの「絹織り」、「綿織り」、「クロマー」（日本の手ぬぐいに似た万能布）の項に記されている。

　カンボジア王国政府は、当初下記の6つの芸術形態を「世界無形文化遺産」に登録されるよう申請した。1. 古典舞踊または宮廷舞踊、2. 大型影絵芝居、3. ラカオン・カオル（仮面劇）、4. 宝飾、5. 機織り、6. チャペイ（2弦または4弦のカンボジアの伝統楽器）。しかし、現時点（2022年）では、「機織り」は登録にいたっておらず、宮廷舞踊をはじめとする6件が登録されている[5]。すなわち、カンボジア政府は染織業を国内の無形文化遺産として公式に認定しているが、UNESCOのリストには未だ登録されていない、というのが現状である。

　それでは、カンボジアの染織業の歴史、特色とはどのようなものなのか、次項以降で概観していくことにする。

## 2　染織業の源流

　カンボジアの染織業の歴史は未だ研究途上にある。熱帯モンスーン気候では、布製品の劣化が著しく、2、3世紀前の織物ですら残存することが難しい。岩永（2003：140）によれば、現存する制作年代の記録を持つもっとも古いカンボジアの染織物は、19世紀半ばのものである。イギリスのヴィクトリア＆アルバート美術館に3点、アメリカ歴史博物館に2点収蔵されている。

　歴史を古代までさかのぼると、東南アジアは、布の一大産地であったインド、中国の狭間にあって、産地というよりも消費者としての面が知られていた（リード 2002）。アンコール王朝期（9世紀から15世紀半ば）の13世紀末に王都に滞在した中国（元朝）の使者、周達観の『真臘風土記』によると、当時、綿や苧麻などの様々な植物繊維で作られた庶民用の布は、すでに幅広く生産されていた。いっぽうで王族などは、外来産の幅の広い精巧な文様入りの布を好んだ。こうした身分による布の違いは、12世紀末に建造されたバイヨン寺院の壁面彫刻などからも見てとれる。また同時代に、養蚕の知識が隣国タイからもたらされたとされる。その後、15世紀から17世紀にかけての東南アジアの大航海時代には、西欧の商人達によって、西インド産の経緯絣「パトラ」が、胡椒などの産物との交換財として、競うように大量に持ち込まれた。18世紀以降、大航海時代が終息すると、これを模倣した「パトラ写し」と呼ばれる絹絣織物が、カンボジアを含む東南アジアの各王宮で作られるようになり、独自の絹織

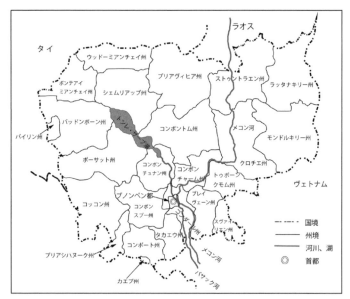

**図1　カンボジア全土図**

物文化が花開くことになる。

　植村（2003）は、カンボジアの絣の技法は、東南アジアで広くみられる技術的に比較的容易な経絣 [6]（たてがすり）ではなく、緯絣（よこがすり）の製法をとっていることから、現代のような高度な絹織物の技術は、300 年ほど前に確立されたのではないかと推測している。カンボジアは、15 世紀半ばにアンコール王朝が崩壊し、王都はカンボジア北西部（現在のシェムリアップ州）から、現在の首都プノンペン特別郡のある近辺へ移動した（図1カンボジア全土図参照）。現在商業的な染織生産が盛んなのは、このプノンペン周辺のポスト・アンコール期に王都が変遷した地域が主である。この地域には、カンボジアの人口の約 9 割を占めるクメール人だけではなく、華人系クメール人、チャム人などのマイノリティも多く暮らし、文化的にも重層的な豊かな地域である（朝日 2011・2012）。カンボジアの染織物の技法や文様を紐解くことは、これまでアンコール王朝期に比べ、研究の少なかった 15 世紀以降のポスト・アンコール期のモノ、人、技術の交流の一端を明らかにすることにもなる。また、カンボジアの文化史のみならず東南アジア地域史にも寄与することが見込まれる。

## 3　染織物生産の特色について

　この項では、カンボジアにおける染織物生産の特色や課題について、全土的な状況および筆者がこれまでフィールド調査を主に行ってきた同国南東部プレイ・ヴェーン州の絹織物産地の事例を見ていく。

### （1）主な産地と織機

　現代のカンボジアで、染織物はどのように生産されているのだろうか。大きく分けて、平地のクメール人（華人系クメール人を含む）とチャム人[7]によるもの、国境周辺の山地に住む少数民族—プーノン人、ジャライ人などによるものにわかれる[8]。

　平地では、「カイ」と呼ばれる大型の水平織機（幅1.2m×奥行き3〜4m程度）が、高床式家屋の床下に置かれ使用される（図2）。1枚の布の単位は、幅0.9m×長さ3.6m程度で、1クバンとされる。クバンは、アンコール王朝時代から続く腰布の着用方法のひとつ（布を腰に巻きつけ、端を屏風畳みにして股の間から通し、腰の後ろに折り込む）の名称で、それに必要な大きさの布である。山地では、腰にひもをかけて使う簡易な腰機（こしばた）が一般的で、50cm程度の幅の狭い織物が作られる。

　ここでは紙幅の都合により、平地のクメール人の染織物生産をみていくこと

図2　高床式家屋の床下に置かれた織機で「パームオン」を織る
（コンダール州、筆者撮影）

にする。国土の中央を占める平野部では、手織物生産は農家女性の副業として、農村の貴重な現金収入源とされてきた。主な生産地は、市場となる首都プノンペン近郊で、人口密度が高く、一人当たりの耕作面積の比較的狭い、コンダール州、タカエウ州、コンポン・チャーム州、プレイ・ヴェーン州などの村落地域である。これらの州内でもとくにメコン河やその支流、バサック河沿いでは豊富な水を用いて綿花栽培や養蚕が行われ、同時にそこでは商業的な機織りもされていた。しかし、1950年代には、植民地宗主国であるフランスからの安価な綿糸や絹糸の輸入に打撃を受けて糸の生産はほぼ消失してしまった。

　現在では、綿糸は中国、絹糸はヴェトナムから主に輸入されている。カンボジア国内では、タイ国境のバンテアイ・ミエンチャイ州のプノム・スロック郡などで、蚕の原種に近い多化性黄種のカンボウジュ種による、「ゴールデン・シルク」がわずかに生産されている。在来産地のほかには、内戦終結後の1990年代半ば以降、UNESCOや欧米、日本の国際NGOの支援活動が盛んとなり、それによって復興されたシェムリアップ州やクロチェ州などの産地もある。

## （2）染織物の種類

　カンボジアの織物には様々な種類があるが、ここでは、平野部で生産される代表的な5種の織物を紹介する（表1）。

　「ピダン」

　インドの緯経絣「パトラ」が源流にあるとされる、カンボジア語で「天井」を意味する儀礼用の絹絵絣。内戦以前は、冠婚葬祭などの人生の節目に寺院に

表1　カンボジアにおける主要な染織物（岩永2003等を参考に作成）

| 名称 | 技法 | 地組織 | 主な形状（文様） | 材質 | 用途 |
|---|---|---|---|---|---|
| ピダン | 緯絣 | 三枚綾 | 仏陀の一生などが主なモチーフ | 絹、絹・化繊の混紡 | 寺院の天蓋、壁掛け布 |
| ホール | 緯絣 | 三枚綾 | 総絣文様 | 絹 | 腰布、上着等 |
| パームオン | 紋織 | 三枚綾 | 無地、玉虫色、裾に縫取り模様 | 絹 | 腰布等 |
| サロン | 格子縞 | 平織 | 格子柄が多い | 絹、綿 | 男性用腰布 |
| クロマー | 格子縞 | 平織 | 格子柄が多い | 主に綿（絹） | 万能布（頭巾、肩掛け布等） |

図3　タカエウ州で制作された帆船や生命樹、ナーガ、
王宮が織り込まれた絹絵絣ピダン（筆者撮影）

寄進され、天蓋として飾られる慣習があったが、現在ではタカエウ州など一部の地域をのぞきほとんど見られない。国際NGOの支援などによって、少量の生産は続けられている。主な絵柄は、仏陀の一生やジャータカ物語などの仏教説話、ナーガ（蛇神）、船、生命樹などの吉祥文様、王宮などである（図3）。芸術性の高さから、アメリカ歴史博物館などの国外の博物館に収蔵されている。制作には数か月から一年かかる希少な布である。

「ホール」

ホールは、ピダンと同じく絣の技法でつくられる。無地のパームオンと異なり、総柄の文様である（図4）。文様は、200種類以上あると言われ、ナーガなどの吉祥文様や幾何学文様から花や牛の目、蛙の子、明けの明星、蝶、といった農村の生活に身近な様々な動植物までがモチーフとされ、日々織り手によって、新たな文様が生み出されている。主に高級な正装用として、女性の腰布や男性のジャケットに加工される（図5）。主な産地は、タカエウ州、コンポン・チャーム州とプレイ・ヴェーン州の州境である。

「パームオン」

ホールと同じく女性用の正装用腰布などに使用される無地の絹布。経糸と緯

図4　絹絣　ホール
（プレイ・ヴェーン州、筆者撮影。写真5、6も同じ）

図5　ホールのスカート（ソムポット・ホール）
を着て寺院に参拝する女性

糸が異なる色で織られた玉虫色のものもある。裾に金糸や銀糸の浮き紋織り模様を入れたものが一般的。主な産地はコンダール州である。

「サロン」

格子柄の綿あるいは絹布。インドネシア、マレーシア由来のものとされる。主に男性の室内用のくつろぎ着として着用される。チャム人の男性たちは日常用に利用するほか、モスクへの参拝に利用する。

「クロマー」

万能布。日本でいう手ぬぐいに近い。一般的には赤と白の格子柄の綿織物であるが、現在では、多種多様な色があり、土産物や正装用には、絹でもつくられる。水浴びの際の腰布や、農作業時に頭に巻くなど、農村生活に必要不可欠な実用品として、様々に使われる（図6）。また冠婚葬祭時の参列者へのお返しなどにも使われる。主な産地は、コンダール州、コンポン・チャーム州である。

図6　農作業の際にクロマーを頭に巻く男性

こうした織物は、農村の産地から仲買人を通じて、プノンペンの市場へと運ばれる。

## （3）生産者と生産方法

　他の東南アジア諸国の染織業が、工房など世帯を超えた経営体に集約される傾向があるのに比べ、カンボジアは世帯ごとの家内制が維持される傾向にある。生産組織が大規模化しないのは、大きなリスクを回避する目的があると言われる（荒神 2004）。各世帯で、1、2台の織機を所有し、生産するのが一般的である。織り手は女性が多いが、糸の染色など周辺的作業には男性も携わっている。2000 年代以降、収入が増加すると若年男性も少数ではあるが参入するようになってきた。「ホール」の生産は、カンボジアの絹織物のなかでも特に複雑な工程がある。世帯ごとに生産するものの、年に1、2回行われる経糸巻き作業は6、7人の手を必要とし、近隣住民の助け合いによって成り立っている。無形文化遺産は、「文化空間」によって成り立つといわれるが、道具や材料のみならず、コミュニティの連帯も大切である（七海 2012）。

　カンボジアの農村部において安定的に現金収入を得られる手段は限られており、多くの若年女性が、首都近郊などにある外資系の縫製工場へと出稼ぎに出ている。とくに首都近郊のコンダール州やタカエウ州の産地の若年女性たちは出稼ぎに行く方の収入が高いと、村を出てしまう場合も少なくない。プレイ・ヴェーン州の産地においては、染織業による収入が向上すると、より多くの子女が大学に進学するようになり、村を出てそのまま帰村しないケースが増えている。

## 4　社会的・経済的変容のなかの染織業
## （1）ポル・ポト時代、内戦期の断絶と国際的支援

　カンボジアは、植民地からの独立後もポル・ポト時代を間に挟んだ内戦など多くの危機にさらされてきたが、そのたびに染織業は生活文化に欠かせないものとして、また大事な収入源として復興を遂げてきた。ポル・ポト時代には、農村地域では集団農業体制がとられ、農業以外の活動が著しく制限された。プレイ・ヴェーン州の産地でも、一日中強制的な農作業に追われ織物を織ることはできなかったという。妊娠中の女性を集めた「クロマー制作班」のみが、コ

ンクリート造りの建物内で、指示された範囲で生産していた。また、農地を拡大するため、集落の裏手にあった染料に使う樹々も多くが伐採されてしまったと言われる。文化的にも仏教をはじめとする伝統文化が否定されたほか、華美な服装を禁じられたため、冠婚葬祭でも非日常的な衣装を着ることが許されなかった。農民の農作業服がモデルとなり、黒く染められた上下の一揃いが国民のユニフォームとされた。こうした歴史的断絶の経験は、東南アジアのなかでもカンボジアの染織業にまつわる環境を特殊なものにしている。その後1980年代を通じて、社会主義政権のもとゆるやかに復興をしていった。

　1992年に国連暫定統治機構（UNTAC）が駐留し、国内の和平が締結して以降は、西側諸国に解放され、数多くの国際援助機関が来訪した。農村での貧困削減、女性の雇用創出のため、様々な援助団体が一部地域で染織業を支援した。援助プログラムのなかには、在来の生産者をさらに技能向上させる訓練もあったが、多くは新規参入者のための研修を行うことであった（朝日 2011）。国際NGOや国際機関のなかには、ヨーロッパ式の織機や隣国タイの緯糸巻の新たな技術などを導入する団体もあったが、いつ、どのように新技術が産地に普及したのかを記録しておくことは重要である。


## （2）国際的観光化の波

　1992年にUNTACが駐留すると、国連軍への土産物販売が盛んとなった。カンボジアの染織業は大量生産にまだ対応しておらず、近隣国からの輸入雑貨も多く販売された。同年、シェムリアップ州にあるアンコール遺跡群がユネスコの世界危機遺産に登録されると、カンボジアは観光の目的地として国際的な注目を浴びるようになる。1990年代半ばから観光客数は増えはじめ、2018年には年間260万人の外国人が遺跡チケットを購入してアンコール遺跡群を見学した。その後、新型コロナウイルス流行の影響により、観光客は一時的に激減している。次章で詳述するが、シェムリアップには染織物の復興プロジェクトを行う国際的支援団体のワークショップが複数あり、観光客にも開かれたものとなっている。

　いっぽうで染織物の在来的な主要産地は、シェムリアップ州から約320km離れている首都プノンペン近郊にあるため、国際的な観光化の波が、在来的な染織業に与える影響は比較的限定的ではないかと考えられる。

## (3) 市場経済化のなかでの染織業

　カンボジアは、1980年代をつうじて社会主義政権下にあり、国営企業を中心とした計画経済体制がとられていた。1989年から市場経済化が始まり、1990年代半ばには外国からの直接投資が本格化し、飛躍的な経済成長率を遂げる。農村地域の多くは貧困状況にあったものの、首都プノンペンでは民営企業や国際援助団体が、大学や高校を卒業した若者の新たな就職先となった。それまで高級官吏や経営者など都市部のごく限られた層を中心としていた高級染織品が、こうした新たな経済の恩恵を受けた人たちにも積極的に取り入れられるようになった。年々華美になっていく冠婚葬祭―とくに結婚式の参列者の衣裳などとして競うように、より華やかなファッションとして利用されていった（朝日 2008）。いっぽうで、西側諸国の情報が雪崩を切ったように押し寄せるなかで、化繊を用いた西洋式のドレスもまた増加している。

　2000年代にはいると、都市部での高級染織品の需要が高まり、産地の生産意欲も飛躍的に増大した。プレイ・ヴェーン州の「ホール」産地では、需要の高まりにより、より効率的な生産を目指すようになった。それまで糸の染色から織りの作業までを基本的に世帯内で行っていたのが、時間のかかる作業を、世帯外に外注するようになった。最初は、村落内の熟練の織り手や織物技術を新たに学びたい村民に外注していたが、バイクなどの移動手段が村に普及してからは、近隣の織物生産をしていなかった世帯にまでその範囲は広がっている。こうした過程で、年配女性はひととおりの作業を経験した上で、省略しているのであるが、若年女性のなかには「織り」の作業しか経験したことがないという者もあらわれた。すべての産地において同じ傾向があるかどうかは、研究途上であるが、技術の伝承が一部作業の専業化や外注などによって、断片化していく危機にあるとは言える。

　2000年代後半以降は、生産者が増えすぎて飽和状態となったほか、材料の絹糸の価格が上昇し、販売価格が伸び悩む中で機業をやめる者も出てきた。

## 5　製造工程を見られる「場」と
## 　　オンサイト・ミュージアムの可能性

### (1) 生産地と観光化

　現在、カンボジアの国際観光の目玉は、シェムリアップ州にあるアンコール

王朝期の石造遺跡群である。そのため、観光資源としての無形文化財はまだ中心的な存在とは言えないが、今後より幅広い観光開発の対象となっていくであろう。とくにシェムリアップ州以外の観光地として、首都近郊に多く位置する染織業の生産地もその候補にあがる可能性がある。

　しかし課題として、第一に観光客の一極集中の問題が挙げられる。たとえば、欧米の観光客が比較的長期の旅行で、国内の複数都市をめぐる観光ルートが一般的であるのに対し、日本からの観光客の平均的滞在期間は1週間弱と短く、シェムリアップ州のみの滞在で帰国する例も多い。第二に、染織業の主要な産地へは、未だ公共交通網や観光客向けの宿泊施設は十分とは言えず、国内・国外の観光客の姿はあまり見られない。とくに外国人観光客については、現実的にまずは染織業を支援するNGOなどすでに組織があり、国外とのコンタクトが取りやすいプロジェクト活動地が対象になるであろう[9]。また、生活の場であるコミュニティを観光資源化するには功罪があり、住民、観光客双方の安全確保などの課題をクリアしなくてはならない。今後、観光化を促進するかどうかについては、産地のコミュニティの希望を活かして、検討する必要がある。

## （2）カンボジア国内の展示施設

　カンボジアでは予算や人材等の問題から、各地方の地方史の研究や民俗資料収集機関、施設が十分ではなく、今後各州の文化局を中心に整備されていくことが期待される。ここでは、同国内で染織物の製造工程等の展示がされている常設の主な施設として、シェムリアップ州と首都プノンペンの例を見ていく。

　国際的観光地であるシェムリアップ州には、以下の3つの主な施設—「アーティザン・アンコール」（Artisans Angkor）、「クメール伝統織物研究所」（Innovation of Khmer Textiles：IKTT）、MGCアジア伝統織物博物館（MGC Asian Traditional Textiles Museum）がある。

　「アーティザン・アンコール」は、1992年にEU政府の支援によって開設された工芸技術（機織り、木彫り、石彫り、漆塗りなど）の職業訓練学校が始まりである。その後、民営企業となっている。シェムリアップ市内に工房・店舗を構えるほか、プノンペンおよびシェムリアップの国際空港内にも店舗がある。さらに市内から約7km離れたバンテアイ・ミアンチャイ州に「アンコール・シ

ルク・ファーム」があり、養蚕、絹糸の染色や機織りなど一連の工程が見学できる。「クメール伝統織物研究所」は、日本人の友禅染の染色家である森本喜久男（2017 年に逝去）によって 1995 年に設立された。市内に機織り工房・販売店があるほか、シェムリアップの市街地から約 1 時間離れたアンコールトム郡に、養蚕や染料の生産など染織業の包括的な復興を目指し、森の再生から行う「伝統の森」が建設された。タカエウ州やカンポット州の熟練者が移住し、多くの若者に技術を伝承している。

　MGC アジア伝統織物博物館は、2014 年、インド政府を中心とする国際協力機関であるメコン・ガンガ協力機構（MGC）により設立された。同館の目的は、MGC 加盟国—カンボジア、インド、ラオス、ミャンマー、タイ、ヴェトナムの文明、文化、貿易関係を示すために、メコン河とガンジス河流域に住む人々の交流を促進することにある。展示は、6 カ国の伝統的な染織品の製造工程や、布、衣装だけではなく、現代的な生活文化としての染織物も展示する。カンボジアの染織物に特化した博物館ではないが、常設の工芸品の情報収集機関として先鞭をつけたかたちである。2021 年 12 月から 2022 年 1 月には、「ASEAN 文化都市」にシェムリアップが選定されたことを記念して、「クメール絹織物の展示会」が開催された。

　次に、首都プノンペン郡の展示施設として、王宮および国立博物館を見ていく。王宮では、カンボジアの文化を示す展示室に伝統衣装の展示があるほか、機織りの実演が行われている。国立博物館は、考古学的な古代の石像など各地で発掘された遺物の展示が中心であるが、近現代のコーナーに、染織業に関連する展示もわずかにある。19 世紀半ばに制作されたナーガや蚕蛾の彫刻が施された織機や 2 点のピダンが展示されている。

　国立博物館での展示については、2003 年に、米倉雪子（現・昭和女子大学准教授）を中心とするカンボジア在住 NGO 日本人スタッフ（当時）7 人の有志が結成した「ピダン・プロジェクト・チーム」（PPT）の活動が挙げられる。PPT は、絹絵絣ピダンについての調査活動と展示会を精力的に行っている。2011 年には、国立博物館に 23 枚の絹絵絣ピダンを寄贈し、同国立博物館にて 2 枚の絹絵絣ピダンの常設展示が始まった。

　PPT が働きかける以前、同国立博物館での絹織物の展示は、スペースが限定されているため、着用の絹絵絣が折りたたまれた状態で展示されていた。しか

しその後、同国立博物館は、PPT の希望を聞き、絹絵絣 2 枚を広げて展示する
スペースの提供を快諾してくれたという。また米倉は、「同国立博物館へはカ
ンボジア人は無料で入館できるため、絹絵絣ピダンの常設展示をしてカンボジ
ア人にも周知するという目標は達成できた」、と述べている（米倉 2014：86）。
PPT は常設展示以外にも、国立博物館、日本の国際 NGO である CYK[10] と協
同で、計 3 回のピダンの特別展（2010 年、2014 年、2016 年に実施）を開催して
きた（図 7、8）。こうした日本、EU をはじめとする諸外国の支援により、カン
ボジア国内の人々による染織業にかんする調査研究や保存に対する取り組みも
端緒につきはじめている。

　プノンペンやシェムリアップでは、常設ではない臨時の展示会もこれまでに
各種行われてきた。たとえば 2019 年 11 月には、商業省により、「第 2 回カン
ボジアの絹と織物展」がシェムリアップ市で開催された。カンボジアでの一般
向けの展示会は、屋外でテントを設営して行われることが多く、外国人在住者
や観光客だけではなく、国内の若者などの眼にも触れやすく、自国の工芸品を
気軽に見られる機会となっている。

　さらに、展示目的の施設ではないが、2019 年、カンボジア政府により王立
プノンペン大学内に「クメールシルク・センター」が開設された。国内で使用
される絹糸を、国産化することを主な目的としている。これまで政府は、大規
模な外資系縫製業などの振興に注力してきたが、今後は NGO や国際機関が主

図7　国立博物館におけるピダンの特別展（2016 年）
出典：カンボジア国立博物館ウェブサイト[11]

図8　2016 年に開催された
展覧会ポスター
「カンボジアの伝統的絹絵絣：
保存と発展」出典：図 7 に同じ

に担ってきたよりローカルで小規模な手工業の育成支援にも力を入れていくことが予想される。

### (3) 国外の収蔵施設と展示

　カンボジアでは、長く続いた内戦とその後の復興期に、多くの染織物の傑作がタイをはじめとする外国の民間コレクターへと流出したと言われている（森本 2008）。今後、カンボジア国外の収蔵施設のコレクションのリスト化だけではなく、こうした民間コレクターの収集品を調査する作業も必要であろう。

　いっぽうで、すでにある公営、民営による収蔵施設として、ワシントン D.C. のアメリカ歴史博物館、日本の福岡市美術館および公益財団法人平山郁夫シルクロード美術館が挙げられる。たとえば、福岡市美術館では、2003 年 10 月〜11 月に同博物館および平山郁夫シルクロード美術館の収蔵品「ピダン」を中心とした 100 点に及ぶ絹布の大規模な企画展「カンボジアの染織」が開催された。企画展に伴い発行された図録『カンボジアの染織』は、カンボジアにも持ち込まれ、ピダン制作者たちによってモチーフ考案の参考にもされている。また、2005 年に愛知県で開催された愛・地球博でのカンボジア館では、Artisans Angkor による手織物の実演や展示が行われた。そのほか、中小規模の展示会が、IKTT や CYK など染織物生産を支援する NGO 団体によって、日本各地で随時開催されている。このような機会をつうじて、海を越えた日本の人々へカンボジアの染織物について理解を促進したり、販売されたりしている。

### おわりに

　カンボジアにおける各種の無形文化財のなかでも、手織物業は現在も生活に根付いている村落の手工業である。しかし、生活の西洋化、近代化のため、万能布「クロマー」はタオルに、絹の腰布「ソムポット・ホール」は少しずつ西洋式のドレスに置き換えられつつある。

　絹絵絣「ピダン」は、技術の高さ、絵柄の精巧さからカンボジア国内外で注目されているが、その希少性からも緊急に保存支援が必要である。また、そうした技術的に高度なものだけではなく、クロマーやサロンのような日常に使用される民俗的なものの価値をどのように認識し、展開してゆけるだろうか。物質文化として、モノの製法や外観の記録も無論大切であるが、生活のなかでの

使用状況と合わせた記録も重要である。

　すでにシェムリアップ州には、MGC や Artisan Angkor、IKTT といった民営の展示施設があるが、それらの施設の情報をどのように観光客だけではなく、国内の人々に伝達してゆくかが鍵となるであろう。新型コロナウイルスによる国際観光の危機は染織業にも直接的、間接的に打撃を与えたが、これまで国際観光客が多かった施設にも、文化的な学びの施設としてよりローカルに根差していくことが期待される。

　カンボジアの首都プノンペンは、シェムリアップ州と比較すると、国際観光客は相対的に少ない。国内の行政の中心地である首都近郊には、在来的な商業産地が多くあり、手織物を含めたカンボジアの工芸博物館を公営でつくる可能性は、開かれていると言える。その際に、山岳地域の少数民族やチャム人などを含めた様々なエスニシティの人々の手織物を展示することで、国内の多様性を学ぶ意義のある施設になるであろう。

　未だ議論の途上ではあるが、本稿での結論として、オンサイト・ミュージアム建設への支援の進め方について次のように考える。カンボジアでは、政府の官公庁の予算が未だ限られており、国際援助機関、民間団体の支援も欠かせない。そうしたなかで、生産者の意向をくみとりつつカンボジアの染織物の価値について国内外の関心を高めることで、生産者の収入を上げ、今後も持続的に生活に根差した生きた文化財として伝承されていくことが望まれる。

　註
1)　紋織は、模様部分の糸を浮き出るように織り込む技法を指す。絣織りは、模様に合わせて、糸を色ごとに細いひもなどで括って防染し、まだらに染めてから織る技法である（糸を括る、ほどく、乾かす作業を繰り返す）。インドで発祥し、東南アジアに伝播したといわれる。カンボジア語では、「チョーン・キエット」（引っ張って・結ぶ）と呼ぶ。
2)　クーデタで誕生した親米政権を倒したポル・ポトを中心とするカンプチア共産党による政権（1975 年 4 月〜 1979 年 1 月）。全土的な農業を基盤とする急進的な共産主義国家建設を目指した。都市住民の農村下方政策、農村での集団耕作制を敷いた。約 700 万人の国民のうち 100 万人を超える人々（人数については諸説あり）が粛清や飢えなどによって亡くなったとされる。同政権崩壊後は反政府勢力となり、1990 年代半ばまで武装闘争をつづけた。
3)　内戦以前の調査として、1950 年代のフランスの地理学者 J. デルヴェール、1960 年代のフランスの民族学者 B. デュペーニュらによるものが挙げられる。

4)　王立芸術大学は、1917年に王宮内に設置されたクメール芸術学校を基盤とし、1965年に大学に移行した。5学部―考古学部、建築都市学部、振付芸術学部、音楽学部、造形芸術学部―がある。

5)　2022年時点でUNESCO世界無形文化遺産に登録されているのは、以下の6件である（登録年、件名、登録リスト名）。2008年：カンボジアのロイヤル・バレエ（代表リスト）、2008年：スバエク・トム（クメール影絵芝居）（代表リスト）、2015年：綱引きの儀式と試合（代表リスト）、2016年：チャペイ・ダン・ベン（弦楽器）（緊急保護リスト）、2018年：スヴァイ・アンダエト寺院のルカオン・コール（仮面劇）（緊急保護リスト）、2022年：クン・ラボッタカオ（カンボジアの伝統武術）（代表リスト）。出典："UNESCO intangible cultural heritage", https://ich.unesco.org/en/state/cambodia‐KH?info=elements‐on‐the‐lists（2022年12月20日閲覧）。

6)　絣は、その模様が経糸と緯糸のいずれによってあらわされるかによって、①経絣、②緯絣、③経緯併用絣、④経緯絣がある。①は、経糸のみが部分的に染め分けられている。絣の技法のなかではもっとも簡単で、東南アジアの広範な地域（とくに島嶼部）で織られている。②は、緯系のみが部分的に染め分けられている。東南アジアの大陸部とインドネシア西部で織られており、とくにヒンドゥー教や仏教あるいはイスラーム教を受容した民族のもとに分布が集中している。③、④は、経、緯両方の色が部分的に染め分けられている。絣の技法のなかでもっとも複雑で高度な技をようする。インドネシア、バリ島の一部地域のみで織られている（吉本1997）。

7)　カンボジアの少数民族である「チャム人」は、多義的である。ヴェトナム中部にあったチャンパー王国の末裔が主であるが、別名「クマエ・イスラーム」（カンボジアのイスラーム）とも言われるように、インドネシア（ジャワ）を起源とするイスラーム教信仰者も含まれる。チャム人の主な生業は、漁業と染織業である。染織業については、クメール人と共通するサロン、ホールを生産している。それらの文様には、チャム人独特のものがあると言われるが、とくにホールについては非常に似通っているため、クメール人の染織物との相違について、今後研究が進むことが期待される。

8)　カンボジアでは、国土面積の約40％を占める中央平野部に9割近くの人々が集住する。

9)　すでに日本のNGOであるIKTT（詳しくは後述する）は、プロジェクト地に宿泊施設を持ち、訪問客が滞在しながら見学、体験することが可能となっている。

10)　認定NPO法人 幼い難民を考える会（カンボジアでの名称：Caring for Young Khmer は、1980年、タイ国境のカンボジア難民支援を契機とし、カンボジア国内の保育活動支援、女性の自立支援（染織業の訓練）などを行ってきた。

11)　カンボジア国立博物館ホームページ Exhibition https://www.cambodiamuseum.info/en_exhibition/national_exhibition/Current.html8（2022年12月20日閲覧、使用許諾済み）

引用・参考文献
【日本語】
朝日由実子　2008「カンボジアにおける消費社会の到来と高級染織の興隆：衣服としての高級絹絣ホールの変化と衣装カタログ雑誌の誕生」『カンボジアの文化復興』第21号、pp.89-106
朝日由実子　2011「カンボジアにおける手織物業の分布状況に関する一考察」『社会情報研究』第9号、pp.61-74
朝日由実子　2012「カンボジア、メコン河支流沿いにおける絹織物生産と地域社会：スロック・チョムカーとスロック・スラエの関係を中心に」『社会情報研究』第10号、pp.65-78
岩永悦子編　2003『カンボジアの染織』福岡市美術館
植村和代　2003「カンボジアの染織文化」『カンボジアの染織』福岡市美術館、pp.124-130
荒神衣美　2004「カンボジア農村部絹織物業の市場リンケージ：タカエウ州バティ郡トナオト行政区P村の織子・仲買人関係-」天川直子編『カンボジア新時代』日本貿易振興会・アジア経済研究所
周達観著、和田久徳訳注　1989『真臘風土記：アンコール期のカンボジア』東洋文庫
デルヴェール, ジャン著、石澤良昭監訳・及川浩吉訳　2002『カンボジアの農民：自然・社会・文化』風響社
七海ゆみ子　2012『無形文化遺産とは何か：ユネスコの無形文化遺産を新たな視点で解説する本』彩流社
森本喜久男　2008『カンボジア絹絣の世界：アンコールの森によみがえる村』日本放送出版協会
米倉雪子　2014「カンボジア伝統絹絵絣ピダン制作の現状と課題」『学苑』第883号、pp.75-88
リード, アンソニー著、平野秀秋・田中優子共訳　2002『大航海時代の東南アジア〈1〉貿易風の下で』法政大学出版局
吉本忍　1997「絣」『事典東南アジア：風土・生態・環境』京都大学東南アジア研究センター、pp.192-193
【英語】
Green, Gillan, 2003, *Traditional Textiles of Cambodia: cultural threads and material Heritage*, Bangkok : River Books
Ministry of Culture and Fine Arts（MCFA）and UNESCO, 2004, *Inventory of Intangible Cultural Heritage of Cambodia*, Phnom Penh : UNESCO
The Phnom Penh Post, 06 June 2019, "Khmer Silk Centre opens at RUPP" by Voun Dara
The Phnom Penh Post,13 November "2019, Silk, weaving fair to be held in Siem Reap" by Hin Pisei

# 博物館をめぐるモノと人の諸関係

―タイを事例として―

池田 瑞穂

## はじめに

　グローバル化の進展や持続可能な社会に向けての取り組みが注目されるように
なった今日では、博物館もまたその社会的役割が問われており、博物館のあ
りかたをめぐる議論は今なお続いている。その背景には、現代社会が抱える
様々な課題に対して、博物館は積極的に関与していくべきだという考えがあ
る。この流れを反映して、2022 年 8 月にプラハで開催された国際博物館会議
（ICOM）第 26 回大会では、新たな博物館定義案[1] が採択され、包括性、持続
的可能性そして、地域コミュニティとの関係が新たに追加された。博物館本来
の役割・機能を前提としつつ、このような要素を含む博物館とは、果たしてど
のようなものなのだろうか。

　一方、「博物館」という制度に当てはまらない、地域文化やコミュニティの
必要に応じた博物館的実践が世界各地で展開されている。このような状況にお
いて、博物館をどう捉えるべきか、博物館の主体は誰なのか、どこまでを博物
館の活動範囲とするのか、といった疑問は尽きない。そこで、本稿では、多様
化・複雑化する博物館の一端を捉えるため、タイを事例として、モノと人の連
関のなかで、博物館がどのように形づくられるのか、について考えてみたい。
具体的には、博物館に蒐集され展示されるモノ、博物館におけるモノと信仰、
モノが博物館実践に及ぼす影響、を切り口として分析を行う。また、モノが及
ぼすさまざまな作用を浮かび上がらせることで、それにより多様化する博物館
のあり方の理解を試みる。オルタナティブな博物館の実践を問うことは、欧米
中心の博物館概念を相対化するための視点を提供すると同時に、博物館が持続
可能な社会に貢献するための方法を与えてくれると考える。

## 1 モノと近代博物館

18世紀に西欧で近代の博物館が誕生して以来、蒐集されたコレクションは脱コンテクスト化され、科学的な分類体系に基づいて整理され、新たなストーリーの下再構築され、展示された。それまで王侯貴族や教会によって独占されていた芸術や知識は、博物館を通して国民へと解放された。博物館は、知識の「世俗化プロセス」(Promey 2017 : xx) の一端を構成しており、教会に代わり新たな知識を生み出す場となった。博物館の役割は、科学的な知識を一般の人々へ伝達することであり、教会の聖遺物は、信仰の対象から、歴史や文化芸術を理解するためのツールへと変化した。モノの持つ意味合いの変化により、聖遺物を展示することは、すなわち、宗教それ自体が変容の対象となった (Plate 2017 : 41)。社会の近代化と博物館の出現は、それまでのモノ、人、信仰の関係を大きく変える出来事となった。

タイにおける近代的な博物館は、現王朝のラッタナコーシン朝4世王のモンクット王(在位1851〜68年)の個人コレクションから始まったと言われる。モンクット王は個人的に蒐集していた古物、美術品を始め、剥製動物、鉱石、道具など雑多なものを部屋に展示し、自らの子弟や王族の教育のために公開した。モンクット王は先見性のある王であり、歴史が国家形成や国民統合に役立つことを知っていたことから、博物館の設立を計画し、調査研究を支援した。タイ近代化の父と呼ばれる5世王のチュラロンコーン王(在位1868〜1910年)もまた、モンクット王と同様に歴史に高い関心を持っていた。チュラロンコーン王は、モンクット王のコレクションを王宮内の別の場所に移し、1874年9月にその一角を博物館として開放したことで、国立博物館の開館となった (Krom Sinlapakorn 2012 : 75)。その後、博物館は副王宮の宮殿に移転し、現在のバンコク国立博物館として継承された。1907年には、歴史研究の促進を目的として考古学クラブ (*boran nakhadi samoson*) を王自ら設立した (Krom Sinlapakorn 2012 : 67)。さらに、現在世界遺産として登録されているスコータイ遺跡やアユタヤ遺跡では、当時皇太子であった6世王ワチラーウット王(在位1910〜1925年)の指揮の下考古学調査が行われた。

王室のコレクションとは別に、仏教寺院のコレクションもまた博物館の先駆けとして重要な役割を果たした。パリッタ・コアナンタクール (Paritta 2006 : 151) によれば、国立博物館が設立された当初、多くの主要寺院のコレクショ

ンが格上げされ、国立博物館としての地位を得たものがあったという。例え
ば、ランプーン県のワット・プラタート・ハリプンチャイ寺院（1927 設立、現
ハリプンチャイ国立博物館）、シンブリ県のワット・ボット・インブリー寺院
（1939 年設立、現インブリー国立博物館）、ソンクラー県のワット・マッチマワッ
ト寺院（1940 年設立、現マチマワット国立博物館）などは、今日まで国立博物館
として存続している。このように、タイの博物館は、設立当初から仏教寺院と
密接に関係しており、1990 年代以降に急増したコミュニティ博物館や寺院博
物館の発展を考える上でも興味深い。

　国立博物館の常設展示のあり方を方向づけ、資料蒐集に尽力した人物とし
て、チュラロンコーン王の異母弟のダムロン親王が挙げられる。ダムロン親王
は、タイが近代化へと大きな一歩を踏み出すなかで、政治家として 1892 年か
ら 1915 年まで初代内務省相を務め、地方統治制度の導入や教育改革など国内
の近代化に努めた。ダムロン親王は内務省相として国中を視察し、視察先で訪
れた遺跡の記録を付けたり、古いモノを発見した場合はバンコクへ報告し、保
護するよう政府関係者に指示していた（Coedès 1928：9）。そうして集められた
モノは内務省の中央ホールに展示された。ダムロン親王は、モノを通してタイ
の歴史的連続性と全体性を国内外にアピールし、国家の主権が及ぶ範囲を示す
ことを意図した（Peleggi 2015：82）。ダムロン親王にとって、博物館とは、近代
化の象徴であり、文化ナショナリズムを視覚的に表現するための装置であった。

　ダムロン親王と並んで、展示構成に大きな貢献をしたのが、フランスの東洋学
者ジョルジュ・セデスである。セデスは 1911 年からヴェトナムのハノイにあ
るフランス極東学院の本部に勤めており、カンボジア碑文解読に携わる傍ら、
タイの歴史にも大きな関心を寄せていた[2]。1917 年にタイが第一次世界大戦
に参戦宣言をしたことにより、国立図書館の館長を務めていたドイツ人のオス
カー・フランクフルターが解任され、その後任としてセデスが招聘された。こ
れにより、ダムロン親王の持つタイ全土に散らばる遺跡・記念建造物・文書資
料に関する情報と、セデスのパーリ語、サンスクリット語、クメール語、タイ
語の碑文を読み解く力が結びつき、仏教遺物の様式を基にした時代区分が生み
出された（Peleggi 2015：82）。ダムロン親王はその時代区分を用いてバンコク
国立博物館に収蔵された仏像の目録を作成し、常設展示を完成させた（Coedès
1928：9-10）。展示品は「ドゥヴァーラヴァティー時代」「シュリーヴィジャヤ

時代」「ロップリー時代」「チェンセーン時代」「スコータイ時代」「ウートン時代」「アユタヤ時代」「ラッタナコーシン時代」の時代区分によって分類され、展示された。この結果、信仰の対象であったモノは、国家の歴史的展開を示す美術品として新たに認識されるようになった（Peleggi 2017 : 87）。

　このように、バンコク国立博物館における展示品は、政治的なプロパガンダや国家の文化的優越性を示す美術品としての側面が前景化している。それでは、モノが持つ宗教的な要素は完全に切り離されてしまったのだろうか。また、来館者は、モノに与えた意味を受け取るだけの受動的な存在なのだろうか。ブッゲルンによれば、モノが潜在的に持つ要素は、博物館の外観、展示室の内観、モノ固有の性質、解釈の性質、そして、来館者が持つ知識が組み合わせることで、その効果が高まるという（Buggeln 2017）。博物館の展示には、触覚やその他の感覚的な働きかけはほとんどないが、代替となるような関わりを重視することで、博物館と寺院の間に位置する体験が生まれる。例えば、バンコク国立博物館の場合、王宮であった建物をそのまま引き継いでおり、特に全面改装後は、寺院を連想させる展示空間づくりが行われ、来館者がより元のコンテクストに近い形で展示品を鑑賞できる設計となっている（図1）[3]。また、博物館の敷地内には、プッタイサワン礼拝堂と呼ばれる建物があり、祈りを捧げる参拝者が絶えない。礼拝堂中央の祭壇の上には、エメラルド仏の次に重要視されているシヒン仏が安置され、壁面はブッダの生涯の一場面を描いた色鮮やかなフレスコ画が飾られている。

図1　バンコク国立博物館における仏像の展示
（提供：スティーブン・マーフィー）

　博物館の来館者のなかには、博物館を訪れた後に参拝に行く人もいるだろうし、その逆も然りだろう。来館者のこうした行為は、博物館と礼拝堂に空間的な連続性を提供し、モノと人の間にさまざまな情動や感情が生み出される。博物館の仏像は時代別に分類され、その歴史的・考古学的側面が強調される一方で、それは、仏像の持つ潜在的な力の一側面に焦点を当てたに過ぎ

ず、見る人によっては、展示の意図とは全く異なるメッセージを受け取ること
もある。博物館を取り巻く媒介物がうまく作用した時に初めて、人はモノの多
義的な領域と接触することとができる。そうした体験は、博物館をより一層魅
力的なものとするだろう。

## 2　モノと仏塔博物館

　仏塔博物館は、タイではここ30年ほどに現れた新しいタイプの博物館で、
2003年のルイ・ガボードによる調査を契機に注目されるようになった。仏塔
博物館は、模範とされる僧の記憶とその功徳を後世に残すことを目的としてい
るため、聖人博物館とも呼ばれている。元
来、聖遺物を安置するモニュメントの建
立は、過去何世紀にも亘って行われてお
り、初期仏教の時代には、釈迦の遺灰を納
めた仏塔が建てられた。仏塔を建てる習慣
は、仏教の普及とともに世界各地へと広が
り、その形態は時代や地域とともに変化
したが、基本的な機能は変わっていない。

図2　クルバ・スリウィチャイ博物館
（提供：ウドムラック・フントラクン）

仏塔は、釈迦の死後約2500年経った今で
も、仏教徒に仏陀とその教えを思い起こ
させる。東アジア、東南アジア、南アジア
の各地に見られる仏陀や聖人を記念するモ
ニュメントには、遺骨、聖人の持ち物、ダ
ルマの一部、聖人の像などが納められてい
る（Gabaude 2003a：115）。

　一方、仏塔博物館は、伝統的建造物を再
利用した建物、新たに建てられた近代的な
建物、仏塔の形をした建物など多様な形態
をしている（図2）。展示室には、聖人の実
物大の像、聖人の遺骨、持ち物、お守り、
出版物などが展示されている（図3）。伝統
的な仏塔は、聖遺物を安全に保管すること

図3　クルバ・スリウィチャイ像
（提供：ウドムラック・フントラクン）

を目的としており、その発展形として仏塔博物館が位置付けられる。しかし、仏塔と仏塔博物館は異なる点もある。まず、仏塔博物館は、仏陀と同じく解脱したと見なされている比較的最近の人物に焦点を当てており、人々はその存在をより身近なものとして感じることができる点である。仏塔博物館はまさに、「仏陀が行動する姿、今ここにある姿、水晶のように確かで、目に見える姿」（Gabaude 2003b：181）を示すために作られた施設なのである。次に、仏塔の聖遺物は、塔内部に納められていて人々の目に触れることはないが、仏塔博物館の聖遺物は、実際に「見る」ことができる、という点に大きな違いがある。

　認知に関する最近の研究では、見ることは、単に外界の光学情報を脳が受動的に処理をしているのではないことが分かってきている。佐藤と幸（2016）によれば、人は何かを見たとき、網膜から得られた情報と自分の知識や期待、経験を利用して見たモノを再現しようと試みるという。つまり、見ることは単なる知覚体験ではなく、「能動的で創造的な行為」なのである。聖遺物は、聖人の肉体の一部であると同時に精神を具現化したものであり、物質と精神が結晶化したものと見なされている（Gabaude 2003b：181）。来館者は、聖遺物の背後にある世界を視覚で捉え、想像し、聖人との精神的体験を共有するのである。こうした行為は、寺院と博物館の区別がしばしば曖昧で、神像や聖者を見ることで祝福を得る「ダルシャン」が日常的に行われている南アジアの文脈と通じるものがある（Gamberi 2019：205）。

　「見る」と「感じる」ことに特化した仏塔博物館は、多様化する観光客のニーズに後押しされ、信者と観光客の双方にアピールする新しいタイプの博物館となる可能性がある。例えば、バンコク郊外にあるワット・パクナム・パーシーチャルーン寺院は、エメラルド色の仏塔と天井画がフォトジェニックであるとして、海外からの観光客、特に日本人に有名な観光スポットとなった（図4）。従来の観光スポットである王宮や涅槃仏のあるワット・ポーに加えて、ワット・パクナム寺院は、日帰り観光ツアーにも組み込まれている。もとは、アユタヤ時代に創設され、3世王の時代（1788〜1851）には王室寺院に指定されたこともある由緒ある寺院で、1916年から56年まで僧正を務めたルアン・ポーソット師が新しい瞑想方法を生み出した寺院としてタイでは広く知られている。仏塔博物館は、寺院敷地内に建てられた「マハーラチャモンコン」と名付けられた仏塔の中にある。高さ80mの仏塔は12面の多角形をしており、1階

と3階フロアは信者から寄進されたさまざまなモノや仏像が展示された展示室（図5）、2階フロアは瞑想ホール、4階フロアにはルアン・ポーソット師やその他の僧侶の像が安置され、最上階に高さ8mのガラス製の仏塔がある（図6）。仏塔と天井画は、色彩に溢れた空間を創り出し、幻想的な雰囲気を醸し出している。展示品の仏像の中には、タイ語、英語、日本語で書かれた簡単な説明ラベルが付けられており、多くの外国人観光客の来館を予想していることが窺える。

　このように、仏塔博物館では、可視的なモノとの接触を通して、神聖な世界を現実世界に取り込み、体験することで、その実在を確かなものとして感じることができる。博物館の展示は、モノが力を発揮するコンテクストと場を与え、その価値を引き出す手助けをしている。また、信者は、展示されたモノを見ることで、自らの功徳を確認し、寺院とのつながりを強く意識する。このように、仏塔博物館は、宗教が提供しうる精神的な充足感と信仰共同体であることを再認識する場としても機能している。一方で、観光客は、こうした精神的価値を共有しないものの、さまざまな人の思いや記憶が詰まったモノを鑑賞し、鐘の音や線香の香りといった視覚以外の五感

図4　ワット・パクナム・パーシーチャルーン仏塔博物館
（提供：トンポン・シッティポン）

図5　仏塔博物館3階展示室
（提供：トンポン・シッティポン）

図6　仏塔博物館5階展示室
（提供：トンポン・シッティポン）

要素を感じることによって、非日常的な体験をすることができる。インターネットの普及により、情報やモノはより手軽に、便利に入手できる時代になったが、実際に現地に赴くことでのみ得られる体験もある。その体験が驚きに満ちたものであればあるほど、宗教に知識や関心がない観光客を惹きつける博物館となる。

## 3 モノとコミュニティ博物館

コミュニティ博物館は、タイ各地に広く存在する博物館である。地域の歴史やアイデンティティを表すモノを保存し、伝えていくことがコミュニティ博物館の使命である。コミュニティ博物館のコレクションは、基本的にコミュニティからの寄付や寺院のコレクションから構成されている。そのため、仏像やお守りなどの仏教関連品、伝統工芸品、儀礼用具、考古学遺物、僧侶が蒐集した品々、コミュニティの思い出の品など雑多なモノが集められている。コミュニティ博物館は、寺院の敷地内に建てられたもの、コミュニティ博物館として独立した施設を持つもの、学校の敷地内に設置されたもの、などがある。

1960年代以降、タイの社会は安定した国内政治を背景に、順調な経済成長の一途を辿った。しかし、その一方で経済発展は富の不均等な分配を生み、都市－地方間または農村における世帯収入格差が拡大していった。農民は現金収入を得るため、都市部はおろか海外へ出稼ぎに行くようになり、村落の生活や経済は以前のように地域社会で完結するものではなくなっていった。子供たちは学校教育を受け、職に就く学歴社会に取り込まれていった。人々の生活の急激な変化は、物質主義・共同体崩壊・環境破壊といった社会問題を引き起こし、学生や知識人を中心に問題意識が広がっていった。80年代前半には、社会問題の解決を目指したNGO活動が盛んになり、その活動を通してコミュニティを基盤とした地域開発論が発展した。この共同体論の核を成すのは、「コミュニティ文化 (*watthanatham chumchom*)」であり、伝統文化の再生・活用を通してコミュニティの自足的・自立的な生活を実現することを目指した（北原 1996）。また、上座部仏教のなかからも開発僧と呼ばれる、仏教の教えや慣習に基づいて村落の生活向上に取り組む仏教僧が現れ、さらにプーミポン前国王が有名な「足るを知る経済」[4] 哲学を発表し、自給自足型経済を推奨した。

1980年代後半になると、主に農業開発関係者に用いられていたコミュニテ

ィ文化論が、それ以外の人々にもわかりやすい「在来の知恵（*phum panya*）」と言い換えられたことで、地域に伝わる知識や文化的ルーツを社会の中で生かそうとする機運が高まった（重富 2009：32-33）。在来の知恵はコミュニティ文化の中でも、自然と調和的な技術や知識であることが多い[5]。それは、農業技術から農産物の販売といった経営能力、ハーブなどの民間療法の知識、宗教的な知識や徳性に至るまで幅広く含まれる。在来の知恵は、タイの文化、風土に適した持続可能な社会づくりに欠かせない要素であったことから、その概念は経済、教育、文化政策へと広く取り入れられていった。さらに、コミュニティ博物館発展の契機となったのが、「1997 年憲法」の制定とそれに基づき制定された「1999 年地方分権計画および手順規程法」である。この法律により、文化行政が地方自治体へと委譲され、住民参加型の文化活動やコミュニティ博物館の建設が進んだ。

　2005 年、シリントーン人類学センター（SAC）[6] は、「地域博物館研究開発」と題したプロジェクトを開始し、タイ国内にある博物館のデジタル目録を作成するとともに、関係する地域コミュニティと協力して人材育成と知識共有のためのプロジェクトを行った（SAC 2009）。2022 年 10 月現在、シリントーン人類学センターの博物館データベース[7] には、1,600 の博物館が登録されており、そのうち、学校によって運営されているものが 318 館、寺院による運営が 420 館、コミュニティによる運営が 110 館、地方自治体による運営が 150 館となっている。コミュニティ博物館のなかには、大学や博物館などの研究機関、NGO、地方自治体などと連携して、地域文化の保存だけでなく、博物館実践を通して住民のエンパワメントや地域観光の促進を目的としたコミュニティ博物館の設立も増えた。

　さらに、近年では、最新の博物館学や教育学の成果を取り入れた、新たな博物館づくりに取り組むコミュニティ博物館も出てきた。例えば、ナコーンナヨック県にあるワット・ファン・クローン寺院は、バンコクのサイアム博物館と協力して、展示品を見たり触ったり、時には物語に入り込むような体験をしながら学ぶ「パー・プアン・パック・プリー博物館（*Pa Puan @ Pak Phili Museum*）」を作り上げた。このプロジェクトを主導するサイアム博物館[8] は、創造的な学習環境を構築し、博物館の知識を一般社会へ普及するために、コミュニティ博物館へ支援を行っている。展示は、ナコーンナヨック県のパック・

プリー地区に住むプアン族に焦点を当てており、来館者は物語の主人公となって洞窟のなかを歩き回り、プアン族の伝統、儀式、生活様式を学ぶ構成となっている。展示は、モノを通して、コミュニティの記憶や思い出を保持・共有するというよりは、どちらかといえば、子供を対象とした、エデュテイメントの要素が強い。ワット・ファン・クローン寺院の試みが、どの程度、児童の学習向上や地域観光の促進に貢献しているのかはまだ未知数である。しかし、タイにおける博物館実践の新たな方向性の一つであることは間違いない。

## 4　モノと寺院博物館

仏教徒が大多数を占めるタイでは、各村に少なくとも一つの寺院が存在している。寺院は、祈りを捧げる宗教施設であると同時に、信仰を通して人々のつながりや交流を生み出すコミュニティ・センターの役割を果たしてきた（川口 2009：61）。寺院は、伝統的な教育機関として、古くはラーンナー時代ならびにスコータイ時代から学習と文化の中心であり、人々に読み書きや仏教の教義を教える場でもあった（村田2007：23-27）。また、人々は功徳を積むために贈り物や供物を寺院に寄進したため、寺院には古来より貴重な品々が集められた。寺院にモノを寄進することで得られた功徳は、来世でのより良い再生に貢献する。さらに、タイでは、古いモノに超自然的な力が宿ると信じられていることから、それに対抗しうる霊的な力を持つ寺院や僧にモノの適切な管理を委託するケースもあった（平井 2013：297）。このように、寺院は伝統的に地域の文化財が蓄積される場であり、地域文化を保存し、知識を伝える場所として最も適した場所であった。

寺院の性質に加えて、1981 年に宗教省が仏教寺院を文化的・道徳的学習の場として提供するように指示したことも、寺院博物館の建設に弾みをつける要因となった（Paritta 2006：151）。寺院博物館の運営・管理は、通常、僧、寺院の信徒、地域コミュニティの協力によって行われる。国立博物館とは異なり、専門的知識を持つ学芸員は配置されていないため、研究や知識の伝達という側面においては、寺院博物館の機能はかなり限定的である。しかし最近では、前述のワット・ファン・クローン寺院のように、外部機関と連携して収蔵品の目録作成、保存、展示の技術支援を受けている寺院博物館もある。その一方で、寺院博物館の最も重要な役割は、モノを通して功徳を積む場を提供することで

ある。寄進されたモノが展示されることで、寄進者の価値を再確認するとともに、得られた功徳はモノを通してコミュニティと共有される。寺院博物館と仏塔博物館は、その性質は似てはいるものの、寺院博物館は、地域文化によりコミットする点で異なる。以下、筆者が2011年から2014年にかけてフィールド調査を行ったタイ北部プレー県での事例を紹介する。

## （1）ワット・ルアン寺院博物館

ワット・ルアン寺院博物館は、プレー県の行政の中心地であるムアン・プレー郡の旧市街（図7）の西に位置する。旧市街は環濠と一重の土塁に囲まれ、昔ながらの共同体が今なお遺跡と共存し、世代から世代へと慣習、信仰、知識といった無形遺産が受け継がれる「生きた遺産」でもある。旧市街の総面積は9㎢で、北西をヨム川と接しているため、豪雨による水害に定期的に見舞われている。土塁や環濠は、防御や洪水から街を守る防壁としての機能だけでなく、悪霊から街を守り、幸運をもたらすとそこに住む住民からは信じられている。このように伝統的な生活が残る一方で、プレー県は若い世代の近隣都市への流出に直面している。プレー県は周囲を山地と森に囲まれているため、農業に適した平地が少なく、伝統的にチーク産業が盛んだったものの、現在は森林保護のため伐採は禁止されており、農業や卸売業を除いて目立った産業がない。そのため、若者は進学を契機に他県へ移り、そのまま県外で就職する場合が多い。旧市街には、プレー王国時代の王族の屋敷やチーク材で建てられた伝統的木造建築物が点在しているが、日本と同様に、高齢化社会が進むなかで、空き家の管理や建物の維持修繕といった問題に直面している。

旧市街は一つの行政区に区分され、フア・クアン、スリ・チュム、ワット・ルアン、ポン・スナン、プ

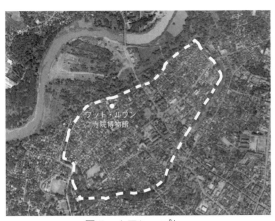

図7　ムアン・プレー
（地理情報データをもとに筆者加工）

ラ・ノーン、プラ・ルアン、シー・ブン・ルアンという七つの村落で構成されている。もともと、旧市街のコミュニティは、村にある寺院を中心に信徒 (sattha) によって形成されていた。各寺院には儀礼を取り仕切る有力な一族がおり、この役割を世襲していた。しかし、現在ではこうした慣習も廃れ、一族に代わってコミュニティが儀礼を行っている。村の名前は基本的に地域の寺院の名前に由来するが、コミュニティを構成する世帯の減少や行政上の都合から共同体は村へと再編された。その結果、所属するコミュニティとは異なる名前の村に組み入れられた世帯もある。こうした問題によるものか、村の境界線はこれまでに何度か変更されている。また、旧市街のコミュニティでは仏教儀礼だけでなく、土地の守護霊を祀る儀礼も毎年欠かさず行っている。こうした宗教的側面の他に、コミュニティは日常生活において職業集団を明示していたとされ、ワット・ルアン寺院のコミュニティは、伝統的に機織り、大工、象使いの職業に就いていたとされる。筆者が調査を行った時点で、ワット・ルアン村には 96 世帯が暮らしていた。

　ワット・ルアン寺院（図8）は、プレー王国の成立と深く関係している寺院であり、旧市街にあるスリ・チュム寺院と同じく旧市街では歴史の古い寺院である。ワット・ルアン寺院に残されている記録によれば、クン・ルアン・ポンという人物が AD828 年にナンチャオ王国から住民を連れてプレーに定住したとされている。ワット・ルアン寺院は、彼らの定住から 3 年後、チェンセーン、チャイブリー、ウィアン・パンカムの職人たちによって寺院が建立されたとされている。ワット・ルアン寺院には、本尊の仏像が安置されたランナー様式の本堂やビルマから持ち込まれた仏舎利が納められたチェンセン様式の仏塔の他、プレー王国時代の壁の一部が残されている。1967 年から 1977 年にかけて、寺院の保存修復工事が行われ、その際に地域の文化を示す伝統的なモノを蒐集・保存することを目的とした博物館が設立された。2003 年には、博物館の建物の老朽化に伴い、地域コミュニティが中心となって博物館の建物の改修を行った。この改修プロジェ

**図8　ワット・ルアン寺院**（筆者撮影）

クトには、地域コミュニティ以外にも、プレー県の自治体、マハーチュラロンコーンラージャヴィドゥヤラ大学プレーキャンパス、「健康なまちづくり」[9]プロジェクトが参加した（Klum Luk Lan Muang Phrae 2005）。また、ナーン国立博物館からは学芸員が派遣され、収蔵品の分類と登録に関する実務的な支援が行われた。プレー県には近代的な博物館がないため、ワット・ルアン寺院博物館は歴史や文化を身近に学べる場所として、小中学校の利用が多い。博物館の管理運営は、寺院の僧侶と寺院の信者である地域住民によって行われている。

　ワット・ルアン寺院博物館には二つの展示棟がある。一つ目は、ランナー様式の2階建ての建物で、こちらがメインの展示棟となっている（図9）。展示は広い空間に展示品が種類ごとに並べられ、名称を記したネームプレートが展示品の上部または前に置かれているが、解説用のパネルは見当たらない。陶磁器や刀剣などの金属製品はキャビネットに収められ展示されている（図10）。一方で、土器や日常用品は展示ケースなどがない剥き出し状態で展示されている

図9　ワット・ルアン寺院博物館
（筆者撮影）

ものの、展示台に高低差をつけて立体的に見せる一定の工夫がなされている（図11）。展示品は、上記に挙げた以外にも、17世紀から19世紀にかけてのランナー漆器、銀製品、伝統織物、椰子の葉の経典、大型の儀礼用具、石碑の他、何らかの大会で獲得したと思われるトロフィーも並べられている。展

図10　1階展示室
（筆者撮影）

図11　1階展示室の民具の展示
（筆者撮影）

図12　2階展示室
（筆者撮影）

示品は、もともと寺院に保管されてい
たものか、博物館設立時にコミュニテ
ィから寄贈されたものである。そのた
め、寺院博物館は、美的感性の涵養や
知識習得の場というよりは、コミュニ
ティの思い出や生活を懐かしむ記憶の
場として機能している。対照的に、2
階は宗教的価値の高い仏像や仏教関連
の品々が展示されており、タイの寺院
博物館に共通してみられる聖と俗とい
う二つの空間が創り出されている（図12）。

　二つめの展示棟はチーク材で作られたランナー様式の木造高床建築で、地域
の家庭用品や民具が展示され、伝統的な生活様式を学ぶことができる。展示室
に鍵はかけられていないため、寺院が開いている時間であれば、自由に出入り
することができる。こちらの博物館は、見たり触ったりして、体験してもらう
ことを主眼に置いており、野外博物館のような施設となっている。

## 5　モノと遺跡博物館

　モノと人の関わりを考える上で、遺跡から発掘されたモノを地域コミュニテ
ィがどう解釈し、保存し、展示すべき／すべきではない、と考えているのかを
理解することは、現代考古学に携る者にとって非常にセンシティブな問題であ
る。特に人骨は、血縁関係者や子孫を辿ることができるため、先祖との記憶や
個人情報について考慮する必要がある。人骨が何千年も過去のモノである場
合、上記は問題とならないが、やはり、人の遺体を展示するというのは、たと
え学術目的であっても、非日常的な行為であることを忘れてはならない。ここ
では、プレー県の中心から車で約1時間の小さな山村で発見されたプー・パン
洞窟遺跡と遺跡から発掘された人骨が、紆余曲折を経てコミュニティ博物館に
展示されることになった経緯を紹介する。活動の中心になったのは「ルークラ
ンムアンプレー（LLMP）」というプレー県とその周辺の文化遺産に関心のある
地域住民がボランティアで設立した団体である。彼らは、前述の「健康なま
ちづくり」プロジェクトの実施団体でもある。LLMPは、2007年以降、発見

された洞窟遺跡の調査に参加し、地域考古学芸術センター（SPAFA）[10] とともに遺跡の保全と活用に取り組んできた。調査の概要と成果については、SPAFAのスタッフであるトゥンプラワット（Tunprawat 2009：192-193）の報告を参考にしつつ、筆者の観察・体験を書き留めた調査メモからその過程をたどり、地域コミュニティがいかにして遺跡や人骨を彼らの遺産として受容したのかについて検証する。

　プー・パン洞窟遺跡は、発掘調査が行われる以前から、遺物が表層に露出していたことから、地域コミュニティにはその存在を知られていた。村の歴史に興味をもった住人は、遺跡の詳しい調査と保全を依頼するため、タイ芸術局（FAD）[11] の地域事務所に報告をしたものの連絡が取れなかったという。その代わりとして、県内でさまざまな文化遺産の保全活動を行っていた LLMP のメンバーに連絡をし、そこから、別の遺産プロジェクトを通して交流のあった LLMP とバンコク FAD スタッフが連絡を取り合い、FAD 地域事務所との交渉が始まった。2007 年に FAD 地域事務所は、現地に考古学者を派遣し、遺跡踏査と遺物観察を行った結果、遺跡が先史時代の墓地遺跡であることが判明した。プレー県では初の先史時代の遺跡となったが、地域事務所の予算不足により、本格的な発掘調査を行うには至らなかった。

　2008 年 6 月 LLMP と SPAFA は、シラパコーン大学からタイのコミュニティ考古学 [12] の第一人者として知られるサヤーン・プライチャーンジットを連れて現地を訪問し、地域コミュニティや関係者を対象にして、コミュニティ考古学に関するセミナーを開催した。これを契機に、2009 年から 2010 年まで LLMP、SPAFA、FAD、シラパコーン大学による「ナトーン村コミュニティ考古学プロジェクト」が実施された。第一段階の発掘調査では、完全体と破片をあわせて 8〜9 体の人骨が掘出され、腕輪などの石製遺物も同時に見つかった（図 13）。調査の第二段階では、遺跡現場での説明会が地域コミュニティを対象に行われた。このプロジェクトはその名が示すように、コミュニティに主眼を置いた活動であったため、発掘から保全に至るすべてのプロセスに、村の大人から子供まで幅広い年齢層の人々が参加した（図 14）。プロジェクトは参加者を募集するため、県のノンフォーマル教育事務所、文化評議会、地方文化事務所、さらにはメーサイ・メーゴン川管理団などの公的セクターと連携してプロジェクト参加証を発行したり、積極的な広報活動を展開したりした。こうした

図13　ナトーン洞窟遺跡での
発掘調査
（提供：パチャウィー・トゥンプラワット）

図14　ナトーン洞窟遺跡での発掘調査
と地域コミュニティの参加
（提供：パチャウィー・トゥンプラワット）

努力の結果、プロジェクトは地域のケーブルテレビ、新聞、ラジオ、国営放送のテレビ番組で取り上げられ、多くの注目を集めた。

　2009年3月に発掘調査は終了し、発掘された人骨と石製品は、ナトーン村にあるタンマヌパープ寺院の一室に展示室を設置し、そこで保管・展示されることとなった。しかし、展示室がつくられてまもなく、バンコクから影響力のある僧侶が寺院を訪れ、戒壇もない寺の状況を憂い、改修を申し出た。その結果、タンマヌパープ寺は異端とされる宗派に属する寺院となり、同時にFADと交わしていた展示室に関する約束も反故された。そのため、近くの廃校になった小学校の一室に展示室を設け、人骨と遺物はそこに移されることとなった（図15）。それを受けて、村では、展示品と施設の管理を担うボランティアの管理委員会が新たに設置された。施設は普段施錠されており、訪問者が来た時は、小学校の隣に住む管理人夫妻が鍵を開け、展示室を公開している。SPAFAとFADは文化遺産マネジメントに関するトレーニングを実施する一方、永続的な遺物の保管場所として、さらに、村の観光資源となるコミュニティ博物館を設立するための資金調達のサポートを行った。SPAFAやFADはプレー県に常駐しているわけではないため、日常的な業務に関しては、LLMPが文化遺産アドバイザーとして携わっている。博物館の建設予定地として、小学校のすぐ脇にある空き地が計画されていたが、使用申請後に土地の帰属問題が浮上し、土地の管理者が森林省であるのか、はたまた県であるのか分からないまま、申請手続きが保留されていた。

2011年8月、SPAFAはナトーン村の住民から霊媒師が見た夢のお告げに関する連絡を受けた。ナトーン村の霊媒師は五十代の女性で、発掘調査を行う際も土地の守護精霊から調査許可を得る儀式を行った人物である。お告げでは、遺跡で発掘された人骨の精霊が7体現れ、共食の儀式を執り行うよう指

**図15　ナトーン村小学校での展示**
(提供：パチャウィー・トゥンブラワット)

示があったという。精霊の訴えによれば、タンマヌパープ寺に人骨が保管されていた際は、僧侶によって毎日水と食料が供えられていたが、小学校に移されてからは何も供物がなく、空腹に耐えかねているとのことだった。精霊から指定された供物は、もち米、竹の葉でくるまれた焼き魚、竹筒に入れた水だった。この儀式に参加するため、SPAFAの関係者と筆者は2011年9月13日に急ぎナトーン村へ向かった。しかし、前日からの大雨で電車が遅れ、バンコクからの参加者は儀式に参加することができなかったため、以下の儀式の内容は、参加した村人から聞き取りをした情報となる。

　儀式の開催には6人の僧侶が必要だったが、ナトーン村には僧侶が5人しかいないため、隣村から僧侶を1人招待していた。しかし、当日に隣村の僧侶が遅刻をしたため、儀式は5人の僧侶によって執り行われた。タイでは、功徳を積む際は4や6などの偶数が重視され、反対に誕生日など記念日を祝う際は奇数が重視されている。ちなみに、この儀式には、夢のお告げを受けた霊媒師も招待されていたが、隣村の僧侶を待っていたために遅刻をし、参加することができなかったそうである。儀式は人骨が保管されている小学校で行われ、供物は鍵の管理人夫妻が用意した。捧げられた料理はまず僧侶が食し、その後、他の参加者にも配られた。筆者も到着後にこの供応を受けた。

　さらに、遺跡をめぐる村人の神秘的な体験は、夢のお告げのみに留まらない。洞窟の名称であるプー・パンは「洞窟で虎（プー）に食べられたパンおじいさん」という伝承がその由来となっているが、洞窟遺跡で発掘された人骨も、それに因んで村人からパンという愛称で呼ばれている。管理人夫妻によれば、儀式が行われた前月の7月に、4頭の野生の虎がタンマヌパープ寺院付近

で目撃され、村人はその情報を森林省に報告した。近年、タイで野生の虎を見つけることは珍しく、付近で虎が見つかったのは 20 年以上前とのことだった。連絡を受けて森林省のスタッフが捜索したが、虎を見つけることはできなかった。

そこで、村人は霊媒師に相談し、精霊との交信を試みた。そこに現れたのは前村長の魂をもつ小さな虎で、半年前に自らが雷に打たれて死んだ場所に寺院が仏塔を建てようとしていたため、反対しようと姿を現したそうである。その後、仏塔は予定通り建てられた。このお告げを聞いた村人たちは、前村長の精霊に関しては話半分といった状態で、仏塔の建設に関しては、寺院が決めることだからしょうがないといった様子だった。しかし、管理人夫妻は、こうしたストーリーや過去の洪水の記憶を村の歴史の一部として取り入れ、コミュニティ博物館で紹介することを提案した。これにより、村の記憶、洞窟にまつわる伝承や出来事、考古学的発見は、すべて一つのストーリーとして取り込まれ、科学的知識と遺跡にまつわるさまざまな精神的体験や信仰は、そこにある事実として提示され、何を真実とするかは、学芸員ではなく、読み手の解釈と選択に委ねられることになる。

ナトーン村の住民が遺跡に対して示した反応は、二つの異なる認識に区別することができる。まず一つ目は、従来から存在してきた「古代の都市」や「古いモノ」に対する信仰的、呪術的解釈の枠組みに基づいて理解された認識であり、二つ目は文化的・学術的価値に基づく認識である。ここで興味深いのは、日本の石器時代住居跡に関する地域住民の認識を検証した斎藤（2015：304-329）が、信仰的解釈から事実認識の受け入れという連続する直線的な受容プロセスとして分析したのに対して、プレー県のケースは二つの異なる認識領域が存在し、相互に依存しあいながら事実認識を形成している、という点である。異なる認識領域が矛盾せず一つの事実認識を導いた要因として、実質的なプロジェクト実施者である LLMP や SPAFA のメンバーが地域コミュニティと積極的に情報共有をし、彼らを活動に取り込んだこと、そして地域の習慣に則った方法 [13) で調査を行った結果、先史時代の墓地から見つかった人骨という未知の事柄が既知の事実として受け入れられていくようになった、と考えられる。また、コミュニティの住民が FAD に連絡をしたことからも分かるように、FAD との相互信頼がすでに築けていたことも人骨の受容や事実認識の形成に役立ったと言える。ナトーン村の事例は、有形・無形の複数の領域が絡まり合

うモノの展示の在り方を考える上で、参考になるのではないだろうか。

## おわりに

　タイの博物館は、ここ20年ほどの間に大きな変化を遂げた。博物館の変化に影響を与えた外部要因として、まず、次の3点を挙げることができる。第1に、1970年以降の民主化の流れ、それに続く80年代からのコミュニティを基盤としたコミュニティ開発論の盛り上がりと地域文化に対する認識の変化。第2に、1999年地方分権を推進する法律の制定により、文化行政が地方自治体へと委譲され、住民参加型の文化活動やコミュニティ博物館の建設が進展したこと。第3に、住民参加の活動やコミュニティ博物館を理論・実践面でサポートする、考古学や博物館学といった学問分野において研究手法が発展したこと。このような博物館を取り巻く社会的、政治的、学問的な変化は、博物館が人々の多様なニーズを支援し、実践する場となることに大きく貢献した。

　博物館という枠組みが変化するなかで、地域コミュニティは、博物館実践を通して功徳を積み、モノに宿る記憶を保存し、知識や経験を引き継ぐ新たな方向性を博物館に見出した。コミュニティ博物館のコレクションは、地域のコンテクストに依存することから、「モノと人との感情的・精神的なつながり」（Kreps 2014：232）が人や場に大きく作用し、独自の実践へとつながった。プレー県の洞窟遺跡をめぐる一連の出来事は、その代表的なものと言える。それでは、モノが地域のコンテクストを離れ、異なる視線のもとで展示されると、その力は消えてしまうのだろうか。窪田（2014：380-1）によれば、それは地域的役割の減少を示しているかもしれないが、象徴的なものへと意味合いの質が変化しただけで、力そのものは失われていないという。つまり、モノの力は、複数の領域にまたがって存在し、それを取り巻く環境や空間、認知する人によって、それぞれ異なる力が発揮されるのである。

　モノの持つさまざまな力に注目した展示アプローチは、ナショナルレベルの博物館にも取り入れられ始めている。例えば、2016年12月から2017年3月にかけてシンガポールのアジア文明博物館で開催された「都市と王：ミャンマーからの古代の宝物」展では、初期の都市国家が形成されたピューとモンの時代（4～9世紀）、仏教寺院建築が栄えたバガン時代（9～14世紀）、宮廷芸術が栄えたマンダレー時代（19世紀）と、ミャンマーの歴史上最も重要な三時代に

図16　ミャンマー展の仏像と僧侶に
よる読経(提供：スティーブン・マーフィー)

図17　仏像への献花
(提供：スティーブン・マーフィー)

注目し、ミャンマーの国立博物館とアジア文明博物館のコレクションの中から六十点の作品が展示された。開催期間のイベントとして、仏教僧が招かれ、展示品の仏像に祈りを捧げる儀式が行われ、来館者は、仏像に献花を捧げた（図16、17）。また、シンガポールには、ミャンマー人出稼ぎ労働者が数多く滞在していることから、在星ミャンマー大使館を通じて、企画展示の情報が拡散された。これは、切り離されてしまったモノとコンテクストを繋ぎ直し、再構築することで、博物館が多様な人々にとって意味のある関与を生み出す場の創出の試みである。

　1980年頃から2010年頃までの博物館実践を分析したクレプス（Kreps 2011・2014）は、特に人類学系の博物館において、モノと物質文化中心の視点から有形・無形のモノと人間の関係性を重視する視点へと変化したことを述べている。こうした博物館の方向性の転換は、展示するモノの背景にある歴史や文化を通して、社会のあり方やわたしたちの価値観への再考を迫るものである。このようなプロセスに博物館学などの学問分野が参与することは、自らを再調整する機会になるだろう。また、固有の博物館実践に対する認識を深めることは、博物館が持続可能な社会の形成に貢献できる方法を考える上で役立つのではないだろうか。

　　註
1)　"博物館は、有形および無形の遺産を研究、蒐集、保存、解説、展示する、社会に奉仕する非営利の常設機関である。一般に公開され、アクセスしやすく包括的な博物館は、多様性と持続可能性を育む。博物館は、倫理的、専門的に、そして地域社会の参加を得て運営され、コミュニケーションを図り、教育、楽しみ、

考察、知識の共有のために様々な体験を提供する"。（筆者訳）

2) この頃、セデスが発表したタイ史関連の研究に次のものがある；

Coedès G, "Vararāj Vamsāvatara :The history of Siam from A. D. 1350‑1809, according to the version of Somdet Phra Paramanujit, with the corrections of King Mongkut, and a preface by Prince Damrong on the sources of the Siamese history". BEFEO 13(7), pp.7‑8, 1913.

Coedès G, "Documents sur la dynastie de Sukhtaya". BEFEO 17( 2 ), pp. 1‑47, 1917.

3) 2022年6月末に大規模な改修工事が終了し、博物館の外観はそのままに内部の設備が一新された。

4) 「足るを知る経済」は、1997年のアジア通貨危機の際に、プーミポン前国王が誕生日のスピーチで提唱したものである。これは、仏教の中道の教えに基づき、世界の急速な外的・内的変化に適切に対応するためには、節度・摂理・自己免疫が必要であるとする考えであり、持続可能な開発や内発的発展と関連付けて捉えられている（小田 2011）。

5) 筆者がタイ北部プレー県で在来の知恵について調査を行ったところ、在来の知恵とは、人々の生活に根付いた知識の総体であり、地域住民の生活空間そのものであることが分かった（池田 2018：66‑68）。具体的には、仏教、遺跡、建築、生活様式、信仰、工芸品、音楽などが挙げられた。

6) シリントーン人類学センターは、1989年設立のタイとメコン地域を対象に人類学関連の資料蒐集、調査を行う文化省管轄の独立した法人組織で、研究以外にも、公開イベントやさまざまな活動を実施し、寛容と異文化理解を促進することを目的としている。

7) シリントーン人類学センターデータベース https://db.sac.or.th/museum/

8) サイアム博物館は、2005年に知識開発管理局内に設置された特別ユニットで、国立ディスカバリー・ミュージアム・インスティテュート（NDMI）が運営している。バンコクにあるサイアム博物館では、「楽しみにながら学ぶ」ことをモットーに、最先端のマルチメディア技術を駆使してインタラクティブに学習することができる。

9)「健康なまちづくり」プロジェクトは、世界保健機構（World Health Organization）が世界規模で展開したプロジェクトであり、健康開発に従事している各国の地方自治体を対象に行われ、キャパシティ・ビルディング、住民参加によるガバナンスの推進などを通して、社会・経済・環境の側面から健康な街づくりを目指す取り組みである。東南アジアでは1994年からプロジェクトが開始され、タイでは1996年の4月から取り組みが始まった。プロジェクト参加都市に選ばれたプレー県は、2002年8月から2004年3月まで「プレー県における健康な街づくりのための参加型プロセス構築に関する研究」と題されたプロジェクトを実施した。活動の動機として、タイ社会における「中央集権的な行政システム

と経済構造」（Klum Luk Lan Muang Phrae 2005：119)の問題が指摘され、その結果「市民セクターが育たず、公共の利益追求のため市民が互いに協力し、社会活動に参加するということがなかった」（Klum Luk Lan Muang Phrae 2005：119)ことが挙げられている。このような状況を踏まえ、活動の目的は「地域の歴史文化を活用して共同体に活力を与え、健康な街づくりを推進する」（Klum Luk Lan Muang Phrae 2005：13)ことが定められた。活動の主体は、県の自治体、健康保健事務所、共同体開発事務所の他、エイズ支援組織、地域のラジオ番組製作グループ、共同体の代表者といった有志団体または人々で構成された。

10) SPAFAは、東南アジア11カ国が加盟する東南アジア教育大臣機構（略称：SEAMEO)傘下の組織としてタイのバンコクに事務局を置き、東南アジア地域内の考古学および芸術の保全と振興を目的とした国際組織である。

11) FADは文化省管轄下の政府機関で、同国における文化遺産の維持管理及びその促進を担っている。

12) サヤーン・プライチャーンジット(Sayan 2005：31-54)によれば、コミュニティ考古学とは三つの方法論、すなわち、プーミポン前国王による「足るを知る経済」、コミュニティ文化論、内発的発展論を統合した概念に基づくアプローチだと説明されている。彼はナーン県やパヤオ県で行った窯跡遺跡発掘調査においてこのアプローチを実践し、地域コミュニティの発展に結びつく文化資源管理を提案した。

13) 発掘調査を行う前に、霊媒師を招いて土地の精霊に供物をささげ、土地を使用することの許可を得て、作業の安全や成功を祈願する儀式を行った。

引用・参考文献
【日本語】
池田瑞穂　2018『文化遺産を核とした地域共働の可能性についての一考察：タイ北部プレー県中等学校における事例を中心に』平成29年度博士学位請求論文、早稲田大学大学院文学研究科

小田哲郎　2011「タイにおける「足るを知る経済」思想に基づいた農村開発事業」『農村計画学会誌』30 (1)、pp.60-63

川口幸也　2009「ミュージアムという居場所」木下直之編『芸術の生まれる場』未来を拓く人文・社会科学：16) 東信堂、p.61

北原　淳　1996『共同体の思想：村落開発理論の比較社会学』世界思想社

窪田幸子　2014「博物館とフェティシズム：秘匿と開示をめぐる地域博物館の抵抗と交渉」田中雅一編『越境するモノ：フェティシズム研究2』京都大学学術出版会、pp.355-386

斎藤智志　2015『近代日本の史跡保存事業とアカデミズム』法政大学出版

佐藤基樹・幸　秀樹　2016「見ることについての一考察—日本的なものの見方と「見る」に着目して—」『美術教育学』37、pp.247-256

重富真一　2009「タイにおけるコミュニティ主義の展開と普及―1997 年憲法での
　　条文化に至るまで―」『アジア経済』50（12）、pp.21-54
平井京之助　2013「タイのコミュニティ博物館についての一考察：博物館か寺院
　　か？」『国立民族学博物館研究報告』37 巻 3 号、pp.281~310
村田翼夫　2007『タイにおける教育発展：国民統合、文化、教育協力』東信堂、
　　pp.23-27
【英語】
Buggeln, Gretchen. 2017. "Museum Architecture and the Sacred: Modes of Engagement."
　　*Religion in Museums: Global and Multidisciplinary Perspectives,* edited by Gretchan
　　Buggeln, Crispin Paine, and S. Brent Plate, New York: Bloomsbury: pp.11-20.

Coedès George. 1928. *Les Collections Archéologiques du Musée National de Bangkok.* Ars
　　Asiatica Series vol. 12. Les Éditions G. Van Oest.

Gabaude, Louis. 2003a. "Where Ascetics Get Comfort and Recluses Go Public: Museum
　　for Buddhist Saints in Thailand." *Pilgrims, Patrons, and Place: Localizing Sanctity
　　in Asian Religions*, edited by Phillis Granoff and Koichi Shinohara, USB Press:
　　Vancouver・Toronto: pp.108-123.

Gabaude, Louis. 2003b. "A New Phenomenon in Thai Monasteries: The Stupa-Museum."
　　*The Buddhist Monastery: A Cross-Cultural Survey*, edited by Pierre Pichard and
　　François Lagirade, Paris: École française d'Extrême-Orient: pp.169-186.

Gamberi, Valentina. 2019. "Decolonising Museums: South-Asian Perspectives." *Journal of
　　the Royal Asiatic Society,* Vol. 29, Issue 2: pp.201-218.

Kreps, Christina. 2011. "Changing the rules of the road Post-colonialism and the new
　　ethics of museum anthropology." *The Routledge Companion to Museum Ethics:
　　Redefining Ethics for the Twenty-First Century Museum*, edited by Janet Marstine,
　　Routledge: New York and London: pp.70-84.

Kreps, Christina. 2014. *Museums and Anthropology in the Age of Engagement.* Routledge:
　　New York and London.

Peleggi Maurizio. 2015. "The Plot of Thai Art History: Buddhist Sculpture and the Myth of
　　National Origins." *A Sarong for Clio: Essays on the Intellectual and Cultural History of
　　Thailand*, edited by Peleggi Maurizio, New York: Southeast Asia Program Publications,
　　Southeast Asia Program, Cornel University: pp.79-96.

Peleggi Maurizio. 2017. *Monastery, Monument, Museum: Sites and Artifacts of Thai
　　Cultural Memory*. Unieversity of Hawaii Press: Honolulu.

Paritta, Chalermpow Koanantakool. 2006. "Contextualising Objects in Monastery
　　Museums in Thailand." *Buddhist Legacies in Mainland Southeast Asia: Mentalities,
　　Interpretations, and Practices*, edited by François Lagirade and Paritta Chalermpow
　　Koanantakool, Paris: École française d'Extrême-Orient: pp.149–165.

Plate, S. Brent. 2017. "The Museumification of Religion: Human Evolution and the Display
　　of Ritual." *Religion in Museums: Global and Multidisciplinary Perspectives*, edited by

Gretchan Buggeln, Crispin Paine, and S. Brent Plate, New York: Bloomsbury: pp.41-47.

Promey, Sally M. 2017. "Forward: Museums, Religion, and Notions of Modernity." *Religion in Museums: Global and Multidisciplinary Perspectives,* edited by Gretchan Buggeln, Crispin Paine, and S. Brent Plate, New York: Bloomsbury: pp.xix-xxv.

Sirindhorn Anthropology Centre. 2009. *Workshop Report 2009: Museums and Intangible Cultural Heritage.* Princess Maha Chakri Sirindhorn Anthropology Centre, Bangkok.

Tunprawat, Patcharawee. 2009. *Managing iving Heritage Sites in Mainland Southeast Asia.* Doctoral Thesis. Silpakorn University.

【タイ語】

Klum Luk Lan Muang Phrae. 2005. *Suksa Muang Phrae*（プレー研究）.

Krom Sinlapakorn. 2012. *Nung roi nung pi haeng kansathapanna krom sinlapakorn*（芸術局 101 年記念誌）.

Sayan Praicharnjit. 2005. *Krabwnkan borankadi chumchom*（コミュニティ考古学におけるプロセス）. Sathaban Thai khadisuksa, Mahawithayalai Thammasat.

# バンチェン遺跡における国立博物館とコミュニティ博物館

## ―地域住民とのかかわりから―

中村　真里絵

## はじめに

　タイ東北部ウドンタニー県ノーンハン郡に位置するバンチェン遺跡は 1992 年に世界遺産へ登録された先史時代の遺跡である。タイの世界遺産としては 1991 年に登録されたスコータイ、アユタヤ、カオヤイ国立公園に続いて 4 番目の登録に当たり、タイ中部や北部と比べて観光資源のそう多くない東北部においては、貴重な観光資源の一つである。世界遺産登録に先立つ 1987 年に開館したバンチェン国立博物館は、現在では年間 10 万人以上もの来館者が訪れるほど、バンチェン遺跡観光を支えている（図1）。

　このバンチェンにおいて、2017 年 6 月に新たな博物館が誕生した。バンチェン国立博物館からほど近い小さな建物の一角に開館したタイプアン・バンチェン博物館（phiphitaphan tai phuan ban chiang）である。プアン（phuan）とはラオス、タイ、そして中国に居住する少数民族の一つであり、バンチェンに住む人々のエスニシティでもある。

　タイは東南アジアのなかでも博物館をめぐる動きが活発化している国の一つである。シリントーン人類学センター（SAC）の博物館データベースによると、現在タイにおける博物館数は、文化庁芸術局によって組織運営さ

図1　バンチェン遺跡の周辺地図

れている全 43 館の国立博物館および、村人や寺院が運営する小規模博物館等を含めて 1,600 館以上を数える[1]。後者の博物館は、寺院などで設置されてきたコミュニティ博物館である。西本はこのコミュニティ博物館[2]を自集団の歴史や文化を展示するために小規模コミュニティの住民が創設し、運営するミュージアムおよび類似機関と定義している（西本 2017）。タイプアン・バンチェン博物館もこのコミュニティ博物館の一つである。タイにおけるコミュニティ博物館は 1980 年代後半以降に創設されるようになり、とりわけ 1990 年代後半から 2000 年代にかけてその数は急増した（平井 2013：283）。

　本稿では、バンチェン遺跡にあるバンチェン国立博物館とタイプアン・バンチェン博物館という二つの博物館を取り上げ、その特徴や設立過程を明らかにすることにより、タイにおける博物館のあり方と住民とのかかわりを検討する。

## 1　バンチェン遺跡の概要
### （1）バンチェン遺跡の「発見」

　バンチェン遺跡は一般的には 1966 年に「発見」されたと言われているが、これはハーバード大学の大学院生であったステファン・ヤングが村落調査のために、バンチェンに滞在していた時に彩文土器をみつけた年である。彼がこの土器の破片を文化庁芸術局に持ち込んだことを契機に、アメリカのペンシルヴェニア大学付属博物館で熱ルミネッセンス法による年代測定を実施することになった。その測定値の結果がおよそ 7000 年から 5000 年前と出たことにより、これらの土器は東南アジア最古のものとされ、バンチェン遺跡は世界史を書き換える可能性がある遺跡として注目を集めることとなった（朝日新聞社 1972：52）。しかし、この「発見」以前、1957 年にバンチェン小学校の校長であったプロムミー・シースナクルアが既に彩文土器を収集し学校で展示していた。また、1960 年には芸術局がこの遺跡の存在を把握していたものの発掘調査の実施にはいたらず、実際に調査が始まったのはヤング来村後の 1967 年であった。その後 1972 年からの第二次調査はタイの考古学者ニコム・スティラックやチン・ユーディーらによって実施された（朝日新聞社 1972、ニコム 1973）。そして、この年 3 月、プミポン前国王夫妻がヘリコプターにより遺跡発掘現場を見に村へ訪れた。この国王行幸は今もバンチェンに住む人々にとって記念碑的な出来事

となっている。1966年以降、発掘調査、国王行幸、世界遺産登録という遺跡をめぐる出来事に伴って、タイ東北部の一農村に住む村人たちの生活は大きく変わっていくことになる。

## （2）バンチェン遺跡に住む地域住民

　バンチェンに住む村人たちは19世紀初頭にラオスのシェンクワーンより内戦の影響から逃れてやってきたプアン族であるため、紀元前2500年にその来歴をさかのぼるバンチェン遺跡とは直接的つながりはない。丘陵地にあり洪水の影響を受けにくいバンチェン遺跡は地上に遺構が確認出来ないため、プアンの人々はこの土地に家屋を建て居住することができた。しかし、雨季になると地表が流されて人骨や土器があらわになることがあったため、かつてこの土地に人が住んでいたことは認識していたという。調査時に、80歳代の女性は村人と遺跡や遺物の関係について、次のように語った。

　　雨が降った時には水甕などの（土器の）破片が表土に頻繁に出てきた。8歳の頃には家屋の地下から完全な形で水甕が見つかった。その後も水甕などが出てきたけれど、人骨も見たことがあったから、お化け（phi）のものだと思った。（それはお化けのものだから）飲み水は入れずに織物を染める藍をいれたり、道具をしまったりするのに使っていた。

　　ビーズや腕輪、ネックレスが出てきても、怖いから村人はお寺に持参した。もし自分で持っていたりすると、良くないことが起こったり、病気になったり、事故にあったりすると思っていた。病気になった村人がいて、民間の薬草師のところに行ったけれど治らず占い師のところに行くと、「何かにとり憑かれている」と言われ、怖くなって遺物を元にあった場所に戻す者もいた。

　　こういうことが頻繁にあって、村の人たちは怖いから、土器など（古い遺物）を持っているとお化けに取り憑かれると思って、寺の僧侶に届けるようになった。昔、土器をたくさん売ってお金持ちになった人は、罪を犯したから、結局、貧乏になってしまった。（2016年8月インタビュー）

　以上のような語りからも、村人が「発見」以前より遺跡や遺物の存在を認識していたことがわかる。遺物はそれほど珍しいものではなく、子ども時代に土器を投げて割って遊んでいた者もいた。村人にとって遺物は、屋敷地の下に埋まっているただそこにある古いもの、あるいはお化けの所有物として畏怖の対象でもあった。

　しかし、遺跡の「発見」によってバンチェン遺跡から出土する、クリーム色の地に赤褐色の渦巻き文様等が描かれた彩文土器や、精巧な青銅器が国内外の収集家らの垂涎の的となると、一部の村人たちは屋敷地内からそれらを掘り出し積極的に仲介人らに売買するようになった。古美術品としての遺物の注目度が下がった現在ではそれらが博物館で保管する文化財であるという認識が進んでいる（Nakamura 2017）。

## 2　バンチェン国立博物館
### （1）バンチェン国立博物館の概要 [3)]

　1972年3月の行幸時、プミポン国王はこの遺跡の重要性を村人や来訪者に説く必要があることを強調し、バンチェンに国立博物館を設立することを促したという（Ban Chiang National Museum 2009：25）（図2）。

　文化庁芸術局は、1978年にバンチェン国立博物館開館設立準備委員会を立ち上げ、1981年に展示の一般公開を始めた。その後、1983年にジョン・F・ケネディ財団から資金提供を受け新設した建物は、プミポン国王の母の名にちなんでシーナカリン・ビルと名付けられた。この開館式典の1987年11月21日には、シーナカリン王母の代理としてワタナー王女が出

**図2　国立博物館の入口に掲げられた国王行幸時の写真**
（筆者撮影）

席された。2006年には、インドシナ地域の観光開発プロジェクトの一環として、歴史文化財保存プログラムの予算を得て、さらに新たな展示場を建設し、常設展示の充実を図った。この建物が開館する2010年2月9日の式典にはシリントーン王女が出席された。

　現在の博物館展示の概要は以下の通りである。

　第一展示室のテーマは「プミポン国王とバンチェン」である。展示場に入るとすぐに、プミポン国王夫妻がバンチェン遺跡に行幸した際に発掘中の遺構を上から眺めている写真が目に入る。この展示室では、国王行幸時の写真とともに、国王の発言や考古学者とのやりとりの数々がパネル展示されている。また先述した王族たちがバンチェンを訪れた際の写真やエピソードも加わっている。

　続く第二展示室のテーマは「バンチェン遺跡の考古学」である。ここでは、バンチェン遺跡と博物館の概要と発掘調査に貢献した村人、国内外の研究者がパネルで紹介されている。プロムミーら村人に始まり、調査研究の中心的役割を期待されていた最中の1982年に急逝したチェスター・ゴーマンや、その後の調査研究を引き継いだペンシルヴェニア大学のジョイス・ホワイトらが名を連ねている。さらにはバンチェン遺跡を世界的に有名にする契機をもたらしたステファン・ヤングと彼が大学院時代に執筆した論文も展示されている。

　第三展示室以降から本格的な考古学展示が始まる。第三展示室のテーマは「バンチェン遺跡における考古学の仕事」であり、1974年から1975年の芸術局とペンシルヴェニア大学による発掘調査に焦点を当て、発掘や遺物の洗浄作業等も含めて具体的な発掘調査のプロセス、整理作業や化学分析までを解説している。第一次調査時に遺物整理作業場として使用していた村の家屋の室内の様子も再現展示している。

　第四展示室のテーマは「バンチェン遺跡の発掘遺構」の展示である。遺構での発掘の様子を考古学者や作業員の実寸大の人形を用いて再現展示している。ここでは測量している考古学者や作業員が働いている様子を見ることができる。

　第五展示室は、「ポーシーナイ寺の発掘現場からの出土品」の展示である。1972年に発掘されたポーシーナイ寺の一角から出土した土器や青銅器、石製品を編年に従って展示している。

　第六展示室は「バンチェンの先史時代の文化」をテーマに、遺跡から出土した人骨の研究成果に基づいた展示である。古代にバンチェンに居住していた人々

の生活の様子、例えば狩猟や農耕、土器、金属器、織物づくりの様子を、人形をつかってジオラマ展示しているほか、埋葬方法も紹介している。

第七展示室のテーマは「失われた青銅器時代の発見」をテーマにしている。文化庁芸術局、ペンシルヴェニア大学、スミソニアン博物館が1982年から1986年にアメリカとシンガポールで開催した巡回展示 "Lost Bronze Age" からの資料を中心に展示し、バンチェン遺跡の発見とその後の調査が東南アジア考古学に与えた影響を説明している。

第八展示室は、「世界遺産バンチェン」をテーマにした展示である。1992年の世界遺産登録では、バンチェン遺跡の貴重な学術性が評価されたことを、遺物の展示とともに紹介している。

第九展示室は「バンチェン文化の分布」をテーマに、文化庁芸術局の1972年以降の調査研究で明らかになった、バンチェン文化と同時代に相当する東北部サコンナコン県、ノーンカイ県、ウドンタニー県の遺跡からの出土品などを展示している。

第十展示室は、第九展示室までとは別の建物「タイプアン展示棟」にあり、「バンチェンのエスニックグループ・タイプアン」をテーマに展示している。これまで考古展示一辺倒だったバンチェン国立博物館に初めて、2015年に村人のエスニシティであるタイプアンに関する展示室が加わった。ここではプアン族について、その歴史、言語、社会、食文化、信仰、民族衣装、生活用具を紹介する展示となっている。国立博物館に常駐する研究者は考古学専門の3名のみであるため、この唯一の民族展示を作成したのは、バンコクの芸術局から一時的にやってきた担当者だったという。しかし電気系統の故障により、2015年以降2023年にいたるまでのほとんどの期間が閉鎖されたままになっている[4]。

以上がバンチェン国立博物館の展示の概要である。博物館の職員は2022年時点で考古学者3人、公務員、受付や展示案内係、守衛に就く村人を含み合計41名である。コロナ禍直前の2019年の来館者数はタイ人116,547名、外国人2,831名となっている。タイ人来館者のうち54,036名が生徒であり、そのほとんどが学校から団体でやって来ている。コロナ禍の2020年の来館者はタイ人が50,092名、外国人が1,594名と激減した[5]。

**図3　ポーシーナイ寺の遺構展示**（筆者撮影）

### （2）ポーシーナイ寺（Wat Pho Sri Nai）の遺構展示

バンチェン国立博物館が管轄するのはこの博物館に加えて、ポーシーナイ寺の遺構と「タイプアンの家」である。

国立博物館から東方へ750mほど離れたところに位置するポーシーナイ寺の敷地の一部は、1972年に発掘され、さらに1992年に発掘された。これらの発掘調査で出てきた遺構そのものを、屋根付きの施設で覆って保存展示している（図3）。遺構には人骨や副葬品である大量の土器を、施設の壁面には遺構や出土品の説明パネルを展示している他、1972年の国王夫妻が来訪時の写真も貼られている。1997年の洪水時に遺構が水浸しになってしまい、人骨や遺物が被害を受けたため、その後、新たに整備された。

ここには通常守衛が一人いるだけで、彼が来館者の受付も兼務している。国立博物館の来館者が博物館見学後に立ち寄ることもあるが、実際に足を運ぶ者は少なく閑散としていることが多い。

### （3）タイプアンの家（Ban Tai Phuan）

「タイプアンの家」ではプアン族の伝統的家屋を展示している。木造の高床造りで台所の棟と母屋の棟とが分かれている形式で、屋敷地内には収穫した米を保存するための米倉もある。現在、この伝統家屋は村に一軒も残っていないため貴重な展示である。2007年に「タイプアンの家」はタイ建築協会から建築芸術保全賞を受賞している（図4）。

通常は無人で敷地の入り口に鍵がかかっており、来館の希望があればその都度、国立博物館の職員に開錠してもらう必要がある。2022年9月現在、文化庁が160万バーツの予算をかけて修復中のため入館することはできない。

このタイ・プアンの家の元の家主は故モントリピタック（Montripitak）である。彼は1972年の第一次発掘調査時にこの庭の一部の発掘許可を文化庁に出

**図4　タイブアンの家**（筆者撮影）

した。当時、村人たちの中には自分たちの土地を発掘されることに対して抵抗感を持つ者も多かったが、彼はその学術的重要性を理解し、いち早く発掘に賛同した。国王夫妻が行幸された折、この家の発掘現場も訪れ、さらに高床式住居にもあがった。これを記念し、1974年にモントリピタックは土地家屋を丸ごと文化庁に寄贈した。現在、この家屋には、生活用具が展示されているほか、国王夫妻が来訪した際の写真が飾られている。以下は、モントリピタックの妻のMに当時のことを聞いたインタビューである。

　　夫はとてもいい人だった。私の一家が村で最初に芸術局に屋敷地を発掘する許可を出した家族だった。他の家族は掘らせなかったので、芸術局は公共の場所を掘るしかなかった。（屋敷地から出る）遺跡の財産もそのまま芸術局にあげた。国王夫妻が来た時、夫が（その功績から）受勲を受けた。その姿をとても見たかったけれど、その時、10人目の生後2か月の子どもにミルクをあげるために急いで帰宅しなくてはならず、見られなかった。

　　当時、村人は扇風機を誰ももっていなかったときだったけれど、我が家は国王が来るときに合わせて扇風機を買った[6]。それを見て国王が「この村はずいぶん発展しているね」と驚いていた。王妃がとてもきれいだったのを覚えている。この時、国王が後世のために歴史を大切にするようにといった。（2015年8月インタビュー）

　彼女のように現在も国王行幸時のことを鮮明に覚えている村人は多い。夫のモントリピタックはその後に国立博物館で働くようになり、現在では国立博物館の第二展示室で遺跡に貢献した人物として紹介されている。彼の娘もまた長年博物館で働き来館者の対応に専心した[7]。

## 3 タイ・プアン・バンチェン博物館の設立

2017年6月3日、コミュニティ博物館であるタイ・プアン・バンチェン博物館が開館した。このコミュニティ博物館の前身はサッゲーオ寺院に2007年に建てられた博物館である。これらの創設に中心的役割を果たしたのは、現在70歳代のアンカナーである。彼女はかつて

**図5 タイプアン・バンチェン博物館**
（中央がアンカナー、右が筆者）
（撮影 Nittaya Angsila）

バンチェン中学高等学校で英語教師をしていた人物である。以下のコミュニティ博物館の創設の経緯については、2022年9月に彼女から聞き取ったものに加えて、彼女が個人的に書き記していた博物館の創設の記録を参照している（図5）。

### （1）サッゲーオ寺院内におけるコミュニティ博物館

村の文化評議会副会長であったアンカナーは、チェンマイ県、ロイエット県、ノンタブリー県等のコミュニティ博物館を訪れる機会があり、バンチェンにもコミュニティ博物館を創設したいと考えるようになった。そして評議会のメンバーの理解を得て、バンチェン中学高等学校の元校長であるプラシット、文化評議会委員のニパコーンとともに創設に着手した。プラシットは自給自足の生活や村の文化の保存に関心を持ち、ニパコーンも第一次発掘調査に作業員として参加して以降、日頃からバンチェンの文化の保全に強い関心を寄せてきた。3人は村人たちが寄贈した資料のそれぞれに、寄付者、資料名、使用期間を記した台帳をつけて整理をし、寺院内で使われていなかった古い建物を利用して2007年から展示を始めた。サッゲーオ寺は村の中心部から離れていることもあり、来館者はそこまで多くなかったという。

その後2016年に、建物の腐食が進みシロアリの被害もあったため、建物を新しくする必要が出てきた。しかし、僧侶が、寺の静寂を乱す小学生や寺院にふさわしくない服装の観光客に対して、快く思っていなかったため、寺院での

コミュニティ博物館の存続が難しい状況にあった。そこで委員会は新しい場所を探すことにしたが、その時に案として浮上したのが博物館に隣接した土地にある閉鎖された公衆トイレの建物であった。ここは、国立博物館が管轄する土地ではあるものの、塀の外にあり同一の敷地内ではない。トイレ横に育っていた巨大な樹木の根が地中に埋められていた汚物用のタンクを破壊してしまったため、使用が不可能になっており、長らく閉鎖されていた。この場所は国立博物館に近く来館者もアクセスしやすいため、コミュニティ博物館をつくるのに理想的な場所だと話がまとまった。トイレを活用する許可は、バンチェン国立博物館ではなく、東北部の国立博物館を取りまとめる上位機関となる芸術局の第八事務所のコンケン国立博物館から得なくてはならなかった。アンカナーがコミュニティ博物館設立のために、トイレの建物の使用許可を願い出る手紙をコンケン国立博物館館長に送ると、館長から良いことだから是非やるようにという返事がきたという。

## （2）タイプアン・バンチェン博物館の開館

博物館設立の許可を得てからアンカナーは開館のために寄付金を集めた。彼女の呼びかけによって集まった寄付金は20万バーツ、さらにはバンチェンの役場から10万バーツの支援を受けることができた。トイレの撤去や建物の改修、電気系統の整備等、展示整備などは、村人や知り合いの好意で最低限の費用でおさえた。こうして2017年6月にタイプアン・バンチェン博物館が開館した。オープニングセレモニーには、ウドンタニー県の文化局長をはじめ来賓も参加してにぎやかなものとなった。開館後も博物館は寄付金を基に、村人のボランティアによって運営されている。

一室のみの展示室は内部をパーティションで区切って、プミポン国王の写真、農具、楽器、生活用具、古いタイプライター等、村人から寄付された資料を中心に展示している。展示資料の上方の液晶モニターには農業に従事する村人の様子を撮影した動画が流れている。これらのモニターも村人からの寄付で設置されたものである。パネル展示は、タイプアンの食文化や民族言語、信仰、年中行事について、さらにはバンチェン出身者で社会的に成功を収めた小説家や医者などが紹介されている。これらのパネルの解説はアンカナーがすべて執筆したものである。

彼女がコミュニティ博物館設立の目的として掲げているのは「1. 村人の学びの源になること、2. タイプアン文化とコミュニティの伝統を引き継ぐこと、3. バンチェンの村人であることに誇りを持つということ。」である。パネル展示で村出身の成功者を紹介したのは、若者たちのロールモデルとしての役割を期待した。村人によると、現在の50歳代の人々までは村のタイプアン同士で結婚することを好む等、保守的な傾向があったが、現在では村外へ出る若者も多く村外の人や外国人との婚姻も進み、タイプアンの民族文化が廃れつつあるという。この状況に危機感を覚え、博物館がタイプアン文化の発信地となること、さらに博物館を通してバンチェンへの愛着を持ち、ここの住民であることに誇りを持つことが期待されている。この設立の目的には、村人たちが、タイプアンという民族性、バンチェンの住民という二つのアイデンティティを持つことの重要性が明示されている。サッゲーオ寺院内の博物館の時代はバンチェン・コミュニティ博物館と名付けていたが、移転を機にタイプアン・バンチェン博物館と新たに名づけたこともこの目的があらわれている。これに関連し、村人らは祭りなどの特別な場で、タイプアンの民族衣装として手織り木綿藍染絣の民族衣装をよく着用している。その模様には新たに考案したバンチェンの土器の渦巻き模様柄や土器柄を織り込み、それを伝統的な民族衣装としている。小学校や中学、高等学校では毎週金曜日に生徒がこうした民族衣装を着用して登校するが、ここにもタイプアンであることとバンチェンの住民であることの二つが併存している状況を見てとることができる。

## 4　バンチェン遺跡における二つの博物館が示すもの

　本稿で示した通り、バンチェン国立博物館の展示、主に第一展示室には、王室との強い結びつきが顕著に示されていた。このことはバンチェン国立博物館に特別なことではなく、タイの博物館の特徴といえる。20世紀初頭にダムロン親王が、国王への忠誠とタイ人としての民族意識に基づく「愛国心」をはぐくむ場として博物館を利用し、展示品は我々タイ人が継承すべき「遺産」であるという物語をつくりあげた（日向2012：50）ことに由来している。さらに、バンチェンでは、博物館の基礎資料となる遺物が出土した発掘現場に国王夫妻が赴き、村人たちが国王と特別な結びつきを持つ契機となっていた。これは国王の下、人びとが「タイ人」として国とより強固に結びついていくという、

1970年代に盛んに行われた行幸の企図が果たされたことにもなる（櫻田 2013）。

　バンチェン国立博物館の大部分にあたる第三から第九展示室は、古く由緒正しい国家の遺産として考古遺物が展示されてきた。それでは2015年に設立した第十展示室の民族展示はどのように位置づけられるのだろうか。この民族展示室の開設は、これまでバンチェン国立博物館が遺跡や考古学の研究成果のみを展示してきたことを考えると、博物館の歴史において大きな転換点だったといえる。タイプアン展示は小さいながらも独立した建物で、プアン族に関する概要を展示している。館長によるとこれは政策の流れであるという。1980年代以降のタイではその土地に根差した「地方の知恵」や地域文化を重視していくというコミュニティ主義が台頭し、やがて政策指針に取り入れられ2007年憲法では、地域の伝統的知識を保護する権利を保障した（重富 2009：21-22、馬場 2021：90）。この潮流に沿って、タイプアンのような民族文化も、多様な伝統文化のひとつとして位置付けられていった。

　それでは、タイプアン展示があるのにかかわらず、村人はなぜタイプアン・バンチェン博物館をつくったのか。その違いはなんなのだろうか。アンカナーによると、国立博物館内のタイプアン展示室とコミュティ博物館の展示の相違点は細部にあるという。国立博物館は一般的なタイプアンの情報を展示しているのに対し、コミュニティ博物館は村人たちに直接かかわるものを展示しているという。村の代表的識者であるアンカナーをはじめとして村の文化活動やバンチェンへの愛着が強い村人たちが中心になって設立を進めた。村人たちが協同で開設し、現在もボランティアで開館している。村人自身がミュージアムの創設、運営の主体であり、組織や予算などは寄付で賄い、展示品も自分たちが使っていたものを寄付、展示している。展示品や展示内容には似通っている部分もあるが、住民たちが直接、展示の実践や建物の整備にかかわっているか否かが異なる。一般的なタイプアン文化についての紹介なども入っているが、バンチェンに住む村人が展示に携わっていることにより、この二つの展示は似て非なるものだと言えるだろう。

　1966年以降、急激な変化にさらされたバンチェンの村人たちは、タイ国民であるということ、タイプアンであること、そしてバンチェン遺跡に住む村人であるということの狭間で生きてきたとのだということを、インタビューの端々から感じることがある。2015年から断続的にバンチェン遺跡に文化人類

学の調査に通っている過程で、村人たちと話す中で印象的な会話があった。博物館で働いていた村の女性が、展示の案内をしてくれている途中で「研究者は専門用語でバンチェンの歴史を説明することができるかもしれない。でも村の本当の歴史は知らない。村の本当の歴史を知ってもらいたい。」と言われたことがある。「だからあなた（筆者）を手伝っている。」のだと。この女性はタイプアンの家を寄贈したモントリピタックの娘であった。アンカーナーがコミュニティ博物館設立で目指した、「バンチェンの村人としての誇りを持つこと」というのは、三つの重層的なアイデンティティをまとって生きていくことなのかもしれない。

　謝辞：本研究は JSPS 科研費 19K01239、18H03451、15K16906 の助成を受けたものです。


註
1)　Silingtorn Anthropology Center（SAC）(https://db.sac.or.th/museum/list-museum)（2022 年 12 月 23 日閲覧）。
2)　コミュニティ博物館は、phiphithaphan thongthin（「地元の博物館」の意味)や phiphithaphan chumchon（「地域の博物館」の意味）、あるいは英語からの外来語で「ローカルミュージアム」と呼ばれることがある。
3)　バンチェン国立博物館の概要は博物館のリーフレットと Guide to Ban Chiang National Museum（2009)を参照した。
4)　現在、博物館は一部修理中かつ新たに研究棟を建設中であり、館長によると今後、民族展示などは移動させる可能性もあるという。
5)　入館数についてはバンチェン国立博物館よりいただいた資料を基にしている。コロナ禍において通常の博物館業務ができなくなったため、収蔵品の掃除や整理を進めたという。
6)　バンチェンでは国王行幸の前に電気が整備された。
7)　博物館の従業員のうち村人が働く場合は、このように遺跡と縁のある人物を採用することが多かった。しかし最近では、館長の方針で公募制を取り、面接と簡単な試験をするようになった。


引用・参考文献
【日本語】
朝日新聞社　1972「タイ発見の最古の青銅器・彩色土器文明〈報告全文〉」（中沢郁子訳）『朝日アジアンレビュー』3 号 4 巻、pp.52-18
櫻田智恵　2013「「身近な国王」へのパフォーマンス：タイ国王プーミポンによる地方行幸の実態とその役割」『AGLOS：Journal of Area-Based Global Studies』

(SPECIAL EDITION) pp.71-97

重富真一　2009「タイにおけるコミュニティ主義の展開と普及：1997 年憲法での条文化に至るまで」アジア経済研究所『アジア経済』第 50 巻第 12 号、pp.21-54

ニコム・スティラック　1973「先史時代発掘調査報告」（吉川利治訳）『民族学研究』38 巻 2 号、pp.173-179

西本陽一　2017「コミュニティ・ミュージアムをめぐる文化資源の政治学 タイのローカル・ミュージアム 」日本文化人類学会第 51 回研究大会要旨集

馬場智子　2021「タイの "Local Wisdom" を組み込んだ STS 教育の実践：地域社会の実情に即した環境教育とは」『岩手大学教育学部研究年報』第 80 巻、pp.87-98

日向伸介　2012 「ラーマ 7 世治世期のバンコク国立博物館に関する一考察：ダムロン親王の役割に着目して」『東南アジア：歴史と文化』pp.30-59

平井京之介　2013「タイのコミュニティ博物館についての一考察：博物館か、寺院か？」『国立民族学博物館研究報告』37 巻 3 号、pp.281-310

【英語】

Ban Chiang National Museum 2009 *Guide to Ban Chiang National Museum*.

Nakamura Marie 2017 "How Did Villagers Become Preservers of the World Heritage? The Case Study of Ban Chiang Archaeological Site, *Full Paper on 13th International Conference on Thai Studies（ICTS13）*, pp.1074-1085.

# 文化と産業を結び付ける観光とミュージアムの役割

## —タイ・ランパーン県における「窯業とその文化」をテーマとする文化産業観光—

德澤啓一

## 1 タイにおける地方誘客の試み

　タイ政府は、観光庁（Tourism Authority of Thailand：TAT）による 1998 年（仏暦 2541）からのアメイジング・タイランド（Amazing Thailand）キャンペーンに代表されるとおり、主として、インバウンドを誘致するための観光振興に取り組んできた[1]。

　こうした中で、近年、タイらしさ（Thainess）が強調されるようになり、地方特有の有形・無形の自然と文化を活用し、地方観光を推進する方向性が示されたものの、実際は、バンコクとその周辺地域、南部のビーチリゾート等の主要（1 次的）観光地において、観光資本とこれによる開発が集中している。

　COVID-19 感染症禍以前の 2019 年の政府統計を見ると、ひと月あたりの世帯収入は、バンコクとその周辺地域 37,751 THB（2023 年 3 月時点で 1THB ≒ 3.8 日本円）、南部 25,647 THB、そして、今回取り上げるランパーンが位置する北部 20,270 THB となっており、産業集積や観光開発等の経済状況を反映し、地域間の顕著な所得格差が生まれている[2]。

　そのため、2 次的観光地において、近年、地域固有の風土や他地域に優れる所産・遺産を再発見し、これを地方の経済成長、活性化のために再編成することで、地方誘客を促進するための新しい観光を生み出す手立てが講じられるようになった。これは、地方に暮らす住民の所得向上を図り、主要観光地と 2 次的観光地、そして、中央と地方の経済格差を縮減することを大きな狙いとしている。

　こうした中で、近年、地域の経済発展を支えてきた地場産業に着目し、また、その背景にある歴史的・文化的・芸術的側面を重ね合わせ、地方誘客を促

進するための文化産業観光という新たな取り組みが見られるようになった。

　北部のランパーンには、典型的な資源立地型の窯業があり、その資源の豊かさから、企業、中小の窯業世帯が集積されている。また、人間轆轤で成形し、野焼きを行うような伝統的な土器製作の職人、また、近年、新しい陶芸を標榜するアーティスト等が集うようになり、ランパーンは、さまざまな規模・形態の窯業資本が集積されて、「窯業の町」と呼ぶにふさわしい多様な「窯業とその文化」が展開している。

　ここでは、ランパーンにおける地方観光とこれを支える地域コミュニティーの現状と課題を整理し、文化産業観光による地方振興の可能性とそこに果たすミュージアムの役割を考えることにしたい。

## 2　ランパーン地方観光の現状

　2018年、TATによる「タイ12の秘宝（12 Hidden Gems）：絶対に行っておくべき12県の隠れた名所」のキャンペーンが展開された。これは、地方色豊かな自然や文化、また、両者が複合した文化的景観に注目し、さらに、これらを構成する歴史的建造物・近代化遺産等を取り上げている。そこに、舞踊・音楽・伝統工芸・料理・年中行事等を組み込むことで、滞在型と体験型がバランスよく組み合わされた観光振興を目指しており、そこでは、ミュージアム等の観光インフラを活用したさまざまな取り組みが行われている。

　ランパーンは、このキャンペーンの筆頭に挙げられ、「眠れる森の美女／時が止まったかのような街並みが魅力」というキャッチ・フレーズで旧市街地を中心とする地方誘客が目論まれた[3]。TATが発行したパンフレットを見ると、ランパーン観光は、主として3つの構成要素に区分することができる。①ワット・プラケオドーンターオ（Wat Phrakaew don tao）、ワット・プラタートランパーンルアン（Wat Phra That Lampang Luang）等の木造寺院群に代表されるハリプンチャイ様式、ビルマ様式、ランナー様式等のさまざまな歴史的建造物、②ラッサダピセーク（Ratsadapisek）橋を起点とする伝統的なまちなみカッコンタ（Tad Kong Ta）を利用したウォーキング・ストリートやナイト・マーケット等の飲食・物販のパッケージ、③ランパーンに近代化をもたらしたチーク材交易の象徴であるラッサダピセーク橋、ランパーン駅等の近代化遺産、③花馬車やエレファントライド（タイ国立象保護センター）等のアクティビティをあげるこ

とができる。

　しかしながら、これまで、さまざまなキャンペーンやプロモーションが繰り返されてきたものの、従来のランパーン観光と比較して、あまり目新しさはない。ランパーンに限らず、新たな観光資源を掘り起こし、また、集客施設を建設するといった観光開発が簡単でないことを物語っている。

## 3　地方観光の新たなアクター

　文化産業観光に限らず、物販、飲食、宿泊等は、観光地に欠くことのできないきわめて重要なコンステレーションであり、これらの担い手となる資本とそこに蓄積された観光地経営に関するノウハウが観光地の魅力と観光客の満足度を大きく左右するといってよい。2次的観光地であるランパーンでは、これまで、伝統的なまちなみの維持管理、ナイトマーケットにおける出店調整等を経験してきたものの、異業種間のサービスをワンストップで束ねるような強力な観光資本が存在しなかった。そのため、国と地方政府が政策的に主導し、これらの担い手として、企業や個人、業種や事業の垣根を越えた地域コミュニティーによる観光地経営組織（Destination Management ／ Marketing Organization：DMO）が設立されるようになった。

　これまで、2001 年に開始された一村一（銘）品プログラム（One Tambon One Product：OTOP）、地域や住民とのコネクティビティを重視した参加・体験型プログラムやロングステイ、ホームステイを手段とする地域密着型観光（Community Based Tourism：CBT）の取り組み[4]、そして、2018 年、文化産業観光を推進するクリエイティブ・インダストリー・ヴィレッジ（Creative Industry Village：CIV）、すなわち、「革新的な産業育成のためのプログラム」等のフレームワークがあげられ、DMO がプラットフォーマーとなり、公共的な観光地経営を担うようになった。

　このうち、CIV は、工業省（Ministry of Industry：MOI）が所管する「クリエイティブ産業（Creative Industry）」、文化省（Ministry of Culture：MOC）による文化省が所管する「文化資本と伝統知（Cultural Captital and Local Wisdom）」、観光・スポーツ省（Ministry of Tourism and Sports：MOTS）が所管する「観光地（Tourist Destinations）」を三位一体として開発し、地域に実装するプログラムである。

　こうした DMO は、地域コミュニティーが観光地の資源を管理・運営し、こ

れらを源泉とする利益を地域コミュニティー内のアクターに分配する役割を担うことにより、地方誘客の最大の目的である地域住民の所得の向上に大きな責任を果たすことが期待されている。国・県等の行政機関から認証され、資金等のサポートを受けることで、効果的・持続的な活動が目指されるようになった。ただし、資金の収支や利益の配分等に関する透明性を高める経営インテグリティを確保・担保する方策が課題として残されている。

## 4　コカー地区 CIV の窯業

タイ王国では、窯業製品として、青磁・白磁（ブルー・アンド・ホワイト）とともに、セラドン焼、ベンジャロン焼が著名であるものの、その一方で、地方色豊かな陶磁器製作が展開している[5]。このうち、ランパーンは、ワン川が縦流するランパーン盆地の中心に位置しており、良質のカオリナイトが産出することから、コカー郡、そして、ムアン・ランパーン（Muang Lampang）において、鶏埦チャーム・カイ（Cham Kai・図1）に代表される陶磁器製作が行われている。

このうち、ランパーン県コカー郡（Amphoo Ko Kha）ターパー準郡（Tambom Tha Pha）では、ワン川（Mae Nam Wang）北岸の2つの村落、バーン・サラブアボック（Baan Sala Bua Bok・以下「サラブアボック」）、バーン・サラメン（Baan Sala Meng・以下「サラメン」）では、インダストリーというより、職人やアーティストが営むファクトリー、アトリエと表現した方が適切な小規模な窯業

図1　チャーム・カイ（1/8）

図2　コカー地区 CIV（サラブアボック及びサラメン）の窯業事業者
(Google Earth から作成・2020 年 3 月時点の分布状況)

事業者が集住しており、アーティスティックなプロダクトを含むさまざまな陶器つくりは、工業省から CIV に認定されている（以下「コカー地区 CIV」と呼称・図 2）。

　サラブアボックは、1502 年（仏歴 2045）に開かれ、移民によって、ゴムの栽培がはじめられた。現在、図 2 のとおり、ゴム林を見ることはできず、50 以上の製陶世帯が営まれている。また、サラメンは、1758 年（仏歴 2301）、バーン・サラルアン（Baan Sala Luang）から移住し、その後、多数のモン族が遷移した。サラメンは、モン族に由来する名称であり、現在、20 軒程度の製陶世帯を確認できる。

　コカー地区 CIV における窯業の移入は、20 世紀中頃以降とされている。18世紀後半、ラッタナーコーシン朝が興り、その頃には、ジャンク船による清の南海交易が盛んになり、とくに、福建、広東からの労働者と東南アジア向けの

低価格の陶磁器等が輸入された。その一つが鶏塊であり、清からの商人や労働者が定着し、華人社会が形成されたことで、飯塊、麺塊としての鶏塊の需要が増大することになった。このように、東アジア・東南アジアでの華僑・華人の広がりと軌を一にしながら、日本・韓国・台湾・ベトナム・タイ・マレーシア・シンガポール等に鶏塊の分布が拡大していった。こうした中で、ランパーンには、20世紀中頃、広東から客家のグループが遷移し、チャーム・カイの生産が開始された[6]。

　その後、コカー地区 CIV に限らず、チャーム・ガイは、さまざまな鶏の表現やモチーフが創出されるようになり、形態や文様が変容し、新しい器種が生み出されていった。また、多くの産地では、石膏型による鋳込み成形や LPG ガスや電気窯等を導入するようになり、作業の省力化・効率化、商品の現代化・多様化に取り組みながら、量産化を図る中で、伝統的な製作技術・生産様式から逸脱するようになっていった。

　コカー地区 CIV では、チャーム・カイ等の什器に加えて、カップ・アンド・ソーサー、花瓶、時計の文字盤、スマートフォン・スタンド等の現代的な生活に適合し、消費者需要に訴求する製品・商品を製作するようになった。また、回転台や轆轤による挽き上げ成形から型成形や鋳込み成形が主流となり、主として、下絵付け技法によることで、コストを押し下げていった。また、コカー地区 CIV では、窯業にかかる技能や設備の状況が事業者単位で大きく異なる。規模の大小があるものの、素地製作から焼成までを一貫して内製する製陶工場がある一方で、素地製作、鋳込み成型、絵付け、焼成等の部分的な工程を請け負う分業・協業する世帯間関係も見られ、また、製陶工場の一部の工程を下請けする世帯もある。

　また、良質なカオリナイトや創作環境を求めて、域外から陶芸作家が移住している。彼らは、地場の技術や製品・商品に関する既成概念にとらわれない創作活動を通じて、コカー地区 CIV の窯業の変容や創造を媒介するようになり、こうした外部からの新しい刺激がクリエイティブな窯業の推進力となることが期待されている。

　こうして、コカー地区 CIV では、窯業に携わるさまざまな世帯を中心とする DMO が主体的な役割を果たしながら、「窯業とその文化」をテーマとする文化産業観光を推進することになった。製品・商品・作品の販促と直売のため

図3　コカー地区 CIV ビジターセンター
（2022 年筆者撮影）

図4　窯業振興センター（2022 年筆者撮影）

図5　窯業製品と手工芸品の卸売展示場
（2022 年筆者撮影）

のビジターセンター、ローカル食堂、ホームステイ等が新たに建設され、とりわけ、ビジターセンターは、現地の観光案内の拠点となり、観光客の受け皿が整えられた（図3）。

なお、コカー郡では、ワン川の南側の国道1号線の沿線において、比較的規模の大きな製陶工場が複数営まれており、こうした製陶工場では、陶磁器というよりは、壁材、床材としてのタイル、衛生陶器、浄水器等の高密度フィルター、そして、ファイン・セラミックスを指向する一部の製陶工場では、碍子等を生産している。また、ミュージアムそのものでないものの、ランパーン県政府によって、窯業振興センター（Ceramic Industries Development Center・図4）、窯業製品と手工芸品の卸売展示場（Ceramic and Handicraft Wholesale and Exhibition Center・図5）が建設されているとおり、コカー郡の窯業は、ランパーン県の主要産業と位置付けられていることがわかる。

## 5　窯業の産地から「窯業とその文化」をテーマとする観光地へ

コカー地区 CIV は、中心市街地から比較的距離があるローカルエリアであることから、観光誘客を推進し、窯業の産地を観光地に仕立てる上で、いくつかの課題がある。

①大人数の観光客を受け入れる施設がなく、大型バスの乗り入れや駐車が困難であり、マス・ツーリングや発地型観光に対応することが難しい。

②着地型観光に対応し、ランパーン観光の中心地である旧市街から観光客を誘客するためには、コカー地区 CIV を目指す動機付けを図る必要があるものの、その役割を果たすサテライトとしての案内所やミュージアムが旧市街に存在しない。

③ランパーンの旧市街地からコカー地区 CIV に移動するためのバス・タクシー等の交通手段が限られており、Grab 等の配車サービスを含めて、アクセシビリティを高める必要がある。

④コカー地区 CIV には、「窯業とその文化」以外のテーマが少ないことから、観光客の長時間の滞在を見込みにくいため、観光のコンテンツを掘り起こす（創出する）、あるいは、観光の範囲を広げる必要がある。

　こうした課題を解消し、コカー地区 CIV の文化産業観光を推進するためには、行政、大型観光資本が関与する観光インフラの整備が望ましいものの、DMO 等による実現可能な対応策はきわめて限られている。現実的な対応策の一つとしては、文化や産業をノードとして、同じような課題を抱える近隣の他産地等とともに協働し、「窯業とその文化」をテーマとする中・広域的な観光クラスターを形成することが考えられる。ここでは、コカー地区 CIV とともに新たな観光を共創する可能性をもつランパーン域内の「窯業とその文化」に関するコンテンツに目を向けてみたい（図6）。

## （1）ミュージアムと歴史

　ランプーン・ランパーン両県は、11～13 世紀において、ドゥヴァーラヴァティー、ラヴォ（ロップリー）等の周辺領域の影響を受けながら、モン族のハリプンチャイ王国が栄えたとされている。この時代において、ピン川（Mae Nam Pin）、クアン川（Mae Nam Kuang）の要衝において、ウィアン・マノ（Wiang Mano）、ウィアン・ターカン（Wiang Tha Kan）、ウィアン・クムカム（Wiang Kum Kam）等の都市が形成された[7]。しかしながら、13 世紀末になると、シャム（タイ）族のマンラーイ王に征服され、ハリプンチャイ王国は、ラーンナー王国の支配下となり、16 世紀に入ると、パインナウン王の東方遠征に伴って、ラーンナー王国、そして、ランパーンは、ビルマの版図となった。その後、ト

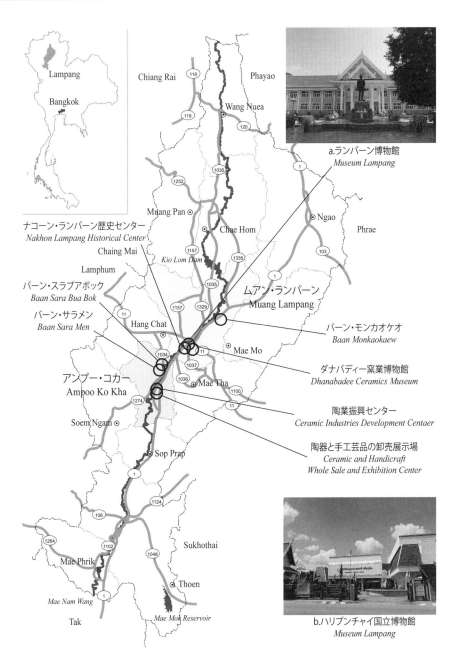

a.ランパーン博物館
*Museum Lampang*

ナコーン・ランパーン歴史センター
*Nakhon Lampang Historical Center*

バーン・スラブアボック
*Baan Sara Bua Bok*

バーン・サラメン
*Baan Sara Men*

アンプー・コカー
Ampoo Ko Kha

ムアン・ランパーン
Muang Lampang

バーン・モンカオケオ
*Baan Monkaokaew*

ダナバディー窯業博物館
*Dhanabadee Ceramics Museum*

陶業振興センター
*Ceramic Industries Development Centaer*

陶器と手工芸品の卸売展示場
*Ceramic and Handicraft
Whole Sale and Exhibition Center*

b.ハリプンチャイ国立博物館
*Museum Lampang*

図 6　ランパーン県における窯業と博物館

ンブリー朝が成立するまで、アユッタヤーとビルマ、そして、イギリスの影響を受けることになる。

　こうしたランパーンの成り立ちに関しては、ランパーン博物館（図6a）、ランプーンのハリプンチャイ国立博物館（図6b）等の展示に詳しい。これらの展示は、タイ前史に位置付けられるハリプンチャイの王国史がテーマとなっており、タイ王国の歴史を系統的に理解することができる。ただし、こうしたマクロな視座からの歴史展示の中には、ランパーンの「窯業とその文化」に関する内容がほとんど含まれておらず、文化省等が所管するにもかかわらず、これらのミュージアムは、文化産業観光とのかかわりが希薄といえる。

## （2）チャーム・カイと鶏伝承

　チャーム・カイは、中国広州に出自をもつとされ、タイに到達したチャーム・カイの性格や用途は、江戸時代の日本に普及した「くらわんか手」の埦に近似している。クイティアオ・ルア（Kuitiao Rua）は、庶民的な日々の麺食であり [8]、かつて、アユッタヤー等の運河や水路の舟上で煮売りされていた。チャーム・カイは、当時、低所得者層向けの安価な雑器であり、クイティアオ・ルア等の容器に用いられた。

　今日、道路網が整備されたアユタヤやバンコクでは、観光地となった水上マーケットを除いて、舟上での煮売りが見られなくなった。その代わり、道路脇の市場等において、麺食堂や麺屋台が営まれるようになり、その店頭には、当時の名残として、クイティアオ・ルアを象徴するミニチュアのルア（舟）とチャーム・カイの組み合わせを見ることができる（図7）。

　また、ランパーンは、別名「クックット・ナコーン（Kukkud Nakhon）」と称され、これは「白い（鶏の）町」という意味である。かつてブッダがこの町に周遊した際、ランパーンの住民が功徳を積み損なうことを畏れたインド

**図7　ルアとチャーム・カイ**
（バンコク都バーン・カピ郡・2022年筆者撮影）

ラは、白い鶏に姿を化えて、町の住民を目覚めさせたという伝承に由来している。そのため、花馬車で有名なランパーンでは、町のシンボルとして、花馬車と鶏をあしらったさまざまな意匠を見ることができる[9]。

このように、チャーム・カイの伝統とカオリナイトという資源がランパーンを窯業インダストリーに発展させた歴史がある。また、鶏伝承が残され、奇しくも、チャーム・カイの生産が盛んになったストーリーがある。これは、ランパーンのローカリズムを主張する地域史の一つであり、タナバディー社設立のタナバディ窯業ミュージアムの展示に詳しい。

## （3） ダナバディー窯業とそのミュージアム

客家アパイ（Apai）は、故地の広東において、鶏坑の職人であったものの、第2次国共内戦を逃れ、バンコク、チェンマイの製陶工場で働いた後、1957年（仏暦2500）、ムアン・ランパーンにおいて、仲間とともに、製陶工場ルアンサマケー（Ruamsamakee）を立ち上げ、ランパーンで最初にチャーム・カイの生産をはじめたという。

ルアンサマケーからダナバディー（Dhanabadee）にかけてのチャーム・カイは、雄鶏の冠から肉髭にかけての赤、尾羽の黒が印象的に描かれ、製作年代の古いものほど写実的であり、また、ふくよかさは富の象徴であったことから、肉付きのよい鶏が描かれていた。また、鶏の周囲には、緑色のバナナの葉や草、薄紅色の菊花等の伝統的な絵柄が配されていた。また、本来は、上面から見ると、ほぼ円形に近い8角形であり、側面から見ると、8面から構成された口反りの浅い坑であり、高台付きである。サイズは、口径5〜8インチの1インチ違いの4種類が基本であり、現在、クイティアオ・ルア等の麺食堂・麺屋台で用いられているチャーム・カイは、8インチが一般的なサイズである。なお、舟上でクイティアオ・ルアが煮売りされていた頃は、より小さなサイズが主流であった。

伝統的な製作技法としては、①カオリナイトを採掘し、唐（踏）臼で粉粒化する。②水簸し、素地を製作する。③2人1組の手回し轆轤、あるいは、蹴轆轤を用いて、水挽き成形する。④成形体を灰釉にどぶ漬けし、釉掛けする。⑤成形体を匣鉢に入れ、焼成・釉焼する。⑥釉上に絵付けする。⑦龍窯タオ・マンゴン（Tao Mangkon）で焼成する。という手順であった。

その後、中国製や印判等による廉価な量産品に押されたこともあり、アパイーとその仲間は、事業を分割し、それぞれが独立することになった。1965年（仏暦2508）、アパイは、彼の工場ダナバディーサクル（Dhanabadeesakul）を設立し、チャーム・カイとともに、カノム・トゥアイ（Kanom Thuai）等のタイ・スウィーツ用の小型の容器を製作するようになった（図8）。

図8　カノム・トゥアイとトゥアイ・タライ
（2022年筆者撮影）

また、創業時に築造されたタオ・マンゴンは、現存するランパーン最古の龍窯であり、タイの文化遺産に登録されている。この龍窯の脇に積み上げられた大量の匣鉢のとおり、トゥアイ・タライ（Thuai Tarai）等の小型容器を大量生産していた当時の様子を復元展示している（図9）。

その後、アパイの長女ユピン（Yupin）、末弟パナシン（Panasin）の尽力によって、ダナバディーサクルは、現代的な製陶業に発展した。パナシンは、1990年、ダナバディー・アート・セラミック社（Dhanabadee Art Ceramic Co.Ltd）、2003年、ダナバディー・デコール・セラミック社（Danabadee Decor Co.Ltd.）を設立し、"danabadee"、"Bucha-d"、"White Elephant" 等の白磁を指向するブランドを生み出し、チャーム・ガイと一線を画する現代的な生活様式に適応した新商品を生み出し、また、その高い品質によって、海外輸出産品としての高い評価を受けるようになった（図10）。

しかしながら、ダナバディー社の絵付け師は、アパイ以来のチャーム・ガイの造形と意匠を受け継ぎ、ダナバディーの伝統

図9　タオ・マンゴン（2022年筆者撮影）

の真正性を主張することで、他の工場との差別化を図ることに繋げている。また、その代表的な取り組みとしては、ダナバディー社の言説を額面通りに受け取ると、生産性とコストを引き換えにして、ランパーンで唯一の上絵付け技法を堅持していることがあげられる。

また、ユピンは、ダナバディー窯業ミュージアムを設立し、「ダナバディー家」のファミリー・ヒストリーを軸として、父アパイのダナバディーサクルの工房やタオ・マンゴン等の祖業の展示を通じて、ストーリー・ブランディングを確立し、ランパーン窯業のリーディング・カンパニーとしての地位を顕示する装置として機能している（図14）。

**図10　ダナバディー社のモダンな製品**
（2022 年筆者撮影）

**図11　ダナバディー窯業ミュージアム**
（2022 年筆者撮影）

## （4）バーン・モンカオケオにおける伝統的土器製作

　ムアン・ランパーンの北方、ワン川の東岸に位置するバーン・モンカオケオ（Baan Monkaokaew・以下「モンカオケオ」）は、タイ北部で最大規模の土器製作の村落の一つであり、モンカオケオの土器は OTOP に認定されている（図12）。2007 年の筆者らによる現地調査では、70 世帯が土器製作に従事し、製作者のほとんどが女性であり、このうち、20 世帯が通年専業であり、50 世帯が乾季（12〜5 月）の農閑期兼業という内訳であった。しかしながら、国道 1 号線が整備されたことで、これに接続するように住宅地が拡大し、近年、土器製作を停止する世帯が増加している。また、水甕モーナム（Mow Nam）、鍋モーケーン

**図12　モンカオケオの伝統的な土器製作の世帯**
(Google Earth から作成・2007 年 8 月時点の分布状況)

（Mow Keen）、甑、湯沸かし鍋モートム（Mow Tom）、焜炉タオ（Mow Tao）等の伝統的な器種に加えて、チキンロースターや植木鉢、花瓶等の新しい器種を製作するようになった（図13）。

　本来、成形は、製作者が成形台を周回する「人間轆轤」であったものの、手回し回転台が用いられるようになった。モーナム等の伝統的な器種は、回転台の上に平坦な円盤を載せ、この上に粘土紐を積み上げていた。その後、回転台上でタタキの工程のほとんどを終わらせ、回転台から成形体を切り離し、膝上

**図13　モンカオケオの OTOP 製品（上段）**
（窯業振興センター・2022 年筆者撮影）

**図14　タタキによる成形の様子**
（2022 年筆者撮影）

で、平底から丸底にタタキで変形させるようになった（図14）。また、土錬機で混錬した素地を他世帯に供給（販売）する世帯が見られ、コカー地区CIVのような世帯間分業、ダナバディー社のような窯業機械化が進められていた。さらに、製作者組合が結成され、研修による製作技術のノウハウの共有、原材料の共同調達等が行われるようになった。地方政府・政府系機関・NGO等からの融資や援助等を受けるようになり、伝統的な製作技術・生産様式から変容しつつあるといってよい。

## 6　産地間の連携と観光クラスター

　このように、ランパーンの窯業は、伝統とモダン、そして、革新から構成されており、このうち、コカー地区CIVは、実業とアートの領域が融合しながら窯業を革新し、都市生活者や外国人に受け入れられる新しいプロダクトデザインを生み出すようになった。

　また、チャーム・カイの伝統は、コカー地区CIV、ムアン・ランパーン等の産地間に通底しており、また、鶏伝承を起点とするチャーム・カイ発祥のストーリーは、ダナバディー窯業ミュージアムの展示やモンカオケオの土器製作民族誌等とともに、ランパーンの窯業の歴史的・文化的側面をより強調することになる。すなわち、これらの産地が連携することで、文化産業観光にふさわしい新たな観光を生み出すことに繋げることができる。また、こうした「窯業とその文化」というテーマに関心を寄せる観光客が少なくないことから、特定目的観光SIT（Special Interest Tourisim）の対象としても有望な観光の対象となることが見込まれる。

　ただし、産地間・観光地間を連繋させるためには、観光インフラの整備にも増して、これらを観光客が回遊する文脈が不可欠となる。すなわち、ランパーン窯業の成り立ち、窯業技術の移転・変容・創造、製品・商品の移り変わり、そして、産地間関係等を解説することで、観光地間の回遊を動機付け、適切な導線としての観光ルートを提案することが必要であり、そのためには、ランパーン旧市街等の観光の起点において、観光地間を結び付ける案内所やミュージアム等のサテライトを設置することが望ましい。

　また、同業種であるからこそ相互利用できる観光地経営のノウハウを活かしながら、そして、産地間を回遊させる観光客のスワップを通じて、観光客数を

積み増し、窯業製品をはじめとする物販・飲食の売り上げの増加に繋げることで、観光地間連携のスケールメリットを享受できるようになる。

## 7 持続的な文化産業観光とこれを支えるためのミュージアム

CIV のフレームワークは、「文化資本と伝統知」が過去から現在までの歴史、「クリエイティブ産業」が現在から未来にかけての産業革新という時系列の構成要素から成り立っており、文化産業観光を持続的に発展させるためには、将来にわたって「文化資本と伝統知」となっていく産業を持続的に包摂していくミュージアムが不可欠といえる。

すなわち、「文化資本と伝統知」として、窯業に関する文化遺産、文化財、現生の文化を収集・記録保存することが必要であり、これらの調査・研究をもとに、さまざまな視点から「窯業とその文化」を再編集し、展示・情報発信を通じて、「観光」に寄与することが求められる。

また、CIV の目的は、伝統的・現代的な地場の窯業を革新し、その技術を進歩・発展させ、また「クリエイティブ産業」に転換させることで、他産地に対する競争力を獲得し、そこに暮らす住民が経済的利益を享受できるようにすることである。その一方で、既存の技術や製品・商品・作品等とともに、技術の進化の過程で産み落とされる試作品や未成品、失敗品等が実業の現場から淘汰されることになる。産業に関するミュージアムの最も大きな役割は、刻々とその姿を変えていく技術の記録や成品化のプロセスで生み出される産物を不断に取り込みながら、産業の資料化・遺産化に取り組んでいくことといえる。

また、産業を取り扱うミュージアムの目的は、その技術や製品の変遷を展示するとともに、これらの進歩・進化がもたらす便利で快適な新しい生活を提案することにある。しかしながら、ダナバディー窯業ミュージアムのような企業等が設立するミュージアムは、こうした役割にも増して、自社の技術や製品・商品の独自性・優越性、「のれん」の伝統性・真正性等を主張するブランディングのための装置という色合いが強い。CIV の場合、経済的利益を追求する競合他社（者）の寄り合い所帯であり、より大きな資本は、自社（者）のミュージアムの展示を通じて、他社に優れる主張のための経済的プロパガンダを誇示するようになる。

そのため、公共的な観光地経営を担う CIV の立場としては、客観的かつ公

平な見解を表示するための行司役となることが必要であり、文化産業観光の立地には、地方政府等が設置する公的な立場のミュージアムがその役割を果たすことが望ましいといえる。

## まとめ

　CIV という文化産業観光の取り組みは、在来の「文化資本と伝統知」を活用し、地場産業を「クリエイティヴ産業」に革新するとともに、「観光」による地域振興とそこに暮らす住民の所得向上を図ろうとする文化経済政策と見做すことができる。

　また、産業の中の歴史的・文化的・芸術的側面、そして、これらを表象するミュージアムは、単独で大きな経済的利益を獲得することが難しい。しかしながら、事業者の「のれん」や製品・商品・作品に付加価値を与え、売り上げや販売価格を押し上げ、事業者・産地・観光地のカルチュラルなブランディングに大きく貢献することができる。

　一方、産業とその技術に関しては、事業者間・産地間の競争に曝されながら、日進月歩の進化・発展を遂げており、製品・商品・作品等のライフサイクルが短命化している。文化産業観光の持続的な発展のためには、これらの発生から消滅までの記録とともに、その所産を継続的に収集・保管していくことが必要不可欠であり、従来の文化観光、遺産観光に増して、ミュージアムの果たす役割が大きいといえる。

　とりわけミュージアムによる産業の中の多様な側面や所産に関する調査研究は、新しい魅力・価値等を見い出すことに繋がり、これが地場産業の立地に新しい観光を創発するという好循環をもたらすことになる。

　2000 年代初頭の OTOP の取り組みは、単なる物販の促進に止まらず、タイ全土にわたりさまざまな経済的・社会的な効果をもたらした実績がある。しかしながら、CIV の取り組みは、まだ日が浅く、COVID-19 感染症禍の影響もあり、現時点での点検・評価が難しいものの、文化産業観光は、今後、地域振興に寄与する新しいエンジンとなり、地方の実情に応じたさまざまな取り組みが展開していくことが期待される。

## 註

1) 2014年5月、軍事クーデターによりプラユット政権が発足し、この軍事政権下において、2015年、国家戦略委員会による国家20カ年戦略（2018～2037年）が策定され、第2期にあたる第12次国家経済社会開発計画が始動した。これは、タイランド4.0のスタートアップであり、この計画の中に、文化・観光に関する政策の指針がまとめられた。とくに、観光に関しては、この計画の下位に位置付けられる国家観光開発計画にもとづいている。

2) タイにおける所得等に関しては、さまざまな統計データがあり、出所によってその数値に大きな隔たりがあることを附記しておきたい。
日本貿易振興機構デジタル貿易・新産業部　2021『タイ教育（EdTech）産業調査』
https://www.jetro.go.jp/ext_images/_Reports/02/2021/dae7fc1f17161e3e/rp-th202103.pdf

3) 「ランパーンは、花馬車の街として知られているものの、旧市街を歩きながら散策することが最適な方法である。ラッサダピセーク橋を起点として、タラート・カオ（Talat Kao）通りからワン川を渡るところから始まる。（略）この橋は、1894年の建設当時、タイで最も長い橋であったようである。旧市街から少し離れた数千年の歴史を有する有名な寺院ワット・プラタート・ランパーン・ルアン（Wat Phra That Lampang Luang）は一見の価値がある」と紹介されている。
https://www.tatnews.org/2017/10/thailands-12-hidden-gems-treasure-trove-thai-local-experiences/

4) タイランド・コンベンション・アンド・エキシビジョン・ビューロー（Thailand Convention & Exhibition Burear：TCEB）のMICE情報革新部門（MICE intelligence and innovation Department）

5) ラーマカムヘーン王は、13世紀、元から陶工を招来し、スコータイ近郊において、サンカローク焼を開窯した。シーサッチャナライを中心とする地域では、窯タオ・トゥリアン（Tao Thuriang）が多数発掘され、現地保存のためのNo.42窯跡のサンカローク窯研究保存センター（Centre for Study and Preservation of Sangkhalok Kilns）、No.61窯跡のサンカローク窯ミュージアム（Museum of Sangkhalok Kilns）等の複数の展示施設等が建設された。サンカローク焼は、16世紀、スコータイがビルマの支配下に入ったことで、サンカローク焼の陶工がタイ北部に移転し、これによって、セラドン焼が成立した。また、アユタヤ朝末期からチャクリー朝初期にかけて、タイ王室が中国広州に発注した華美な中国調の磁器を起源とし、その後、ベンチャロン、ライナムトーンが誕生することになる。

6) 客家（Hakka）は、漢族流民であり、元々は、中国中原からの移住者とされる。先住者との械闘によって、中国各地で移転・定着を繰り返し、福建、広東、香港、台湾、そして、東南アジアに拡散した。タイの著名な客家の家系としては、元タイ首相タクシン・チナワット（Thaksin Shinawatra）、インラック・チナワット（Yingluck Shinawatra）兄妹があげられる。

飯島典子　2007『近代客家社会の形成―「他称」と「自称」のはざまで―』風響社

7)　ハリプンチャイ王国の都市群であり、このうち、ウィアンクムカムでは、マンラーイ王によって、ラーンナー王国の最初の都が建設された。1984 年以降の複数回の発掘調査が実施され、東西 8 km、南北 6 km にわたる城壁と堀が囲繞し、その中に 21 の寺院跡が確認され、4 つの寺院が現存している。また、ウィアンクムカムは、当時のピン川（Mae Nam Pin）の度重なる氾濫によって、放棄と再建が繰り返された痕跡が確認されている。

8)　江戸時代の波佐見産、砥部産等の「くらわんか埦」と同じように、舟上で煮売りしていた頃の鶏埦は、容量が小さく、陸上で麺食堂や麺屋台が営まれるようになると、容量の大きな口径 8 インチの鶏埦が主流となった。また、クイティアオ・ルアのスープには、豚の血が加えられ、タンパク質等の栄養が豊富な麺食を安価に提供していた。

9)　近年、「眠れる森の美女」という別の観光キャンペーンが加わることで、花馬車と鶏、そして、美女を組み合わせたコンセプト・デザインを見かけるようになった。

# チョコレートヒルズ

## —フィリピン・ボホール島における「暫定」世界自然遺産とその課題—

## はじめに

　フィリピンには、世界自然遺産と世界文化遺産が各3ヶ所ある。まず、世界自然遺産はパラワン州トゥバタハ岩礁海洋公園（1993年登録）、パラワン島プエルト・プリンセサ地下川国立公園（1999年登録）、ミンダナオ島東ダバオ州ハミギタン山岳地域野生動物保護区（2014年登録）である[1]。世界自然遺産が、フィリピンでもっとも開発が遅れたパラワン州やミンダナオ島に位置する点は興味深い。いっぽう、世界文化遺産は、バロック様式教会群（1993年登録）[2]、ルソン島北部のコルディレラ管理地区の棚田群（1995年登録）[3]、南イロコス州ビガン歴史都市（1999年登録）である。これらの世界遺産は、メディアやインターネットを介して知れわたっており[4]、世界中の人びとを魅了し、観光産業に貢献している。

　地域特有の文化や自然が世界遺産に認定されるかどうかは、当該の地域や国々にとって大きな関心事であり、文化や経済の発展にかかわる政治的問題である。具体的に言及すると、審査の正確性、公平性、客観性以外にも、世界遺産の負の側面、とりわけ悲喜こもごもの各国の思惑が関与してくる（中村2019）。ユネスコ（世界遺産条約第2条）では、世界自然遺産を「無生物または生物の生成物群からなる特徴のある自然の地域であって、鑑賞上または学術上顕著な普遍的価値を有するもの」、「地質学的または地形学的形成物および脅威にさらされている動物または植物の種の生息地または自生地として区域が明確に定められている地域であって、学術上または保存上顕著な普遍的価値を有するもの」、「自然の風景および区域が明確に定められている自然の地域であって、学術上、保存上または景観上顕著な普遍的価値を有するもの」と定義し、

世界自然遺産の候補地は暫定リスト（tentative list）に登録される。暫定リストとは各締約国が登録を検討する予定の資産のリストである。締約国は、少なくとも10年ごとに暫定リストを再検討し、ユネスコに再提出することが奨励されている（UNESCO World Heritage Center 2021）。候補地の評価は国際自然連合（International Union for Conservation of Nature: IUCN）がおこない、顕著な普遍的価値（Outstanding Universal Value: OUV）の有無をユネスコ世界遺産センターが最終決定する（Fulton et al. 2020）。

　フィリピンには、2023年時点で24の候補地が暫定リストに掲載されている（UNESCO World Heritage Center 2023a）。そのなかでも、とくに世界自然遺産への登録が期待されている候補地を「『暫定』世界自然遺産」と位置づけ、本稿では、フィリピン諸島中部のボホール島のチョコレートヒルズを題材に、フィリピン地域研究の視座から世界自然遺産の登録が達成されない理由について検討する。

## 1　観光の国「フィリピン」

　およそ7,100の島嶼群からなるフィリピン諸島は、主に北部のルソン島、中部のビサヤ諸島、南部のミンダナオ島からなり、17の地方行政単位で構成される（図1）。また、約180の民族集団が共在し（National Statistics Office 2013）、多様な文化要素を持つ。

　フィリピンの失業率は7％ほどと低くはないが、観光業がGDPの12.7％（2019年）を占めており、雇用の創出に貢献している（Philippine Statistics Authority 2020a）。いっぽうで、国民の10人に1人が海外への出稼ぎ労働者であり、出稼ぎがGDPの10％ほどを占める。これらの事実は、観光業が国内の経済を支える無視できない基幹産業であることを示している。

　本邦の著名な旅行ガイドブックによると、ボホール島の最大の見どころはチョコレートヒルズ（Chocolate Hills）である（「地球の歩き方」編集室編 2021）。その旅行ガイドブックの副題には、「マニラ、セブ、ボラカイ、ボホール、エルニド」と示されており、日本人にとってボホール島は観光地として馴染みがある地域のひとつである。

　実際、年間56,766,370人の国内外の観光客が、フィリピン各地域を観光する（2019年）。そのうち、外国人が占める割合は10,157,309人である（17.9％）。観光客は、セブ島やボホール島を擁するRegion VII（中部ビサヤ）[5]をもっとも多く

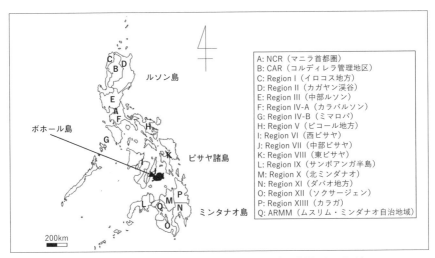

**図1　フィリピン地方行政区分図とボホール島の位置**（筆者作成）

訪れており、全体の16.6%を占める。ついで、タール火山が位置するバタンガス州や、温泉地として名を馳せるラグナ州を含むRegion IV-A（カラバルソン）[6]が15.7%を占める。これらの3地域に観光客が集中する。外国人観光客に焦点を当てると、Region VIIは変わらず1位で42.0%を占める。そして、NCR（マニラ首都圏）が16.8%、世界的に有名なビーチリゾートの島であるボラカイ島のあるRegion VI（西ビサヤ）[7]が12.3%を占めており、国内観光客と様相が異なる。国内観光客と外国人観光客では目指す地域に異なりがみられるが、双方ともRegion VIIを最大の観光地として訪れていることがわかる（表1）。なお、外国人観光客が100万人を超える地域は、Region VIIに位置するセブ州ラプラプ市（1,457,184人）とセブ市（1,055,235人）、そしてボラカイ州ボラカイ島（1,037,619人）である。同じくRegion VIIのボホール州ボホール島（720,364人）とパンラオ島（607,452人）も観光地として知名度があり、観光資源によっては外国人観光客が100万人を超える地域に成長する可能性がある（Department of Tourism 2020）。

　本データは、2018〜2019年にかけて集められた観光客数とその地域的分布を示した統計資料である。よって、2019年12月初旬に報告されはじめたコロナウイルスによる観光客数の減少の影響をほとんど受けていない。ただし、本データでは、ARMM（ムスリム・ミンダナオ自治地域）の情報が示されていない点に留意が必要である。

表1　フィリピンにおける観光客数の地方別分布（2019年）

| 地方 | 合計人数（%） | うち外国人数（%） |
|---|---|---|
| NCR（マニラ首都圏） | 3,037,100（5.4） | 1,709,157（16.8） |
| CAR（コルディレラ管理地区） | 2,015,400（3.6） | 85,066（0.8） |
| Region I（イロコス地方） | 2,262,274（4.0） | 80,133（0.8） |
| Region II（カガヤン渓谷） | 1,237,321（2.2） | 158,074（1.6） |
| Region III（中部ルソン） | 4,086,374（7.2） | 672,372（6.6） |
| Region IV-A（カラバルソン） | 8,918,877（15.7） | 244,111（2.4） |
| Region IV-B（ミマロパ） | 2,506,439（4.4） | 862,426（8.5） |
| Region V（ビコール地方） | 3,280,435（5.8） | 360,804（3.6） |
| Region VI（西ビサヤ） | 5,887,123（10.4） | 1,245,960（12.3） |
| Region VII（中部ビサヤ） | 9,424,310（16.6） | 4,267,590（42.0） |
| Region VIII（東ビサヤ） | 1,637,568（2.9） | 51,864（0.5） |
| Region IX（サンボアンガ半島） | 1,173,257（2.1） | 12,114（0.1） |
| Region X（北ミンダナオ） | 2,797,073（4.9） | 60,799（0.6） |
| Region XI（ダバオ地方） | 5,173,488（9.1） | 216,219（2.1） |
| Region XII（ソクサージェン） | 1,960,485（3.5） | 25,368（0.2） |
| Region XIII（カラガ） | 1,368,846（2.4） | 105,302（1.0） |
| 合計 | 56,766,370（100） | 10,157,359（100） |

出処）Department of Tourism（2020）[http://www.tourism.gov.ph/Tourism_demand/RegionalTravelers2019Updated.pdf]（2023年5月27日閲覧）をもとに筆者作成

## 2　ボホール島の概要

　ボホール島は、ボホール州の中心地域である（図1）。ビサヤ地域の経済の中心地であるセブ島から船で約1時間の距離にあり、首都マニラから州都タグビラランへ直行便が就航している。ボホール州の2020年の人口は1,394,329人であり（Philippine Statistics Authority 2020b）、2000年の1,139,130人（National Statistics Office 2003）に比べて25.5%増加している。ボホール島は観光地であり、観光産業が発展している。とくに、その属島であるビーチやダイビングスポットの名所であるボホール島南西部に位置するパンラオ島への観光客が多い。フィリピン政府観光省が日本語のホームページでボホール島の魅力を宣伝しているように（フィリピン政府観光省 n.d.）、パンラオ島にくわえて、チョコレートヒルズやターシャに代表される国の重要な観光資源が国内外の観光客を同島にいざなっている。実際、チョコレートヒルズ、ターシャ、パンラオ島といった観光資源は世界的に注目されており、たとえば、フィリピン国内の航空会社は、日本や韓国からボホール島への直行便就航を視野に入れている（Real

Asia 2022）。チョコレートヒルズとフィリピン・ターシャ保護区は車で1時間ほどの距離に位置し、ボホール島観光の主軸となっている。そのほか、漁業や農業も基盤産業である。近年は、農業の不振を補い、農家の生計を向上させるために、農業省（Department of Agriculture: DA）傘下のフィリピン・カラバオ・センター（Philippine Carabao Center: PCC）によるスイギュウの搾乳と乳製品の加工も開始されている（辻 ほか 2018a・2018b）。

## 3　チョコレートヒルズについて

　チョコレートヒルズは、海抜100～500mに位置するフィリピンの国家地質学記念物である（図2）。フィリピンを代表する観光地のひとつで（図2～4）、ボホール島のバトゥアン行政区（Municipality of Batuan）、サグバヤン行政区（Municipality of Sagbayan）、カルメン行政区（Municipality of Carmen）にまたがっている（124°10'E 9°55'N）。フィリピン・ターシャ保護区（Philippine Tarsier Sanctuary）（図5）とは車で90分ほどの距離に位置し（124°10'E 9°41'N）、チョコレートヒルズとターシャ保護区を併せて訪れる観光客は多く、両者には相乗効果が認められる。

　チョコレートヒルズは、珊瑚堆積物の隆起と雨水の浸食作用の結果誕生した1,776ほどの同形の塚からなる美的かつ広大な地形である[8]。この地域には巨人同士の闘い、あるいは巨人が流した涙によりこれらの丘陵が形成されたという巨人伝説が確認できる（ChocolateHills.net n.d.）。降水量に乏しい乾季には草で

図2　空中からみたチョコレートヒルズ、ボホール島　©iStockphoto LP

おおわれた丘陵がチョコレート色に変化することから「チョコレートヒルズ」と名づけられた。

　同地域は、1988年6月18日に、ルソン島のハンドレッドアイランズ国立公園（パンガシナン州）とタール火山についで、フィリピン国内で3番目の国家地質学記念物（The country's 3rd National Geological Monument）としてユネスコによって指定された。また、その自然美と地形・地質が着目され、2006年5月16日に、同国の環境天然資源省（Department of Environment and Natural Resources: DENR）の野生動物保護局によって世界自然遺産登録申請（[vii]および[viii]）がなされたが、現時点では世界自然遺産の候補地であり、「『暫定』世界自然遺産」である。世界自然遺産への登録の期待感からか、ボホール州のホームページをはじめ、世界自然遺産であると勘違いさせるような尚早な情報も見受けられる。フィリピン政府観光局の観光地リストにも掲載されているが、現時点では世

図3　チョコレートヒルズ、ボホール島（2016年9月10日筆者撮影）

図4　チョコレートヒルズに集う観光客、
ボホール島
（2016年9月10日筆者撮影）

図5　ターシャ（*Tarsius syrichta*）、
ボホール島
（2016年9月10日筆者撮影）

## 表2 世界自然遺産の評価基準

| | 評価基準 |
|---|---|
| （vii） | 自然美 |
| （viii） | 地形・地質 |
| （ix） | 生態系 |
| （x） | 生物多様性 |

出処）UNESCO（https://whc.unesco.org/
en/criteria: 2023 年 5 月 27 日閲覧）をもと
に筆者作成

界自然遺産に登録されていない（UNESCO World Heritage Center 2023b）。

世界自然遺産の基準はつぎのとおりであり、登録条件としていずれかひとつを満たす必要がある（表2）[9]。チョコレートヒルズは、評価基準の（vii）「自然美」と（viii）「地形・地質」を満たしている（UNESCO World Heritage Center 2023b）。自然遺産の登録では、これらの条件を包摂しつつ、じゅうぶんな保存管理が確保されているか、オーセンシティー（真正性）やインテグリティー（完全性）の要素が加味される（中村 2019）。

## 4 登録される遺産と登録されない遺産をめぐる不協和音

「暫定」世界遺産のなかにも、世界遺産と同様にユネスコの基準を明らかに満たしているものは少なくない。たとえば、2006 年に登録申請された「暫定」世界文化遺産であるパラワン島のタボン洞窟群は、およそ 47,000 年前のホモ・サピエンスの痕跡を知るうえですぐれた遺産であり、文化的かつ学術的にも大いなる意義が認められている（Fox 1970）。また、この洞窟群はユネスコの評価基準の（ii）〜（v）を満たしており、じゅうぶんな評価が得られている。この洞窟群が世界文化遺産に登録されない理由として、2000 年に世界自然遺産に登録されたグヌン・ムル国立公園（UNESCO World Heritage Center 2023c）と同じボルネオ島に位置する、およそ 40,000 年前のホモ・サピエンスの痕跡が認められるニア洞窟と似通っていることが考えられる（UNESCO World Heritage Center 2023d）[10]。この事例を概観すると、申請に対して優先権が認められることを示唆するようであるが、書類やプレゼンテーションの不備によってタボン洞窟群の独自性をうまくアピールできなかった可能性もある。そもそも、世界自然遺産の基準となる「顕著な普遍的価値」とは時機的かつ恣意的であり、それらを判断する基準も時代や状況とともに変化していると考えるのが妥当である。登録の可否は慎重に判断されるが、ユネスコの基準を満たしていても登録に至らない場合が散見できる。

フィリピンの世界自然遺産とチョコレートヒルズの情報を比較すると、大差

はない（表3）。まず、ハミギタン山岳地域野生動物保護区は、（x）のみの評価であるのに対して、チョコレートヒルズは（vii）と（viii）の評価を得ている。自然遺産の地政学的特徴や気候的脅威についてはフィリピンに共通する問題であり、ハミギタン山岳地域野生動物保護区、プエルト・プリンセサ地下川国立公園、そしてトゥバタハ岩礁海洋公園の3つの世界自然遺産と、チョコレートヒルズでは甲乙をつけにくい。以上の点から、チョコレートヒルズは、ユネスコの基準を明らかに満たしている「暫定」世界自然遺産であると判断できる。

　しかし、チョコレートヒルズが、フィリピンの世界自然遺産と一線を画して扱われているのは事実である。それ以外の面で差異があるとすれば、遺産を管理する主体・法律面である。

　「世界遺産条約作業指針 98」によると、「完全性および／または真正性を含む、顕著な普遍的価値に対して負の影響をおよぼす可能性のある社会的、経済的、その他の圧力もしくは変化から、確実に資産を保護するための立法措置、規制措置を国および地方レベルで整備することが求められる。また、締約国は、それらの施策をじゅうぶんかつ効果的に実施する必要がある」と述べられている（UNESCO World Heritage Center 2021）。世界自然遺産に登録されるには、少なくともこれらの課題が克服されなくてはならず、本点こそがチョコレートヒルズの世界自然遺産登録を妨げている最大の要因であると考えられる。

　フィリピンは、世界的にすぐれた自然保護および保全のための法律が整備

表3　フィリピンの世界自然遺産とチョコレートヒルズに関する情報

| 自然遺産 | 評価基準 | 特徴 | 脅威 | 主体・法律 |
|---|---|---|---|---|
| ハミギタン山岳地域野生動物保護区 | (x) | 1,380 種の動植物のうち 341 種は固有種 | 野生生物の密猟、採掘・開発圧力、観光と気候変動による潜在的圧力 | 地方自治体、保護区管理局（PASO）、ハミギタン保護区管理委員会（PAMB）国家統合保護地域制度法（NIPAS） |
| プエルト・プリンセサ地下川国立公園 | (vii) (x) | 全長約 8.2km の世界遺産最長の川 | 森林伐採、農業活動、上流での人間活動による汚染物質の流入 | 地方自治体、保護区管理委員会（PAMB）、国家統合保護地域制度法（NIPAS） |
| トゥバタハ岩礁海洋公園 | (vii) (ix) (x) | 手つかずの自然 | 船舶、海洋ごみ、漁業、石油探査に伴う海洋汚染 | 国家地域保護法（NPAL）、一連の環境法 |
| チョコレートヒルズ | (vii) (viii) | 1,776 の丘陵 | n.d. | n.d. |

出処）UNESCO World Heritage Center（2023b, 2023e, 2023f, 2023g）をもとに筆者作成

された国家である（Gollin and Kho 2008、Snelder and Bernardo 2005、Utting 2000）。しかし、チョコレートヒルズでは、ユネスコ世界遺産センターが後援する国内の各世界自然遺産とは異なり、財源や人材の不足によって法律が機能しておらず、自然保護による利益が地域に還元されていない。むしろ、関係自治体とボホール州のあいだでは、その管理のずさんさと管理費用をめぐる論争がみられる（Philstar 2006、The Bohol Chronicle 2016）。また、自然保護のためのじゅうぶんな啓発もゆきとどいておらず、人びとの自然を保護する意識の低下を招く制度のひずみも指摘できる。つまり、主体・法律の整備や活動状況よりも、それらがどのように遺産の登録にポジティブに作用したかという実質的な役割が強く相関し、チョコレートヒルズの欠落点となっていると考えられる。これらは、自然をはぐくむ共同体の未成熟を示唆しており、自然保護の担い手となる民衆や政府に帰する問題である。

　こうしたフィリピンの「暫定」自然遺産リスト制度の問題は、他の世界自然遺産の啓蒙活動にみられる人びとに力を与える教育、現地の管理を円滑化する遺産ネットワークの醸成およびシステムを継続的に実現させる組織開発によって解消できる可能性がある。教育戦略は、遺産保全について知識のある社会を作る取り組みである。世界遺産の価値を人びとに教えることは、公教育における遺産概念のボトムアップによる伝達を促進するための重要なテーマであり、一般市民のよりよい関与がはぐくまれる。情報戦略は、情報を透明化し、世界遺産の候補地を特定、保護、管理する際の概念、戦略、およびプロセスに不慣れであるという問題を減らすのに役立つ。組織開発は、政府機関のあいだの調整の不備を改善する（Sutthanonkul 2021）。

　以上のように社会構造まで踏まえて総合的に判断すると、フィリピンでは世界自然遺産の質ではなく、それを管理するための社会文化的基盤の不備が強く影響していると考えられる。とくに、ボホール島のチョコレートヒルズが暫定リストに掲載されているのにもかかわらず、登録に至らない理由はフィリピン特有の負の社会構造にある可能性が高い。「暫定」世界自然遺産を正式な世界自然遺産に昇華させるには、他の世界自然遺産と同様に公平かつ利益のある施策によって社会構造の是正が図られる必要があり、その前段階として国家、地方行政、NGO、民衆といった主体がそれぞれ納得できる妥協点の模索が求められる。

## おわりに

　目を見張る自然景観であるボホール島のチョコレートヒルズは、ターシャ保護区やパンラオ島のビーチリゾートとともにフィリピン有数の観光資源として、その名を世界にとどろかせている。チョコレートヒルズは、他の世界自然遺産と比しても質的にほとんどひけをとらないが、国家、地方行政、地域住民といったアクター間で世界自然遺産の管理に向けた気概や利害がひとつにまとまっていない不確実性によって、「暫定」世界自然遺産に留まっている。その根底には、自然破壊問題や政治をめぐる地域の人びとの根深い相互不信がある。

　チョコレートヒルズの世界自然遺産への登録を目指す場合、フィリピンという国家を構成する政治家や国民が自分たちの世界自然遺産を誇りとするだけでなく、文化的かつ経済的に共有される知を活用していく見識が求められる。とくに、チョコレートヒルズという自然資源を円満に評価するフィリピン国内の社会、政治、文化の再考と調整を実行し、国外へのたしかな成果のアピールが不可欠である。その第一歩として、フィリピンの社会文化の根源にある人間的な問題点を洞察することが世界自然遺産への正式登録に大きく貢献するにちがいない。

　註
1)　くわえて、自然遺産と文化遺産の性格をかねそろえた「複合遺産」も含まれる。
2)　バロック様式教会は、サン・アグスティン教会(マニラおよびルソン島北イロコス州パオーイ)、ヌエストラ・セニョーラ・デ・ラ・アスンシオン教会(ルソン島南イロコス州サンタ・マリア)、トマス・デ・ビリャヌエバ教会(パナイ島イロイロ州ミヤッガオ)を包摂する。
3)　コルディレラ管理地区は、アブラ、ベンゲット、イフガオ、カリンガ、アパヤオ、マウンテン・プロビンスの6州からなる。
4)　たとえば、テレビのドキュメンタリー番組で、フィリピンのトゥバタハ岩礁海洋公園とコルディレラの棚田群に関する番組が放映され、それらは市販のDVDに収録されている(TBS「世界遺産」2003)。
5)　中部ビサヤは、ボホール州、セブ州、シキホール州、東ネグロス州からなる。
6)　カラバルソン(Calabarzon)は、カヴィテ(Cavite)、ラグナ(Laguna)、バタンガス(Batangas)、リサール(Rizal)、ケソン(Quezon)の各州を統合した地域である。
7)　西ビサヤは、パナイ州と西ネグロス州からなる。
8)　同様の丘陵群は、インドネシアのジャワ島でもみられる。しかし、それらは、形状とサイズが不規則である(UNESCO World Heritage Center 2023b)。
9)　(i)から(vi)は文化遺産、(vii)から(x)は自然遺産の基準にわけられる。なお、文化遺産については、国際記念物遺跡会議(International Council on Monuments

and Sites: ICOMOS）の管轄である。

10）　ちなみに、ニア洞窟もマレーシアの暫定世界遺産（複合遺産）リストに挙げられて
　　いるが、暫定リスト入りしたのはフィリピンのタボン洞窟群のほうが 15 年早い。

引用・参考文献

「地球の歩き方」編集室編　2021『地球の歩き方 D27　フィリピン―マニラ・セブ・
　　ボラカイ・ボホール・エルニド　2020 〜 2021 年版』株式会社ダイヤモンド社
辻　貴志・Gina Dumanig・広田　勲・Ma. Teresa Manito・Caro Salces　2018a「簡
　　便な健康指標（血圧・BMI）を出す際に、スイギュウの乳摂取が及ぼす影響につ
　　いての予備的調査―フィリピン・ボホール島の事例」『人間文化』43、pp.1-11
辻　貴志・Ma. Teresa Manito・Gina Dumanig・Guillerma Abay-Abay・Caro Salces
　　2018b「フィリピン・ボホール島のスイギュウ酪農農家に関する予備調査報告」
　　『ヒトと動物の関係学会誌』50、pp.34-43
TBS「世界遺産」　2003『世界遺産　フィリピン編』TBS（DVD）
中村俊介　2019『世界遺産―理想と現実のはざまで』岩波書店
フィリピン政府観光省　n.d.「ボホール島」（https://philippinetravel.jp/areainfo/
　　bohol-island: 2023 年 5 月 27 日閲覧）
Real Asia　2022　「Bohol―手つかずの自然に溢れた島」『Real Asia』3、pp.28-31
【英語】
ChocolateHills.net n.d. Chocolate Hills in Bohol, Philippines（http://www.chocolatehills.
　　net: 2023 年 5 月 27 日閲覧）.
Department of Tourism 2020 Regional Distribution of Overnight Travelers in
　　Accommodation Establishments（January-December 2019 as of August 17, 2020）
　　（http://www.tourism.gov.ph/Tourism_demand/RegionalTravelers2019Updated.pdf: 2023
　　年 5 月 27 日閲覧）。
Fox, Robert. 1970. *The Tabon Cave: Archaeological Explorations and Excavations on
　　PalawanIsland, Philippines*. National Museum.
Fulton, Gordon, Gwenaëlle Bourdin, Luisa De Marco and Susan Denyer. 2020 Guidance on
　　Developing and Revising World Heritage Tentative Lists. ICOMOS International（https://
　　whc.unesco.org/en/documents/184566: 2023 年 5 月 27 日閲覧）.
Gollin, Karin and James Kho 2008 Introduction: The Promises and Premises of
　　Community-Based Natural Resource Management. In Gollin, Karin and James Kho
　　（eds.）. *After the Romance: Communities and Environmental Governance in the
　　Philippines*. Ateneo de Manila University Press, pp.1-15.
National Statistics Office 2003 *2000 Census of Population and Housing: Report No. 2,
　　Volume 1, Demographic and Housing Characteristics-Bohol*. National Statistics Office.
National Statistics Office 2013 *2010 Census of Population and Housing: Report No. 2A
　　Demographic and Housing Characteristics-Philippines（Non-Sample Variables）*.

National Statistics Office.

Philippine Statistics Authority 2020a Share of Tourism to GDP is 12.7 percent in 2019 （https://psa.gov.ph/tourism/satellite‐accounts/id/162606：2023 年 5 月 27 日閲覧）．

Philippine Statistics Authority 2020b Bohol（http://rsso07.psa.gov.ph/bohol：2023 年 5 月 27 日閲覧）．

Philstar 2006 Bohol Government to Take Over Management of Chocolate Hills Complex, June 7, 2006（https://www.philstar.com/nation/2006/06/07/340489/bohol‐government‐take‐over‐management‐chocolate‐hills‐complex：2023 年 5 月 27 日閲覧）．

Snelder, Denyse and Eileen Bernardo 2005 Rethinking Comanagement of Natural Resources: Some Considerations and Future Perspectives. In Snelder, Denyse and Eileen Bernardo（eds.）. *Comanagement in Practice: The Challenges and Complexities of Implementation in the Northern Sierra Madre Mountain Region.* Ateneo de Manila University Press, pp.273‐286.

Sutthanonkul, Supitcha 2021 The Philippine Tentative List Preliminary Evaluation Strategy: Considerations for the Better Evaluation of the World Heritage Tentative List in Context of the Philippines（A Paper Submitted to International Council on Monuments and Sites （ICOMOS）Philippines）．

The Bohol Chronicle 2016 Management Board Needed for Choco Hills Transparence, August 21, 2016（https://www.boholchronicle.com.ph/2016/08/21/management‐board‐needed‐for‐choco‐hills‐transparency：2023 年 5 月 27 日閲覧）．

UNESCO World Heritage Center 2021 Operational Guidelines for the Implementation of the World Heritage Convention. UNESCO World Heritage Center.

UNESCO World Heritage Center 2023a（https://whc.unesco.org/en/tentativelists/?action=listtentative&pattern=philippines&date_start=&date_end=：2023 年 5 月 27 日閲覧）．

UNESCO World Heritage Center 2023b Chocolate Hills Natural Monument（https://whc.unesco.org/en/tentativelists/5024：2023 年 5 月 27 日閲覧）．

UNESCO World Heritage Center 2023c Gunung Mulu National Park（https://whc.unesco.org/en/list/1013：2023 年 5 月 27 日閲覧）

UNESCO World Heritage Center 2023d The Tabon Cave Complex and all of Lipuun （https://whc.unesco.org/en/tentativelists/1860: 2023 年 5 月 27 日閲覧）．

UNESCO World Heritage Center 2023e Mount Hamiguitan Range Wildlife Sanctuary https://whc.unesco.org/en/list/1403: 2023 年 5 月 27 日閲覧）．

UNESCO World Heritage Center 2023f Tubbataha Reefs Natural Park（https://whc.unesco.org/en/list/653: 2023 年 5 月 27 日閲覧）．

UNESCO World Heritage Center 2023g Puerto‐Princesa Subterranean River National. Park（https://whc.unesco.org/en/list/652: 2023 年 5 月 27 日閲覧）．

Utting, Peter 2000 Towards Participatory Conservation: An Introduction. In Utting, Peter （ed.）. *Forest Policy and Politics in the Philippines: The Dynamics of Participatory Conservation.* Ateneo de Manila University Press, pp.1‐10.

# フィリピンの文化財と
# 国立博物館に関する法律

深山　絵実梨

## はじめに

　大小 7,000 以上の島々からなるフィリピン共和国は自然豊かな国であり、温暖な気候やフレンドリーな人々、それから英語が通じやすいということもあって、海外旅行や語学留学の目的地として人気がある。一方、フィリピンの文化財や博物館に関しては、多くの人に知られているとは言い難い。本項では、フィリピンの文化財行政のあゆみやそれを担う一翼である国立博物館について法整備の観点から概観したい。

## 1　植民地期のフィリピンにおける文化財行政と博物館

　フィリピンにおける最古の博物館は、スペイン植民地時代（1565 年〜1898 年）の 1879 年に創立されたキリスト教系私立大学であるサント・トーマス大学の美術科学博物館である。同博物館の収蔵品は 17 世紀のコレクションに由来しており、元は医学や薬学の教育用であった。その後、自然史の標本、民族資料、東洋美術、宗教像や絵画などが収蔵・展示され、現在でも一般に公開されている。当時、そのほかに博物館という名を冠する施設としてフィリピン図書館博物館が 1887 年 8 月 12 日に設立、1891 年 10 月 24 日に開館したものの、こちらはアメリカ統治へ移行した 1900 年に廃止された。

　一方、文化財行政に目を向けると、スペイン植民地時代には特に活動形跡はないとされており（文化遺産国際協力コンソーシアム 2014：17）、こうした活動が開始されるのはアメリカ合衆国植民地時代（1898 年〜1946 年）を待たねばならない。

　フィリピンの文化財と博物館に関する最初の法整備は、アメリカ合衆国植民地時代の 1901 年にフィリピン委員会が定めた第 284 号法[1] である。この法律

によって、同年 10 月 29 日、マニラに民族学・自然史・商業博物館が創立され、米国の予算 8,000 ドルを充当してフィリピン諸島の民族学的な資料が収集、管理、保存されることになった。以降、この博物館はさまざまな改組・統合を経て現在のフィリピン国立博物館へとつながる。

　文化財に関する法律では、1931 年の第 3874 号法 [2] でフィリピン諸島の骨董品の輸出を禁止する法律が制定され、1936 年の連邦法第 169 号 [3] で歴史的建造物や遺物を指定、取得または購入、修復、保存することが定められるとともに関連予算は一般歳出法に含まれることとなった。これらの活動を担ったのは、翌 1937 年の大統領令 91 号 [4] で設立されたフィリピン歴史委員会である。

## 2　フィリピン共和国における文化財関連法と国立博物館
### （1）マルコス大統領期

　1946 年にフィリピン共和国がアメリカから独立したのち、フィリピンにおける文化財及び博物館に関する法律は幾度かにわたって制定されてきた。

　古くはマルコス大統領期の共和国法第 4846 号「第 3874 号法を廃止し、フィリピンの文化財の保護と保存を規定する法律」いわゆる「文化財保存保護法」（1966 年）[5] が挙げられる。本法では、文化財に関連する 14 の語句について定義が定められ、国立博物館がこの法の規定を実施する政府機関であること、重要文化財及び国宝は同博物館館長の組織する委員会によって指定とその解除がおこなわれること、館長が重要文化財や国宝に関する記録簿を作成・維持し、その所有者も記録簿の作成に協力するとともに、新たにこれらを取得、販売、譲渡する際や、学術的調査のために輸出する際には届出や事前の承認を必要とする旨が記されている。つまり、重要文化財や国宝の散逸や国外への流出を防ぐ対策がとられているのである。また、他国の文化財の輸入に関しても正式な輸入証明書を必要とするなど、違法な取引に携わらないための対策がとられている。また、考古学的発掘調査に際しては館長の事前の書面による許可が必要であり、調査にあたっては考古学者、あるいはそれに準ずる能力を持つと認められた人物の監督が必要とされ、調査後の報告の提出も義務付けられた。このほか、重要文化財及び国宝の修復、復元、保存に館長の許可が必要であると明記されるなど、文化財への不必要なダメージを軽減するための規定が盛り込まれている。

1966 年の文化財保存保護法では、重要文化財と国宝の指定と保護に焦点があり、加えて考古遺跡の盗掘や乱掘を防ぐための規定が定められた。一方で、国立博物館の機能や使命についての明示はなく、本法の規定を実施する政府の機関であるという役割が与えられているのみであった。

## (2) 1987 年憲法発布から現在

マルコス政権の崩壊後に発布された 1987 年憲法 [6] では、第 14 条 教育、科学技術、芸術、文化及びスポーツ教育の条文中、芸術と文化の項で、「国家は、自由な芸術的及び知的表現の環境における多様性のなかの統一の原則に基づいて、フィリピンの国民文化の保存、発展、ダイナミックな進化を促進するものとする」、「芸術および文学は、国家の保護を受けるものとする。国家は、国家の歴史的、文化的遺産および資源、ならびに芸術作品を保存、促進、普及させるものとする」、「国家のすべての芸術的および歴史的財産は国の文化的な宝を構成し、その処分を規制できる国家の保護下にある」といった、文化財にも関連する宣言がなされた。

この憲法のもと、ラモス大統領期の共和国法第 8492 号「国立博物館制度を確立し、恒久的施設とその他目的を定める法律」いわゆる「1998 年国立博物館法」(1998 年) [7]、アロヨ大統領期の共和国法第 10066 号「国家文化遺産の保護と保存、国家文化芸術委員会 (NCCA) とその関連文化機関の強化、およびその他の目的のために定める法律」いわゆる「2009 年国家文化遺産法」(2009 年) [8]、ドゥテルテ大統領期の共和国法第 11333 号「1998 年国立博物館法として知られる共和国法第 8492 号を廃止し、フィリピン国立博物館を強化し、そのための資金を充当する法律」いわゆる「フィリピン国立博物館法」(2018 年) [9] などが制定されてきた。以下、各法の概要をみてみよう。

「1998 年国立博物館法」では、その名称に表れているように国立博物館の役割等が明確に定められた。それによれば、国立博物館はその独立と自治を確保するために教育・文化・スポーツ省及び文化芸術委員会から切り離され、政府の信託機関とされた。同時に、「国立博物館」という名称と本法で明示された権限等を恒久的に継承するものとされた。「国立博物館」は「地域社会とその発展に奉仕する恒久的な機関であり、一般の人々がアクセス可能で営利を目的としない」、「人間とその環境に関する物質的証拠を入手、保管、研究し、発表

する」、「研究、教育、娯楽を目的として、これらの活動を一般市民に知らせる」といった役割を持つと定められた。加えて、「資料を収集、保存、展示するとともに、学術的研究を促進し、美術品と文化的・歴史的資料を評価する」ことが使命とされた。その上で、資料や美術品の取得、収集、研究、保存、維持、管理、一般公開、普及や、考古学的調査等にかかわる 23 の項目にわたって具体的な活動が規定されている。博物館の活動に不可欠である施設に関しても、マニラのリサール公園内外の複数の建物が指定され、国立博物館コンプレックスを構成すると定められた。

　また、博物館における人材育成と開発に関して、博物館の諸機能に携わる職員の能力を向上させるため、研修と能力開発プログラムを実施すること、研究者を海外研修させることに加え、館長の許可のもと必要に応じて博物館学や各専門分野等にかかわる大学院課程に進学できるとされた。この他、マニラ以外の地方博物館を設置し監督すること、遺跡保護のためにフィリピン国家警察及びフィリピン国軍を代行する権限を有すると定められた。この権限を根拠として、地方の警察及び行政当局には、考古遺跡の発見を博物館に報告し、博物館が管理を確立するまで遺跡を保護することが義務づけられた。本法によって国立博物館の地位と機能が確立し、その役割も明確化したといえる。

　「2009 年国家文化遺産法」は、1966 年の「文化財保存保護法」を踏襲しながら、文化財に関する 35 の語句の定義やその内容が明示され、文化財に与えられる特権、指定と解除の手続き、売買に関する規定、関係する業者の免許、文化財の輸出に関する規定、登録簿の作成、保存に関する規定、伝統芸術や現代芸術の記録と保存、国立博物館による自然史の研究、無形遺産の登録、不動産文化財に関する規定、先住民文化や遺産の保存、歴史的町並みや建造物の名称変更等が定められている。さらに関連する政府機関とその権限及び範囲が明示されており、そのなかでも国立博物館は民族学的、考古学的調査において大きな権限を与えられていた。このほか、国宝及び重要文化財を主な対象とした文化遺産教育プログラムの設置、文化財関連の職業従事者に対するインセンティブの設定が定められた。また、その他の文化政策として、フィリピンの芸術、文化、言語を世界に普及するためのセントロ・リサールを設置し、海外の支部では在留フィリピン人子弟へむけた文化的教育をおこなうとされた。

　2018 年には、「1998 年国立博物館法」をさらに拡充する形で「フィリピン国

立博物館法」が制定された。基本的には「1998 年国立博物館法」を踏襲するが、「国立博物館」の名称を「フィリピン国立博物館」と改め、権限、義務、機能については「芸術、文化遺産、自然史の分野において、国家的な範囲や意義を持つ博物館やコレクションの管理と発展のための国家の主要機関」であること、「現在および将来の世代のために国家財産を保護、保存、研究、促進し、教育と社会進歩を支援し、観光と教育、科学、文化、レジャーサービスおよび産業を通じて経済発展に貢献する」ことが目的とされた。加えて以下の機能を持つと定められた。教育的、文化的、科学的機関としてフィリピン国立歴史委員会、フィリピン国立図書館、及びフィリピン国立公文書館と協力すること。国立博物館コンプレックス、マニラの中央博物館、地方博物館、その他施設の設立、管理、開発においてはフィリピン国立歴史委員会と調整すること。芸術、文化遺産、自然史の分野におけるフィリピン共和国の国家コレクションを管理・発展すること。研究プログラムを実施すること。技術的及び博物館学上のスキルを普及させ、国内の博物館開発を支援すること。国家的に重要な文化財の保存と修復のための技術支援を拡大すること、等である。

　一方、本法第 30 条によって、共和国法第 4846 号、大統領令第 260 号、大統領令第 374 号、大統領令第 1109 号、共和国法第 8492 号、共和国法第 9105 号、共和国法第 10066 号に明示されてきた国立博物館の規定機能は国家文化芸術委員会（National Commission for Culture and the Arts、NCCA）に移管された。従ってフィリピン国立博物館は本法第 24 条に規定される場合を除き、いかなる規定機能にも従事することを義務付けられず、むしろ本法及び他の法律で規定された分野において、国家第一級の博物館機関及び収蔵施設として発展することに専心することが方針づけられた。本法第 24 条は国有の動産文化財と収蔵品の記録と更新、それらの譲渡または貸与について国立博物館が一定の権限を有する旨の条項であり、それ以外の権限は大幅に削減されたといえる。

　こうした法整備に連動して、1996 年ラモス大統領によって国立博物館コンプレックスの創設を監督する大統領委員会が設立された。それに先立つ 1994 年、大統領が財務大臣及び観光大臣にそれぞれ庁舎となっている建物を国立博物館へ引き渡すよう指示し、翌 1995 年に財務省庁舎の引き渡しが完了している。観光省庁舎は 1997 年末までに引き渡し予定だったが実現せず、1998 年の共和国法第 8492 号「国立博物館法」制定後の 6 月 12 日、フィリピン独立 100

**図1 フィリピン国立美術博物館外観**
(旧上院)

**図2 フィリピン国立人類学博物館外観**
(旧財務省庁舎)

**図3 フィリピン国立自然史博物館外観**
(旧観光省庁舎)

周年の公式記念行事の一環として、旧財務省庁舎を改修したフィリピン国民博物館がお披露目された。

　もっとも最近の動きとしては、2010〜2016年にアキノ3世大統領のもと国立博物館コンプレックスのビジョンが復活し、旧観光省庁舎を自然史コレクション、旧財務省庁舎を人類学・考古学コレクション、旧立法庁舎（1987〜1997年までは上院）を美術コレクションの恒久的な収蔵施設とする整備が進められた。現在、これら三つの建物とプラネタリウム（1975年設立）を合わせた四つの建物がマニラのエルミタ地区リサール公園内に点在し、国立博物館コンプレックスを構成している。

　この他、フィリピンでは適宜大統領令などの形で、特定の地域や遺跡、文化財に関する研究や修復、保護が規定され、実施されてきた。フィリピンにおける文化財行政と国立博物館の運営は初期の段階から法的根拠が与えられ、時代の変化に伴って推移してきたといえる。


## おわりに―フィリピン国立博物館の体制と活動―

　最後に、フィリピン国立博物館の体制について見ていきたい。

　フィリピン国立博物館は理事会の下に館長、副館長が置かれ、その下に人類学部局、考古学部局、考古遺跡及び分館部局、地質学部局、動物学部局、植物

学部局、美術部局、保存研究室、修復及び技術部局、文化財部局、博物館教育部局、プラネタリウム部局の12部局があり、それらとは独立して財務・管理部局が設置されている。専門部局はそれぞれ拠点となる国立博物館コンプレックスの建物（国立美術博物館、国立自然史博物館、国立人類学博物館）に配置されている。

各部局の専門職としてはサイエンティスト、キュレーター、リサーチャー、テクニシャン、アーティスト／イラストレーターといった職位があり、適格者がいない場合には空席となることもある。それぞれ担う業務内容は異なり、研究職と技術職は明確に区分されている。

こうした専門職員は、展示の構成、資料の整理・整備、学術的調査・研究などの業務を担う。また、「フィリピン国立博物館法」で定められているように、少なくない職員が各自の能力や技術の向上のために国内外の大学院へ進学しており、外国へ長期留学するものや、日常の業務をおこないながら学位を取得するものなど様々である。また、海外における研修プログラムにも積極的に参加し能力や技術の向上を図っている。

フィリピン国立博物館はマニラの有名な観光地であるイントラムロス（スペイン時代の要塞都市）にも近く、美術、自然史、人類学・考古、そしてプラネタリウムと多様なコレクションを見ることのできる施設である。博物館の各建物も植民地期の国会や庁舎であり、建築の観点からも見応えがある。最近では2022年6月30日にマルコス新大統領が国立美術博物館で就任式をおこなったことでも話題になった。フィリピンに行かれた際にはぜひ足を運んで欲しい。

註
1) フィリピン委員会第284号法
（https://ldr.senate.gov.ph/legislative%2Bissuances/Act%20No.%20284）（2022年10月31日閲覧）
2) 第3874号法
（https://issuances-library.senate.gov.ph/legislative%2Bissuances/Act%20No.%203874）（2022年10月31日閲覧）
3) 連邦法第169号
（https://www.officialgazette.gov.ph/1936/11/12/commonwealth-act-no-169/）（2022年10月31日閲覧）
4) 大統領令91号

(https://www.officialgazette.gov.ph/1937/01/23/executive‑order‑no‑91‑s‑1937/)（2022 年 10 月 31 日閲覧）

5) 文化財保存保護法

（https://www.lawphil.net/statutes/repacts/ra1966/ra_4846_1966.html）（2022 年 10 月 31 日閲覧）

6) 1987 年憲法

（https://www.officialgazette.gov.ph/constitutions/1987‑constitution/）（2022 年 10 月 31 日閲覧）

7) 1998 年国立博物館法

（https://lawphil.net/statutes/repacts/ra1998/ra_8492_1998.html）（2022 年 10 月 31 日閲覧）

8) 2009 年国家文化遺産法

（https://lawphil.net/statutes/repacts/ra2010/ra_10066_2010.html）（2022 年 10 月 31 日閲覧）

9) フィリピン国立博物館法

（https://lawphil.net/statutes/repacts/ra2019/ra_11333_2019.html）（2022 年 10 月 31 日閲覧）

**引用・参考文献**
文化遺産国際協力コンソーシアム 2014『平成 24 年度協力相手国調査フィリピン共和国調査報告書』

# インドネシアにおける文化遺産と
# オンサイト・ミュージアム

田代　亜紀子

## はじめに

　インドネシアにおける文化遺産保存行政は、「蘭領東インド」とよばれたオランダ植民地時代に始まっている。インドネシアは日本植民地期を経て、1945年に「インドネシア共和国」として建国が宣言された。1950年までの植民宗主国との戦争を経て、初代大統領として就任したスカルノは、1965年国軍クーデター未遂事件である9・30事件を契機に失脚し、1968年2代目大統領としてスハルト（在職1968-1998年）が就任する。スハルト政権は、30年近く政権を独裁したが、1997年のアジア通貨危機を経て1998年5月に終焉を迎える。副大統領であったハビビが大統領となると、その後は、国内イスラーム組織ナフダトゥル・ウラマー（NU）の議長も務めたアブドゥルラフマン・ワヒド（在職1999-2001年）、続いてスカルノの娘であったメガワティ（在職2001-2004年）が大統領となり、2004年には初めての大統領直接選挙でスシロ・バンバン・ユドヨノ（在職2004-2014年）が選ばれた。2014年からはジャワ地方零細企業家の出身のジョコ・ウィドド（現職2014-）が大統領となっている。スハルト政権崩壊後の大きな政治的変化として、2004年の大統領公選制、2005年の地方自治体首長公選制の導入などがあげられる。これら政治的変化は文化遺産保護にも大きな影響を与え、2010年には文化財保護法が改正され省庁の改編も行われた。さらに2019年以降はウィドド大統領の第2期目突入とともにさらなる省庁改編が行われている。

　インドネシアにおいては、1962年博物館が政府管轄になり、1979年に教育文化省（当時）によって発令された法令（第92号）により、ジャカルタにある中央博物館が「国立博物館」となる[1]。博物館が政府管轄になってからは、博

205

物館局は、遺跡をはじめとした文化遺産を扱う文化遺産局と同じ省庁下にあるものの、別組織として活動してきた。しかしながら、文化総局下に文化遺産保護・博物館部が設立され、さらにジョコ・ウィドド大統領により、2021 年に教育文化省が、教育・文化・研究・技術省として改編されると、2022 年には博物館と文化遺産の機関・組織活動についての法令がだされた（第 28 号）。法令では国立博物館をはじめとした 8 つの機関とボロブドゥル保存研究所、サンギラン初期人類保存研究所の連携を促す組織・活動指針がだされている [2]。2023 年 1 月には、正式にそれら機関・組織が、「博物館・文化遺産局」として再編された。

　現在オンサイト・ミュージアムとして遺跡に併設されている博物館はインドネシアに多くあるが、その多くが博物館管理下ではなく、遺跡を管理する遺跡保存事務所や研究所の管轄下にある。本稿では、これら遺跡に併設される「オンサイト・ミュージアム」、特にボロブドゥルにおけるオンサイト・ミュージアムに注目し、インドネシア国内の政治的変化、文化財行政の組織改編をふまえながら、インドネシアにおける文化遺産保存とオンサイト・ミュージアムの現況と課題をみていく。

## 1　戦後インドネシアの文化遺産保存

　まず、戦後インドネシアの文化遺産保存の動きを概観したい。オランダ植民地時代の 1931 年に記念物保護法（官報第 238 号）が発令され、独立を経て成立した 1992 年の文化財保護法（インドネシア共和国法 1992 年第 5 号）までは、植民地時代の法律を基にしていた。独立後は、1950 年にユネスコに加盟、1989 年に世界遺産条約にも締約すると、1991 年に世界文化遺産としてボロブドゥル、プランバナンが、コモド国立公園、ウジュン・クロン国立公園が世界自然遺産に登録される。インドネシア共和国法 1992 年第 5 号はこのユネスコを中心とした国際協力の動きのなかで制定され、後の 2010 年第 11 号は、この 1992 年第 5 号を発展させたものである [3]。

### （1）ユネスコの活動とインドネシア共和国法 1992 年第 5 号成立

　オランダが 1918 年に開始したプランバナン遺跡シヴァ祠堂の復原研究と修復は、何度かの中断を経ながら、1953 年、当時のスカルノ大統領によって竣

工式が華々しく行われた。1950年ユネスコに加盟すると、インドネシア政府はユネスコに対しボロブドゥル遺跡修復に関する国際援助を要請していた。しかしながら、国際情勢によりインドネシアは1965年一度国連を脱退し、支援も中断する。次の年に再び国連に復帰すると、1972年にはユネスコによるボロブドゥル遺跡救済国際キャンペーンが正式に開始される。このキャンペーンにより、世界27ヵ国の政府・民間団体から650万ドルを超える寄付が集まり、結果1973年から1983年にユネスコ主導によるボロブドゥル遺跡修復事業を行われることになる（河野 1995：465）。前述したように、修復事業後、ボロブドゥルは1991年に世界文化遺産に登録される。このような1950年ユネスコ加盟以降の動きは、1992年法第5号発令と無関係ではない。ユネスコの世界遺産事業は、各国の遺産が世界遺産に登録されることが目的ではなく、登録を目指す過程によって各国において文化遺産、自然遺産保護の制度が整えられることでもある（河野 1995、田代 2012）。1992年法第5号は、インドネシアが文化遺産保護に対して国際基準を備えた法令を整備した証としての法律なのである。

## （2）2010年法第11号

　スハルト政権崩壊を受け、進む地方自治化のなかで成立したのが2010年法第11号である。2010年の法律では「文化遺産（Cagar Budaya）」とは、陸上もしくは水中にある「文化遺産物品（Benda Cagar Budaya）」「文化遺産建造物（Bangunan Cagar Budaya）」「文化遺産構造物（Structur Cagar Budaya）」「文化遺産遺跡（Situs Cagar Budaya）」「文化遺産地区（Kawasan Cagar Budaya）」とされる（第1章総則）。最大の特徴は1992年の法では「遺跡（Situs）」に含まれていた「文化遺産地区」が分けられたことであり、これにより文化遺産の点から面への保存が試みられている。しかしながら、この「文化遺産地区」には文化的景観も含まれ、さらに建造物ではなく、複数の遺跡により構成される空間も対象となっている。これは日本の伝統的建造物群保存地区[4]よりさらに広義である。また、法律改正により、文化遺産登録システムが変更され、多くの文化遺産が登録申請されるようになり、2022年10月現在の国登録文化遺産は99,567件となっている[5]。インドネシア政府はさらなる効率化を目指し、現在申請制度の電子化を目指している（2022年10月現在）。

## 2　ボロブドゥルとオンサイト・ミュージアム

### (1) ボロブドゥルの「発見」と修復

　ボロブドゥル造営年代は諸説あるが、8世紀末に着工し、何度かの段階を経て9世紀中葉に現在の形となったとされる（千原1982、小野 2019）（図1）。1811年から1816年までジャワがイギリス支配下に置かれると、1814年英国人ラッフルズがボロブドゥルを「発見」し、『ジャワ誌（The History of Java）』に記している（Raffles 1830）。ボロブドゥルは、メラピ山の噴火などを要因として地中に埋もれていたが、ラッフルズによる「発見」前にも、18世紀にジョグジャカルタの王族がボロブドゥルと思われる遺跡を訪問しており、その存在は知られていたと考えられる（Krom 1993：32）。英国支配下では技術者コーネリウスによる調査が行われ、この時に行れた大規模な土や植物の除去作業で、ボロブドゥルの全体像が初めて明らかになる。後に考古局長となるクロムは、この時の調査において落下した石や彫刻に手を触れず場所を保持していたことにより、石のオリジナルの配置の推測が可能となったとしている（Krom 1993：33）。1901年に「ジャワおよびマドゥーラに関する蘭領東インド考古委員会（Commissie in Nederlandsch-Indie voor Oudheidkundige onderzoek op Java en Madoera）」がバタヴィア（現ジャカルタ）に設立されると、1913年には「蘭領東インド考古局（Oudheidkundige Dienst in Nederlands Indie）」に改編され、ジャワおよびマドゥーラに限らず、蘭領東インド全体の遺跡目録作成が進む。ボロブドゥルについては、調査研究が進むと同時に、床面の歪みや排水問題、崩壊の危険がある部分への応急処置などが問題となっており、ブランデスを委員長とした委員会が設立され、1905年にブランデスが死去すると修復委員会はファン・エルプに委ねられた。ファン・エルプによる修復は本国の承認を経て1907年から1911年に実施され、その成果は、考古編（1927年）と建築編（1930年）、写真集として刊行されている（Krom 1993、van Erp 1993）。

**図1　ボロブドゥル全景**

　ユネスコ主導のボロブドゥル

遺跡修復事業は、1968 年、1969 年の専門家派遣に始まり、国際専門家 5 名[6]で構成される技術諮問委員会が組織され、第 1 回会合が 1973 年に開催された。1982 年まで計 11 回開催されたこの委員会については、安田らが詳細を分析している（安田ほか 2010）。スハルト政権下においてボロブドゥル遺跡修復事業は国家開発五カ年計画のなかで実施された。当時のインドネシアにとって、国際文化観光は重要な外貨獲得手段として捉えられ、ボロブドゥル遺跡は考古公園として整備されていく。ボロブドゥルのゾーニングについては政府として法令で定められたものはなかったが、日本国際協力機構（JICA）のマスタープランがその基になってきた（Ekarini 2017：26）。このマスタープランにおけるゾーニングは 1990 年代に ODA 問題と絡めて批判され（総合研究開発機構 1995）、国際的にも世界遺産研究を中心として批判がなされてきた（Timothy 1999、Dahles 2000、Wall & Black 2004、Hampton 2005、Kausar 2010）。これに対し、ユネスコ職員でもある長岡正哲の研究は、技術諮問委員を務めた千原大五郎所蔵書である東京文化財研究所「千原大五郎文庫」資料、関係者インタビューなどにより、ボロブドゥル管理計画の変遷、遺跡管理に世界遺産条約がどのように影響したのか、2014 年に策定されたボロブドゥルに関する大統領令と JICA マスタープランの違いを明らかにした（Nagaoka 2016）。JICA マスタープランをみていくと、ボロブドゥルは「歴史教育公園」とされ、実際修復後は考古公園として整備されていった。マスタープランでは公園が持つべき施設として「博物館」があがっている（JICA 1979）。

## （2）オンサイト・ミュージアム

　2017 年にボロブドゥル保存研究所が刊行したボロブドゥル事典には、博物館を「歴史的価値のある貴重品の保管場所。人々の注目を集めるような遺物、芸術、科学などの常設展示のための場所として使用される建物。古いものを保管する場所。」という大きい定義をしたうえで、ゾーン 2（公園内）に位置する博物館を「ボロブドゥル博物館」とし、「この博物館のコレクションは、ボロブドゥル遺跡においてオリジナルの配置が不明であった部材、劣化した部材（1985 年のテロ爆発によって破壊された部材も含める）が展示されている」（Balai Koservasi Borobudur 2017：106）とある。

　ボロブドゥル遺跡公園内にある博物館は 2 つある。この現在カルマウィヴァ

図2　ボロブドゥル博物館での外部展示

ンガ考古博物館（Karmawibhangga Archaeological Museum）といわれる博物館と、「船の博物館」である。「ボロブドゥル博物館」といわれるのは前者であり、ユネスコ主導による遺跡修復事業に伴い、遺跡において場所が特定できなかった彫像・石材や考古学遺物が展示されている（図2）。興味深いのは、この博物館では遺跡そのものの歴史だけではなく、遺跡がどのように修復されたのか、という修復事業に関する説明や写真展示が多く行われていることである。遺跡修復事業に伴い設立されたこの博物館は、共和国法1992年第5号によって設立され、遺跡公園を管理運営する国営の観光公社によって運営されている。2009年の世界遺産委員会では、特にサイト・ミュージアムにおけるインタープレテーション改善と多言語でのパンフレット作成が提言されたが、博物館運営は5名のみで行われ、専門性をもった学芸員もいない状態だった。このため、2010年4月にはユネスコ・ジャカルタ事務所による技術支援が行われ、運営会社に対する能力向上が図られている（Nagaoka 2011：187）。

　一方で、1996年にインドネシアでの3番目の世界文化遺産として登録されたサンギラン初期人類遺跡では、1998年には管理計画が策定されていたが、アジア経済危機とスハルト政権崩壊を受け、その実現は2001年以降となった。2007年のマスタープラン確定まで、多くの変更と議論がなされ、インフォメーションセンターを兼ねた博物館については、マスタープラン上で位置づけられた。サンギラン初期人類の遺跡におけるこの博物館では、人類の歴史と進化について説明する展示となっており、この博物館の機能として「科学の発展、教育、エンターテイメント」があげられている（Widianto & Simanjuntak 2009：137）。この3つの機能に沿って設定された原則は「(1) この博物館はインドネシアにおいて最古と考えられている人々の生活を語らなければならない。(2) この博物館は初期人類の研究センターとしての役割を果たさなければならない。(3) この博物館は遺跡を研究・保存・活用しながら遺跡を管理する団体も

しくは総合的機関の一部でなければならない」とある（Widianto & Simanjuntak 2009：137）。サンギランにあるオンサイト・ミュージアムは、初期人類歴史を説明し、そのなかでのサンギランの位置づけを考えさせるものである。その過程において発見経緯や発掘調査が語られることはあるものの、ボロブドゥルと比較すると、遺跡そのものの説明と人類史のなかでの遺跡の歴史的位置づけに主を置いていることに特徴がある。

## （3）公園の観光地化と遺跡の聖地化

　ボロブドゥル遺跡の入場券はこれまでインドネシア人が5万ルピア（2022年10月のレートで約450円）、外国人が25米ドルである[7]。2022年、最上部へ登るためのチケットを75万ルピア（約6,700円）とする発表があり、多くの反対意見を受けて政府はすぐにこの計画を撤回した。代替案として、遺跡最上部へは1日1,200人までの事前登録制とし、遺跡の劣化を防ぐため専用の履物と使用することを発表している。しかし、具体的対策の実施には至っておらず、2022年9月の段階では暫定的に上部への立ち入りを禁止としている。入場制限の提案は、遺跡の劣化を防ぐためとされているが、興味深いのは、BBCインドネシアによる報道では「仏教聖地としてのボロブドゥル」についても言及されていることである[8]。スハルト政権下

図3　腰巻（サルン）装着についての注意書き

においては年1回に規制されていたボロブドゥル遺跡での仏教行事も、政権崩壊以降は柔軟化してきた。2010年代に入ると、入場の際、腰布が無料で貸出しされるようになり、宗教の場としての配慮が求められるようになる（図3）。上層立ち入り問題についても、遺跡上層を聖域とし、立ち入り制限は遺跡の保護というよりは、宗教上の配慮によって限定されるべきである、という意見がでている。

　一方で公園の観光地化も進んでいく。具体的には、移動型遊園地の設置や公園内レンタル・サイクリングなどである。

図4　参考にされた浮彫の船

図5　浮彫をもとに製造された船

図6　船の博物館の大スクリーンで上映
される少年の物語

核である遺跡自体は神聖な場としての意味を持たせる一方、その周辺は観光公園として整備が進んでいる。2つある博物館のうち「サムドララクサ船の博物館（Museum Kapal Samudra Raksa）」は、「島嶼部の海洋史」をテーマに2005年に開館した[9]。冒険家で元英国海軍のフィリップ・ビールにより製造・寄付された木造の船を展示しているもので、その内容はエンターテイメント性が高い。船はボロブドゥルの浮彫に表現されているものを参考に造られたもので、2003年8月から2004年2月までの間、実際の西アフリカまでの航海の後、この博物館に保管・公開されている（図4、5）。2018年にはLEDを使用した大スクリーンで、ある少年の時空を超えた冒険をアニメーションで描くことで教育的な要素を入れた映像上映を開始した。スクリーンに触れることで映像に変化が起こるようになっており、視覚的だけではなく身体的にも働きかけをしている（図6）。子供が楽しめるような仕掛けがある一方で、海洋史についての説明は学術的な検証が少ない。その意味でボロブドゥル博物館と対照的であるものの、公園のエンターテイメント化には大きく貢献している。

## 3 遺跡化装置としてのオンサイト・ミュージアム

　社会学者山泰幸は、遺跡をモノ性と場所性から構成される概念ととらえ、歴史が遺跡に宿ることを「遺跡化」とよんだ（山 2011）。山は遺跡を通じて歴史がリアルな存在として現れる考え方を「遺跡化の論理」とし、遺跡化装置として案内板、その発展型として「遺跡付設型博物館」をあげている。案内板が遺跡に与えるのが客観的・学術的文脈とすると、遺跡付設型博物館は「隠喩の力をできるだけ働かせるような、幻想的な物語を付与していく」二次的機能を発揮する（山 2011：209-210）。この論理を用いると、ボロブドゥル博物館の果たす役割は案内版としてのものであり、サンギランの博物館は「人類」という壮大な物語、ボロブドゥルの船の博物館は「島嶼部の海洋史」という物語が紡がれる遺跡付設型博物館の機能に近い。また、ボロブドゥルもサンギランも、「地域」を越えた「国家」という枠組みで「世界」に説明された歴史であり、山のいうところの「一点豪華主義型」といえる（山 2011：210）。

　ボロブドゥルやプランバナンに代表される古代遺跡を政治の場として捉え、遺跡の政治利用を歴史的に明らかにしたものにオランダの歴史学者ブルンベルヘンとエイカコフの研究がある（Bloembergen & Eickhoff 2020）。彼らの研究は蘭領東インド時代から、遺跡という空間がどのように植民地支配、国民国家統合に利用されてきたかを示している。そこで「発見」以上に重要視されるのは、「復原」「修復」という行為を通した過去の可視化である。ボロブドゥル博物館における遺跡修復事業の説明は、現状のボロブドゥルとその可視化の過程を示す役割をもっている。

　遺跡のもつ場所性に注目しつつ、植民地支配を経て誕生した多民族国家インドネシアに「遺跡化の論理」を当てはめてみると、ボロブドゥルの空間変容とその管理は複雑である。ボロブドゥルにおいては、遺跡化装置としてボロブドゥル博物館があり、観光化装置としての公園、船の博物館がある。遺跡保存と観光化は対立するものではないが、遺跡保存に集中するあまり、オンサイト・ミュージアムとその周辺、公園の外の社会も含めた空間理解がおろそかになり、研究を担う組織と管理組織の連携不足から、保存と観光の掛け合いはうまくいかなくなる。

## おわりに

1998 年にスハルト政権が崩壊して以降、インドネシアの文化財行政はレフォマシ（Reformasi）といわれる改革が続いている。教育文化研究技術省文化総局下の世界遺産担当課も経験を積み、最初に登録されたボロブドゥルとプランバナン以降、1996 年のサンギラン、2012 年バリ州の文化的景観：トリ・ヒタ・カラナ哲学に基づくスバック灌漑システム、2019 年サワルントのオンビリン炭坑遺産、と世界文化遺産登録を果たしている。一方で、ボトムアップ型の文化遺産保護制度を目指し国レベルの文化遺産登録数は伸ばしつつ、実際の保存については、追いついてない状況にある。また、世界遺産登録後の遺産については、常にユネスコ世界遺産センターや世界遺産委員会に対する報告に気を配らねばならず、モニタリングにおいて指摘される課題に常に対応している状態である。ボロブドゥルのオンサイト・ミュージアムは、博物館も含めて世界遺産として求められる基準、続く文化行政改革、社会において遺跡がもつ宗教的意義の変容のなかで神聖化する遺跡のなかで、これ以上の劣化を防ぐために凍結保存を目指す遺跡と博物館、凍結を目指すが故にその周辺で訪問者を楽しませようとする観光公園という複雑な状況を示している。

### 註

1) インドネシア国立博物館 HP
   （https://www.museumnasional.or.id/tentang-kami）（2022 年 10 月 20 日閲覧）
2) インドネシア教育文化研究技術省（2022 年第 28 号）博物館と文化遺産活動機関・組織に関する法律（Peraturan Menteri Pendidikan, Kebudayaan, Riset, dan Teknologi Republik Indonesia Nomor 28 Tahun 2022 Tentang Organisasi dan Tata Kerja Museum dan Cagar Budaya）
3) 文化遺産に関するインドネシア共和国法 2010 年第 11 号については、東京文化財研究所訳に依拠した（東京文化財研究所文化遺産国際協力センター 2014）。
4) 日本文化財保護法第 143 条第 1 項または第 2 項の規定。
5) インドネシア教育・文化・研究・技術省 HP
   （http://cagarbudaya.kemdikbud.go.id）（2022 年 10 月 27 日閲覧）
6) ロセノ（R.Rosseno: インドネシアの土木専門家で、議長をつとめる）、レイモンド・ルメール（Raymond Lemaire: ベルギーの建築家で、イコモス事務局長を務めた）、ヨハネス・ヤンセン（Johannes E.N. Jensen: アメリカ国立公園職員。第五回委員会からは、同職員ブラウン・モートンⅢ世（W. Brown Morton）と交代）、シーグラー（K.G.Siegler: ヌビア遺跡救済キャンペーンの際、神殿移築で活躍したドイツ人専門家）、千原大五郎（建築史家。1943-1945 年日本占領下のバンドゥン工

科大学で教鞭をとる）。

7)　ボロブドゥル公園 HP
　　（https://borobudurpark.com/activity/museum‐kapal‐samudra‐raksa/）（2022
　　年10月20日閲覧）

8)　BBC Indonesia　2022年6月5日報道記事
　　（https://www.bbc.com/indonesia/indonesia‐61694042）（2022年10月20日閲覧）

9)　サムドララクサ船の博物館 HP
　　（https://borobudurpark.com/en/activity/samudra‐raksa‐ship‐museum/）（2022年
　　10月20日閲覧）

## 引用・参考文献

### 【日本語】

小野邦彦　2019「古代ジャワ建築の編年論」肥塚　隆編『アジア仏教美術論集
　　東南アジア』中央公論美術出版、pp.435-459

河野　靖　1995『文化遺産の保存と国際協力』風響社

総合研究開発機構　1995『文化協力における民族と国家』No.950058、総合研究開
　　発機構

田代亜紀子　2012「東南アジアにおける文化遺産保存と国際協力」『文化財論叢』
　　IV、奈良文化財研究所、pp.1301-1316

千原大五郎　1982『東南アジアのヒンドゥー・仏教建築』鹿島出版会

東京文化財研究所文化遺産国際協力センター　2014『インドネシア　文化遺産に
　　関するインドネシア共和国法』各国の文化財保護法令シリーズ（18）、東京文化
　　財研究所

安田　梢・平賀あまな・斎藤英俊　2010「ボロブドゥール遺跡修復事業の概要と
　　技術諮問委員会について―国際協力によるボロブドゥール遺跡修復事業　その
　　1」『日本建築学会計画系論集』第71巻、第650号、日本建築学会、pp.979-987

山　泰幸　2011「遺跡化の論理―考古学と歴史のリアリティ」『日仏社会学会年
　　報』第22号、pp.207-228

### 【英語・インドネシア語】

Balai Koservasi Borobudur, 2017 'Museum', *Borobudurpedia,* Balai Konservasi
　　Borobudur: p.106.

Bloembergen, Marieke & Martijn Eickhoff, 2020 *The Politics of Heritage in Indonesia : A
　　Cultural History,* Cambridge University Press

Dahles, H. 2000 'Heritage, Local Communities and Economic Development', *Annals of
　　Tourism Research*, 32（3）: pp.735-759.

Ekarini, Fransiska Dian. 2017 'The Landscape of Borobudur Temple Compounds and its
　　Environment', *Journal of World Heritage Studies*, Tsukuba University: pp.24-28.

Hampton, Mark. 2005 'Heritage, Local Communities and Economic Development', *Annals of Tourism Research:* pp.735-759.

JICA,1979 *Republic of Indonesia: Borobudur, Prambanan, National Archaeological Parks,* Final Report, JICA

Kausar, D. R. 2010 *Socio-economic of Tourism on a World Heritage site: Case Study of Rural Borobudur,* Indonesia, Ph.D.thesis, Nagoya University.

Krom, N.J. 1993 *Barabudur: Archaeological Description,* Rinsen Book, first published in 1927

Nagaoka,Masanori. 2011 *Borobudur: The Road to Recovery, Community-Based Rehabilitation Work and Sustainable Tourism Development,* UNESCO & National Geographic Indonesia.

Nagaoka, Masanori. 2016 *Cultural Landscape Management at Borobudur, Indonesia,* Springer.

Samidi & Maulana Ibrahim. 1990 *The Preservation and Development of Borobudur and Prambanan Temples in Relation with the Socio Economic Development of the Region:* pp.67-77.

Timothy, D.J. 1999 'Participatory Planning: A View of Tourism in Indonesia', *Annals of Tourism Research,* 26（2）: pp.371-391.

Raffles, Thomas. 1830 *History of Java,* Murray

Van Erp, Theodore. 1993 Barabudur: *Architectural Description,* Rinsen Book, first published in 1931.

Wall, G. & H. Black, 2004 'Global Heritage and Local Problems: Some examples from Indonesia'. *Current Issues in Tourism,* 7（4-5）: pp.436-439.

Widianto, Harry. & Truman Simanjuntak, 2009 *Sangiran: Answering the World,* Conservation Office of Sangiran Early Man Site.

# 文化遺産の保存と活用を支える
# ミュージアム
## —近代から現代にかけてのミッションの変遷—

德澤啓一・山形眞理子

## 1 王国の残照

　東南アジアの国々は、多民族で構成され、言語や習慣等が重層的に複合した地域から成り立っており、それぞれの地域の伝統的な政体下において、前近代までの歴史が紡がれ、多様な文化が育まれてきた。

　しかしながら、大航海時代以降、東南アジアの植民地化が進み、とりわけ、19世紀末以降、宗主国による被支配国の制度的・社会的・経済的な統治基盤が整備され、ヨーロッパの東方拡大が進展することになる。

　また、文化的な側面に関しては、王立アジア協会、フランス極東学院、バタヴィア学芸協会等が関与し、宗主国本国及び現地において、東南アジアに関する近代ミュージアムが成立することになる。これらはヨーロッパのキャビネット（Cabinet）の伝統を汲み、近代植民地時代に繰り広げられた万国博覧会や植民地博覧会等における帝国の展示に原点がある。

　こうしたヨーロッパの近代アカデミーは、民族、言語、自然資源、そして、歴史文化等の東方学に関する調査を通じて、とりわけ、東南アジアに割拠していた伝統的政体の王国群の文化的所産を積極的に収集し、植民地支配の正当性を示そうとした。これがギメ東洋美術館をはじめとする欧米のミュージアムにおける東洋コレクションの基礎となった。

　一方で、19世紀末、東南アジアで唯一植民地支配を受けなかったタイでは、チュラーロンコーン王（ラーマ5世）によって、バンコク国立博物館が誕生しているものの、東南アジアの近代ミュージアムの多くが、第2次世界大戦後の国民国家形成期において、前近代における王宮等を収用した伝統的な建造物と王の権威で伝世してきた王国群のコレクションを原型としていくことになる（図1）。

こうして受け継がれた王国群の実物ア
セットは、現在、東南アジアの伝統や文
化を雄弁に語る物的証拠となり、国家の
由来や系譜を語る王室財産や国家資産と
して、現在に受け継がれている。

## 2　ナショナル・ヒストリーを語るためのミュージアム

インドシナ3国はフランス領インドシナ、
フィリピンはスペイン・アメリカの植民地、
インドネシアはオランダ領東インドとなる
ものの、1940～1950年代にかけて、植
民地支配からの独立を果たすことになる。

これらの国々は、こうした国民国家形
成期の中で、これまでの民族間・地域間
の歴史的な軋轢等もあり、国民統合を果
たすために、現在の政体に辿り着くまで
のナショナル・ヒストリーとその正当性を

**図1　ニャウンシュエ文化博物館**
（ミャンマー・シャン州・2018年德澤撮影）
シャン族の中で最大の勢力を誇ったニャ
ウンシュエ公国の旧王宮であり、最後の
王サオシュエタイは、建国の父アウンサ
ンと比肩する独立運動の英雄である。第
Ⅰ室及び第Ⅱ室は「シャン族の文化」で
あり、王宮の生活として、玉座などのし
つらえや王族の衣装等の旧王国の遺産が
展示されている。

共有させる必要があった。現在でも国家の記憶としての正史を可視化し、実体化
する装置として、学校教育等とともに、ミュージアムが大きな役割を果たしている。

インドシナ3国は、第2次インドシナ戦争を経て、ともに社会主義制とな
り、ベトナムは、マルクス＝レーニン主義、ホーチミン思想を指導理念とする
ベトナム共産党の一党制となったものの、近年、1986年以降のドイモイ推進、
1995年のアメリカとの国交正常化により自由主義経済と接続したことで、欧
米の民主主義の価値観が浸透してきている。

しかしながら、経済開放主義に伴う経済発展に成功したことで、ベトナム共
産党による現体制が維持されており、国民世論と党内ダイナミクスの中で、政
治と経済のリバランスがうまく働いている現状がある。

ベトナムには、19世紀以降の植民地支配とフランス・アメリカ・中国等と
の長い戦争の歴史があり、各都市において、建国の父ホーチミンの顕彰、そし
て、戦争のミュージアムが建設されている（図2）。

とりわけ、フランスやアメリカ等の帝国主義勢力から独立を勝ち取ったナショナル・ヒストリーを強調し、ベトナム共産党の功績と権威、そして、統治の正当性を喧伝する政治的プロパガンダは、こうしたミュージアムが担ってきた。また、ベトナム人の7割以上が1975年以降の出生となり、ベトナム共産党のイデオロギーや独立闘争の歴史に対する関心が薄くなっており、今後、政治的な装置としてのミュージアムの役割はますます大きくなると考えられる。

タイでは、プラチャーティポック王（ラーマ7世）の治世における立憲革命によって、1932年、絶対王政から立憲君主制に移行し、第2次世界大戦後、民主主義や新自由主義的な思想が普及したものの、軍の関与によって、度々民主化の潮流が頓挫することになる。その一方で、国王の権威を維持するために、さまざまな形で国王の統治の正当性と王国の伝統の真正性が誇示されることになった。その一環として、立憲君主にふさわしいノブレスオブリージュ（Nobless Oblige）の振る舞いとして、王室が受け継いできた実物アセットが公開されるようになり、これに伴って、ミュージアムの整備が進められていった。そのため、タイのナ

**図2　戦争証跡博物館**
（ベトナム・ホーチミン市・2022年德澤撮影）
フランス・アメリカとベトナムとの戦争に関する証跡「負の遺産」を取り扱うミュージアムである。ソンミーでの戦争犯罪、エージェント・オレンジ（ダイオキシン）、反戦運動等に関して、ジャーナリストが撮影した当時の写真等を用いて、戦争の悲惨な実態を伝える平和教育の場となっている。

**図3　プラチュアップキーリーカン博物館**
（タイ・プラチュアップキーリーカン県・2023年德澤撮影）
県文化事務所の屋上に併設されている。全3室において、県史が展示されており、A室では、県の成り立ちに先立ち、先王プーミポン・アドゥンヤデート王（ラーマ9世）、シリキット王妃、シリントーン王女の県行幸の記録等が展示され、タイのミュージアムにおける典型的な展示室構成となっている。

ショナル・ミュージアムは、国王をはじめとする王室を礼讃する展示が必置されており、また、王室の財産を管理する場となった（図3）。

　このように、国家の政体とミュージアムは、密接不可分の関係にあり、価値観を共有する者を生み出し、世論形成手段としての政治的側面が強調されるミュージアムも少なくない。

## 3　文化遺産が現地にあること

　博覧会等を通じて、現地から持ち出された東南アジアの文化遺産は、欧米のミュージアムの在外コレクション等に多数残されている。現在のような教育機会がなく、交通手段が未発達な時代にあっては、現地から遊離した域外において、こうした世界を見せる啓蒙的な行為は、きわめて意義があったといえる。また、生態館園における域外保全と同じように、現地の文化遺産に対する関心の薄さ、あるいは、紛争や略奪、そして、文化変容等による持続的な保存が困難な状況が生じた場合には、これらを現地から切り離す「ゆりかご」的な措置が執られたこともある。近代における東南アジアの文化遺産の移転は、必ずしも現在の尺度でその妥当性を判断できるものでなく、当時の域外保全に至った文脈を精査し、その経緯と背景を理解する必要がある。

　しかしながら、これらの文化遺産には、当時、博覧会等の場面において、物珍しさを追求した「見世物」や貿易上の商品カタログとしての「見本市」上の位置付けであったものも少なくなく、必ずしも、これらの出自や来歴、そして、学術的な意義や背景等が十分に考証されてきたわけではなかった。

　こうした反省もあり、「文化財の不法な輸入、輸出及び所有権移転を禁止し及び防止する手段に関する条約」（文化財不法輸入等禁止条約・1970 年）、「世界の文化遺産及び自然遺産の保護に関する条約」（世界遺産条約・1972 年）等の国際条約をきっかけに、文化遺産が現地にあることの意味を問い直されたことの意義は大きいといえる。

　域内保全の目的は、現地にあることによって、自然環境や住民が受け継いできたさまざまな文化的生態と接続することで、「顕著な普遍的価値」が発揮されるために必要な構成要素がすべて含まれるという「世界遺産条約」でいう「完全性」が獲得されることにある。そのため「無形文化遺産の保護に関する条約」（無形文化遺産保護条約・2003 年）が採択されたことは、文化遺産を取り巻く「口承による伝統及び表現、芸能、社会的慣習、儀式及び祭礼行事、自然及び万物に関する知識及び慣習、伝統工芸技術」（無形文化遺産保護条約第 2 条）

等の生きた無形文化との一体性を保持することに繋がることになる。

　有形の文化遺産が現地にあることは、これらの無形の文化的生態と不可分な状態を作り出すことであり、総体として、これらの価値が高められることはいうまでもない（図4）。

**図4　バーン・チアンの模造をつくる村**
（タイ・ノンブアランプー県・
2011 年德澤撮影）
ミュージアム・ショップや域内の物産店で販売されているバーン・チアン土器は、近郊の土器製作の村々で製作されている。かつて世界最古の青銅器文化と謳われた頃に拡散した贋物土器には、これらの村々の関与を指摘する意見もある。

## 4　オンサイト・ミュージアムの役割

　東南アジアの国々では、依然、GDP に占める農業・製造業の割合が大きいものの、観光業は、経済を牽引するリーディング産業に成長してきている。こうした中で、文化遺産は、観光を通じて、地域とそこに暮らす住民の経済的な利益の源泉となりうることが認識され、文化観光資源として、その価値が大きく見直されるようになった。また、行政、民間資本から観光施設や交通インフラに資金が投入されることで、地域住民の雇用や生活を向上させる社会基盤の整備が期待されるようになった。

　しかしながら、人手や資金といったリソースが限られており、国や地方の積極的な関与が難しい地域が多く、また、民間資本にとっての採算性等を考慮すると、著名な寺院に代表されるような史跡や伝統的建造物等を別にして、文化遺産を無分別に観光地化することは現実的でないといえる。

　また、ベトナム・クアンナム省ホイアン市人民委員会は、2023 年 5 月 15 日から観光客からのホイアン旧市街入域料の徴収を厳格化し、その収益を史跡整備費用等に充てるとしている。これは、世界遺産というブランド力をもってしても、文化遺産を保存・修復し、調査研究を担保するためには、自立的な収益化の手立てを講じる必要があるという厳しい現実を浮き彫りにしている（図5）。

　一方、文化遺産の観光地化を推し進めると、観光客の増大に伴って、文化遺産の損耗・毀損等によって、その価値の低下が危惧されるようになる。こうした事態を回避するためには、定期的なモニタリング、記録保存、保存・修復

の予防的な措置を継続していくことが、オンサイト・ミュージアムの最も重要な役割といえる。さらに、文化遺産の消費を最大限に抑制するために、オンサイト・ミュージアムは、観光客に対して、正しい交流のあり方を提案し、文化遺産と向き合うためのマナーとリテラシーを涵養する場となることが必要となる。

また、2007年、世界遺産条約履行のための戦略的目標の「5つ目のC」として「コミュニティの活用」が追加された。すなわち、文化遺産を受け継いできたのは地域とそこに

**図5　ホイアン旧市街**
（ベトナム・クアンナム省・2022年德澤撮影）
域内ミュージアム等を利用しない場合、現在、多くの観光客が入域料を支払っていない。今後、外国人観光客12万VND（700日本円相当）、国内観光客8万VNDの入域料の支払いを厳格に義務付ける。これらの収益は、史跡の保存・修復、旧市街のインフラ整備、観光に伴う催事費用等に充てられる。

暮らす住民であり、引き続き、彼らの貢献と関与が求められている。

しかしながら、文化遺産を消費するアクターは、観光客とともに、経済的な受益者である地域住民でもある。彼らの所得や生活条件を向上させるためには、生活の場を開発し、生活習慣・年中行事・生活技術等の文化的生態を観光の場面や現代的な生活に適応させることが合理的な選択である。

こうした中で、文化遺産と彼らのかかわりの過程で育まれた文化的生態が観光アクティビティ化し、これに他者が参加できる場面が用意されるようになった。すなわち、体験型の観光として、他者に感動をもって受け入れられる経験を振る舞うようになり、観光客と地域住民が体験の価値を共に創り上げ高めていくという共創行為が介在するようになった。本来の生態がオリジナルから乖離し、編集を越えた改変等が加えられるようになり、これが長い月日の経過とともに、いつの間にか一般化してしまうことが危惧されるようにもなってきた。

このように、文化遺産の場において、他者との交流や地域住民の参画・関与に対して、積極的に取り組まざるを得ない状況が現出しており、オンサイト・ミュージアムは、文化遺産の「顕著な普遍的価値」が毀損されないように、文化遺産に対する影響評価を担いながら、保存と活用という相反しがちなアクシ

ョン、他者と地域住民というアクター間の利害を調整しながら、文化遺産の健全性を維持していくことが求められる。

## 5　コミュニティとミュージアム

　東南アジアの仏教国を見ると、それぞれの村落は、村落内寺院を中心に構成されており、その日常や年中行事において、仏・寺・比丘等に対する喜捨を通じた徳を積む行為が行われている。具体的には、仏像や寺院の建築から修繕にかかる費用負担であり、上座部仏教の場合、比丘の十三資具衣、食事等の寄進である。寺院には、その由緒の中で、支配者層から寄贈された品々や歴代の高僧が用いた法具等が蓄積されている。また、地域の開発や村落の移動に伴って、村落と住民の分化や派生が繰り返されており、これらの出自と系譜、あるいは、過去の出来事や歴史等が記録された「ヤシの葉に記された古文書」等が保管されている。これらの品々は、寺院内のミュージアム、堂宇や小中学校の一室に保管・展示されている。地域の聖域で守り受け継がれてきたとおり、ここに、コミュニティに依拠するミュージアムの原型を見ることができる。

　一方、村落内で発見された考古学的遺跡等に関して、大学や行政機関等が発掘調査を実施し、そこに暮らす住民がその役務の一端を担い、現地に出土品を保管するための収蔵展示施設が建設されることがある。また、観光開発等に誘発され、地域固有の伝統的な生活や技術、英雄譚や聖人伝を表象するミュージアムが建設されることがある。

　これらは、住民の当事者性が意識され、設立に至る文脈において、住民の賛意や発意が介在することになり、場合によっては、住民自らが設立のイニシャルコストを負担・調達し、その後の運営に主体的にかかわることがある。このような住民の関与は重要であるが、地域コミュニティによる文化遺産やミュージアムの活用に関しては、先述のような課題や問題点を孕んでおり、とりわけ、公的セクターの持続的な関与と補助なくしては、事業の継続が危ぶまれる事態に陥ることが危惧される。

## 6　東南アジアにおけるミュージアムの役割の変遷

　先述のとおり、東南アジアの国々では、植民地時代に遡る「帝国の展示」を契機として、近代ミュージアムが成立した。現地に残された実物アセットは、

新たに誕生した政体に引き継がれ、権力の継承とその正当性を表象する政治的資産となった。

このうち、立憲君主制に移行したタイでは、支配者にふさわしい「高貴なる者による展示」が繰り広げられ、国王が国民統合の象徴的存在であることを印象付けた。

また、第2次インドシナ戦争後、社会主義等の革新政体に移行した国々では、独立に導いた指導者の功績を讃えるとともに、この間の革命と闘争に伴う犠牲と禍々しい記憶をナショナル・ヒストリーとして描き

図6　ミュージアム・サヤーム
（タイ・バンコク市・2023 年德澤撮影）
「タイとは、タイ人とは」を展示のコンセプトとしており、王国のルーツと成り立ちをわかりやすく解説している。また、ディスカバリー・ミュージアムと称するとおり、参加型・体験型の展示構成となっており、子どもや外国人でも楽しく学べる工夫が埋め込まれている。

出し、国民に通底する価値観にかなう「国家の記憶を共有させるための展示」が作り上げられた。このように、近現代における東南アジアのミュージアムは、多分に政治的な装置であり、その展示の随所に政治的なレトリックが埋め込まれてきたといえる。

その後、国家の政体や領域が一般化し、これを支配する権力が安定化していくと、ミュージアムは、公教育の一部を担う文教的な役割を果たすようになり、また、観光セクターと協働する集客施設の性格が強調され、経済的な装置としての立ち回りが期待されるようになっていった（図6）。

近年、世界遺産の推進と歩調をあわせるように、文化遺産の場において、オンサイト・ミュージアムの整備が進められ、また、地域とそこに暮らす住民が受け継いできた無形の文化遺産とともに、一体的な可用性が探られるようになってきている。こうした中で、これらの損耗、毀損、変容等が危惧されるようになり、文化遺産の中・長期的な健全性を担保するために、オンサイト・ミュージアムは、これらのアクターに対する教育を通じて、彼らの利用態度によい変化を促し、収集・保存等の自らの基本的なオペレーションによって、文化遺産のオーセンティシティ、インテグリティ等を護持するという重要な役割が求められている。

　　　　　　　　　　　　　　　　　　　　　　（参考文献等省略）

# おわりに

　本書は、『アジアの博物館と人材教育：東南アジアと日中韓の現状と展望』（山形眞理子・德澤啓一編・雄山閣・令和3年）の続編となります。

　本書では、東南アジアにおける文化遺産とミュージアムの関係を取り上げ、とりわけ、文化遺産の持続的な保存と活用を達成するための、現地におけるオンサイト・ミュージアムの役割を考えることにしました。一部の国や地域しか取り上げることができませんでしたが、文化財・文化遺産の保護の歴史や政策的経緯、ミュージアムと専門人材の責任と役割、地域住民との協働、地域間の連携や観光との協業による多様なマネジメント等の活用のあり方を仄聞することができました。

　これらの多くの国々は、経済的な側面等から、開発途上国に位置付けられていますが、文化遺産やミュージアム等では、その豊かで優れた内容に目を見張ることになります。これらの展示やプロモーション、そして、経済的な活動と結び付けた活用方法等に関しては、むしろ、さまざまな趣向や創意工夫が見られ、東南アジアと相対化することで、わが国にとっての有益なアイデアや改善のための指針や教訓が得られると考えています。

　なお、本書には、文化遺産の諸遺構、ミュージアムの施設設備、そして、そこでの活動や地域に暮らす住民との協働の様子等の写真を掲載しています。執筆者、そして、写真等の資料をご提供いただいた諸氏・諸機関に厚くお礼申し上げます。また、本書の出版には、2022年度岡山理科大学学長裁量経費からの補助を受けるとともに、株式会社雄山閣代表取締役社長宮田哲男氏、同編集部桑門智亜紀氏に多大なご支援をいただきました。記して深く感謝申し上げます。

2023年3月

德澤　啓一

山形眞理子

## 著者紹介 (掲載順)

**林 菜央** (はやし・なお)
ユネスコ 世界遺産条約専門官

**俵 寛司** (たわら・かんじ)
国立台湾大学文学院 人類學系 研究員

**菊池 百里子** (きくち・ゆりこ)
東京大学 東洋文化研究所 助教

**清水 菜穂** (しみず・なほ)
ラオス国立博物館 客員研究員

**小田島 理絵** (おだじま・りえ)
東京女子大学 現代教養学部 特任准教授

**丸井 雅子** (まるい・まさこ)
上智大学 総合グローバル学部 教授

**朝日 由実子** (あさひ・ゆみこ)
日本女子大学 人間社会学部 学術研究員

**池田 瑞穂** (いけだ・みずほ)
京都大学 東南アジア地域研究研究所 特定研究員

**中村 真里絵** (なかむら・まりえ)
愛知淑徳大学 交流文化学部 助教

**辻 貴志** (つじ・たかし)
佐賀大学大学院 農学研究科 特定研究員

**深山 絵実梨** (みやま・えみり)
金沢大学 古代文明・文化資源学研究所 客員研究員

**田代 亜紀子** (たしろ・あきこ)
北海道大学大学院メディア・コミュニケーション研究院 准教授

## 編者紹介

### 德澤 啓一（とくさわ・けいいち）

岡山理科大学 教育推進機構学芸員教育センター 教授
岡山理科大学 経営学部経営学科 教授を経て現職
國學院大学大学院文学研究科史学専攻博士課程満期修了退学
専門：博物館学・考古民族学
● 主な著書
『長崎県佐世保市福井洞窟資料図譜：岡山理科大学博物館学芸員課程所蔵コレクション』（共編著）
雄山閣、2022・2023
『洞窟と考古学者：遺跡調査の足跡と成果』（共編著）雄山閣、2023
『アジアの博物館と人材教育』（共編著）雄山閣、2022
「ミャンマー南部からタイ中央平原にかけてのモン窯業の展開と変容：タイ・ノンタブリーの土器製
作及び焼き締め陶器製作を中心として」『中近世陶磁器の考古学』第15巻、雄山閣、2021
「モン窯業の変遷と地域博物館群の成立」『21世紀の博物館学・考古学』雄山閣、2021

### 山形 眞理子（やまがた・まりこ）

立教大学 学校・社会教育講座 学芸員課程 特任教授
岡山理科大学 経営学部経営学科 教授を経て現職
東京大学大学院人文科学研究科博士課程（考古学専攻）単位取得退学 博士（文学）
専門：東南アジア考古学・博物館学
● 主な著書
『アジアの博物館と人材教育』（共編著）雄山閣、2022
「遺跡の保護とその活用」『新博物館園論』同成社、2019
"The development of regional centres in Champa, viewed from recent archaeological advances in central
Vietnam." *Champa: Territories and Networks of a Southeast Asian Kingdom*. École française d'Extrême-
Orient, 2019
*The Ancient Citadel of Tra Kieu in Central Vietnam: The Site and the Pottery*. Kanazawa Cultural Resource
Studies 14. 2014（編著）

2023年6月25日 初版発行　　　　　　　　　　　　　　　　　　《検印省略》

# 東南アジアの文化遺産とミュージアム

| 編　者 | 德澤啓一・山形眞理子 |
|---|---|
| 発行者 | 宮田哲男 |
| 発行所 | 株式会社 雄山閣 |

　　　　〒102-0071　東京都千代田区富士見2-6-9
　　　　TEL　03-3262-3231 代／FAX 03-3262-6938
　　　　URL　https://www.yuzankaku.co.jp
　　　　e-mail　info@yuzankaku.co.jp
　　　　振替：00130-5-1685

印刷・製本　株式会社ティーケー出版印刷